S0-BIF-780

НАТАЛЬЯ СОЛНЦЕВА

ДЕТЕКТИВЫ НАТАЛЬИ СОЛНЦЕВОЙ

✓ 1. «Венера и Демон»
✓ 2. «Шарада Шекспира»
✓ 3. «Яд древней богини»
✓ 4. «Сокровище Китеж-града»
✓ 5. «Французский ангел в кармане»
✓ 6. «Этрусское зеркало»
✓ 7. «Московский лабиринт Минотавра»
✓ 8. «Печать фараона»
✓ 9. «Принцесса из Шанхая»
✓ 10. «Испанские шахматы»
✓ 11. «Она читала на ночь»
✓ 12. «Амулет викинга»
✓ 13. «Ожидай странника в день бури»
✓ 14. «К чему снится кровь»
✓ 15. «Опасайся взгляда Царицы змей»
✓ 16. «Все события неслучайны»
✓ 17. «Не бойся глубины»
✓ 18. «Дневник сорной травы»
✓ 19. «В Храме Солнца деревья золотые»
✓ 20. «В горах ближе к небу»
✓ 21. «Следы Богов»
✓ 22. «Легкие шаги в Океане»
✓ 23. «Свидание в Хэллоуин»
✓ 24. «Последняя трапеза блудницы»
✓ 25. «Кинжал Зигфрида»
✓ 26. «Золотой гребень для русалки»
✓ 27. «Три смерти Коломбины»
✓ 28. «Отпуск на вилле с призраком»
✓ 29. «Селфи с римским фонтаном»
✓ 30. «Эффект чужого лица»
✓ 31. «Мантия с золотыми пчелами»
✓ 32. «Красный Лев друидов»
✓ 33. «Копи царицы Савской»
✓ 34. «Портрет кавалера в голубом камзоле»
✓ 35. «Танец семи вуалей»
✓ 36. «Полуденный демон»
✓ 37. «Натюрморт с серебряной вазой»
✓ 38. «Шулер с бубновым тузом»
✓ 39. «Джоконда и Паяц»
✓ 40. «Эликсир для Жанны Д`Арк»
✓ 41. «Пассажирка с «Титаника»
✓ 42. «Прыжок ягуара»
✓ 43. «Камасутра от Шивы»
✓ 44. «Новый Декамерон»
✓ 45. «Иди за мной!»
✓ 46. «Дьявольский поезд»
✓ 47. «Убийство в пятом варианте»
✓ 48. «Подручный смерти»
✓ 49. «Черный байкер»
✓ 50. «Дуэль с Оракулом».

НАТАЛЬЯ СОЛНЦЕВА

ДУЭЛЬ С ОРАКУЛОМ

Издательство АСТ
МОСКВА

УДК 821.161.1-312.4
ББК 84(2Рос=Рус)6-44
С60

Компьютерный дизайн обложки —
Орлова Анастасия

Иллюстрации по тексту художника —
Helena Maistruk

Портрет автора
Художник *Helena Maistruk*
(http: / / vk.com / helenamaistruk)

Солнцева, Наталья Анатольевна.
С60 Дуэль с Оракулом : [роман] / Наталья Солнцева. — Москва : Издательство АСТ, 2017. — 384 с. — (Мистический детектив).

ISBN 978-5-17-983241-6

«Без вины никто не страдает... Чистеньким хочешь быть? И волков накормить, и овец сохранить? Не бывает такого, дружище! Либо ты овца, либо волк...» — вот что нашептывает бес отцу Онуфрию.

А вина была, и расплачиваться за нее не отцу, а дочери... Лариса Курбатова по просьбе отца едет в Уссурийск к его старому армейскому товарищу, но не застает его в живых. В молодости друзья стали свидетелями странной смерти генерала. И в доме погибшего Лариса обнаруживает на стене загадочные знаки, такие же, как были в доме генерала много лет назад.

В это же время в Интернете появляется новая игра «Золотая Баба». Аватары экспедиции прошлого века ищут сокровища барона Унгерна.

Что заставило пересечься мир виртуальный и реальный? Какую роль в этом сыграл «Оракул мертвых»?

УДК 821.161.1-312.4
ББК 84(2Рос=Рус)6-44

ISBN 978-5-17-983241-6

ЮБИЛЕЙНАЯ КНИГА АВТОРА

У Натальи Солнцевой в этом году юбилей: 10 лет творчества и выход 50-й книги автора. Благодаря Наталье Солнцевой жанр мистического детектива получил огромное количество читателей и поклонников. Человек так устроен: мы свято верим в невозможное и мистическое! Автор не просто нам помогает в это верить, но и дает пищу для размышлений и фантазий. За что мы несказанно ей признательны.

Творческих успехов и вдохновения желаем мы Наталье!

С любовью, редакция «Жанровая литература»

«А меня совсем иною отражают зеркала...»

(Н. Гумилев)

ГЛАВА 1

Заказчик выглядел необычно. Широкие брюки, желтая рубашка, лысая голова и выпуклые карие глаза под выцветшими бровями. В руках он держал четки из крупных нефритовых бусин. Они мешали его собеседнику, парню лет двадцати пяти, сосредоточиться и он беспокойно ерзал на стуле.

— На этой флэшке — сюжет онлайн-игры. Назови ее «Золотая Баба», — усмехнулся заказчик. — Деньги я переведу на твой счет, как только игра запустится в Сеть.

— «Золотая Баба»? — удивленно переспросил программист.

— О ней разве что ленивый не слышал. А ты не в курсе?.. Как это у вас говорят? *Загугли!*

— Договор заключать будем?

— На бумаге? Нет! Бумага — ненадежный носитель. Я сделал тебе невыгодное предложение? — сухо осведомился лысый.

— Нет, но...

— Значит, по рукам?

Вопреки своим словам заказчик не протянул парню руки, а продолжал перебирать зеленые четки.

— Твоей девушке понравится эта игра, — добавил он.

— Откуда вы ее знаете?

— Не важно! Главное, не подведи меня. Ты хороший айтишник. Я бы не поручил это дело кому попало. Я всегда обращаюсь по адресу.

Флэшка лежала на столе между двумя чашками кофе, к которым ни один из собеседников не притронулся. У парня перед глазами клубился зеленый туман, сквозь него проступало круглое довольное лицо заказчика. Тот кивком указал на флэшку и произнес:

— Это твоя жизнь... или смерть. Смотря, как карта ляжет...

Молодой человек судорожно вздохнул, словно ему не хватало воздуха. Мелькание бусин в пальцах заказчика кружило ему голову. Он не заметил, как тот встал, расплатился по счету и медленными шагами вышел из зала.

«Это твоя жизнь... или смерть... — звучало в ушах парня. — Жизнь!.. Или смерть!»

— Что с вами?

Он вздрогнул и оторвался от флэшки, которая на мгновение показалась ему золотым слитком прямоугольной формы, поблескивающим в полумраке кафе. У столика застыла юная официантка в короткой юбке. Ее губы беззвучно шевелились.

— Вам плохо?

Молодой человек ее не слышал, но угадал смысл вопроса.

— Мне... я...

— Принести воды?

Зеленый туман внезапно рассеялся, и парень увидел испуганное лицо девушки. Она не знала, что предпринять.

— Спасибо... все хорошо... — через силу выдавил он, потянулся за флэшкой и сунул ее в карман джинсов. Ему еще не приходилось держать в руках свою жизнь или смерть. От этой мысли парня прошиб холодный пот.

Он глотнул остывшего кофе, пытаясь прийти в себя. Официантка молча убрала вторую чашку и удалилась.

Молодой человек смотрел ей вслед и вспоминал слова заказчика.

— *Как карта ляжет*... — повторил он. — Что за чушь?.. Какие карты?.. Бывают же странные люди...

* * *

Лариса переживала очередное *дежавю*. Здесь, в монастыре, ничего не менялось, кроме времен года. Все так же шумели старые плакучие березы, угрюмо темнели кресты на погосте, вился дым из печных труб. Купола собора так же тускло блестели на солнце. На каменных карнизах сидели крикливые галки.

— Ты к брату Онуфрию, дочка? — узнал Ларису пожилой чернец в длинной рясе и колпаке, из-под которого выбивались седые волосы.

Она молча кивнула.

— Сейчас позову, — чернец неторопливо перекрестил ее и зашагал к кельям, где жила монастырская братия.

Лариса уселась на деревянную скамейку, поставила сумки на землю и вздохнула. Раз в два-три месяца она приезжала сюда из Москвы с продуктами и лекарствами. Отец-монах был ее тайной, известной только матери и Ренату.

— Я ждал тебя, — сказал Онуфрий, и дочь удивленно подняла на него глаза.

Обычно отец с неохотой встречал ее, отказывался от передач и просил больше его не беспокоить. Он-де удалился от мира не для того, чтобы ему то и дело напоминали о прошлой жизни. Но потом все-таки брал сумки и шел угощать монахов, раздавать лакомства, которыми их тут не баловали.

— Что-то случилось, па?

— Не знаю, как и сказать. Сон дурной приснился. Я уж и молитвы читал, и совета просил у Господа... а Он от меня отвернулся. Больно грешен я, дочка! Не искупил еще вину свою...

— Да в чем ты виноват? Таких праведников еще поискать! Ты меня всегда добру учил, на чужое не зарился, за всю жизнь мухи не обидел. Тебе ли грехи отмаливать?

Слова отозвались тяжестью в сердце, и она прикусила язык. Впервые почувствовала, что отец не зря ушел в монастырь. Есть у него в душе страх. От этих мыслей Ларисе стало муторно.

Онуфрий опустился на скамью рядом с ней и достал из кармана сложенную вчетверо записку. От него пахло сухой травой и ладаном. Видно, монахи заготавливали сено на зиму для своих коровенок. Скудная пища, изнурительные посты и физический труд сказывались на здоровье братьев. Лариса с болью заметила, что отец сильно сдал: высох, пожелтел, словно пергамент. Его подбородок заострился, на загрубелых от работы руках выступили синие жилы.

Онуфрий протянул дочери записку и беззвучно шевельнул губами.

— Что это?

— Адрес. Товарищ ко мне приходил во сне... мы с ним в армии вместе служили...

Ларисе резанула слух эта житейская фраза. Отец давно не говорил о мирском и вдруг вспомнил армейского друга?

Она с дрожью развернула записку и прочитала название города.

— Ничего себе...

— От прошлого не убежишь, не скроешься, — прошептал Онуфрий и тоскливо вздохнул. — Даже за этими стенами!

Поднялся ветер. Галки вспорхнули с карниза и шумно рассаживались на березе. Двое молодых послушников убирали на погосте, время от времени поглядывая на брата Онуфрия с посетительницей. Сегодня день свиданий, но на монастырском подворье пусто. Кроме этой молодой женщины в сером мышином платье и платке, никто проведывать братьев не приехал. Обитель уединенная, добираться неудобно, дороги разбитые.

— Уссурийск? — удивлялась Лариса написанному отцом адресу. — Это где? На Дальнем Востоке?

— Приморский край.

— Ты там служил?

— Там мой друг живет. Раньше мы переписывались. Туда письма долго идут. Авиапочтой посылать надо.

— Это когда было, па! Сейчас по Интернету с кем угодно в два счета связаться можно.

— Ты мне бесовщину-то не предлагай, — рассердился отец. — Телевизоры ваши, телефоны мобильные, компьютеры — все это от лукавого. Дьявольское искушение! Погрязнешь в сатанинских кознях, потом и святая молитва не спасет!

— Ладно, — кивнула Лариса. — Бесовщиной я сама займусь. Найду твоего товарища и узнаю, как у него дела. Хорошо?

— Найди, найди...

— Сазонов его фамилия? — переспросила она, разбирая отцовский почерк. — Виктор? Такое впечатление, что ты писать разучился, па! Ничего не поймешь.

— Витек Сазонов... он...

— Поседел уже Витек твой, небось.

— Может, ему недолго жить осталось, — пробормотал Онуфрий. — Плохо он мне приснился, дочка. Завещание, говорит, написал, прослезился... и попрощался со мной.

В груди у Ларисы шевельнулось дурное предчувствие. Она невольно читала мысли отца, которые ей не понравились.

— Мы с Витьком под Калугой в стройбате горбатились, — продолжал он. — Дачу генералу одному строили. Он из дальнего гарнизона перевелся с повышением. Ну и сразу начал быт налаживать...

Ларисе на миг показалось, что перед ней — прежний отец: примерный семьянин, любящий супруг, толковый инженер. А черная ряса и колпак, этот монастырский двор, собор с зелеными куполами, мрачный погост — просто бредовый морок.

— Там всё и случилось... — донеслись до нее слова брата Онуфрия.

— Что, па?

— Беда пришла, дочка! Застала нас, желторотиков, врасплох... Мы не думали, не гадали, что такое бывает...

— Какая беда?

— Смерть, дочка... жуткая смерть...

Внутри у Ларисы похолодело. Лицо отца перекосилось, будто он заново переживал тот ужас, который до сих пор держал его в тисках. Он думал, что в святой обители сможет исцелиться и получить покой. Не тут-то было!..

ГЛАВА 2

Под стенами монастыря в тени раскидистой липы стоял внедорожник. Ренат вышел размяться и подышать чистым загородным воздухом. В Москве в эту летнюю пору жара, пыль и смог. А тут — красотища; из-под огромного валуна бьет холодный ключ, прозрачный, как слеза. Ренат достал из багажника пластиковую канистру, набрал воды и с наслаждением напился.

В ветвях липы гудели пчелы. Монахи держали пасеку, торговали медом для пополнения бюджета. Солнце стояло над луковицами собора, отражалось в зеркалах «хендая», слепило глаза.

Ренат поправил на носу темные очки и нетерпеливо повернулся в сторону ворот. Массивную кирпичную арку вверху украшала икона Божьей Матери в золотистом окладе, въезд был усыпан гравием. Под аркой показалась женщина в длинном сером платье, и он радостно улыбнулся. Наконец-то!

— Что так долго?

— Ты воды набрал? — отрешенно спросила она. — Меда купил?

В прошлую поездку он приобрел у братьев липовый мед и не пожалел. Сегодня решил пополнить запас.

— И набрал, и купил, и заскучал. Тихо здесь, но неспокойно. Чувствуешь себя, словно на мушке.

— А говоришь, «заскучал», — с этими словами женщина сняла платок и взлохматила примятые каштановые волосы. — Терпеть не могу платков! Только тут по-другому нельзя. Сразу выставят вон.

— Как твой отец? Надеюсь, здоров?

— Дай попить, — попросила Лариса. — В горле пересохло.

Ренат налил ключевой воды в стаканчик и подал ей. Нынешнее свидание с отцом-монахом произвело на Ларису удручающее впечатление. Она явно расстроена.

— Ты в порядке?

— Я? Да...

— Садись в машину, — он оглянулся по сторонам. — Пора ехать.

Ренат чувствовал чей-то взгляд из зарослей орешника на обочине. Там кто-то прятался и наблюдал за ними. Терпеливый соглядатай ничем себя не выдал, и если бы не чутье Рената, остался бы незамеченным.

Лариса, поглощенная своими мыслями, была бледна и озабочена. Стаканчик в ее руке вздрагивал.

— Что-то случилось?

— Потом расскажу...

— Надо было мне с тобой пойти. Ты обещала познакомить с отцом. Странный он у тебя. Это ж надо! В монастырь уйти! В наше время!

Щелк!.. В кустах наблюдатель фотографировал стоящую под липой машину и ворота святой обители. Щелк!.. В кадр попал номер «хендая», который развернулся и выехал на проселок. Щелк!.. Щелк!..

— Куда спешить? — рассеянно отозвалась Лариса. — Успеешь еще, познакомишься.

— Твой отец будет не в восторге от меня, верно? Поэтому ты оттягиваешь нашу встречу?

Она с недоумением покосилась на Рената, вздохнула и покачала головой.

— Зачем тебе мой отец? Любопытство взыграло?

— Посвататься хочу.

Она рассмеялась и расстегнула верхние пуговки платья. Монастырские правила не для нее. Как отец все это выносит? Сплошные ограничения и запреты, молитвы, посты, тесная келья, спартанские условия, тяжкий труд...

— Он у тебя подвижник, — подлил масла в огонь Ренат. — Изнуряет тело ради спасения души. Я всегда мечтал о таком тесте.

— Прекрати!

— Вижу, тебе полегчало, — улыбнулся он. — А то сидишь, как с креста снятая.

— Ты жениться на мне собрался?

— А хоть бы и так. Пойдешь за меня?

— Я уже один раз сходила замуж, больше не намерена наступать на грабли.

— О, о, о! Это я — грабли? Обидно, между прочим...

Они препирались всю дорогу до поворота на шоссейку. «Хендай» резво прыгал по ямам. Ренат шутил, чтобы развеселить свою спутницу, и мельком поглядывал в зеркало дальнего вида: нет ли «хвоста». У Ларисы не шел из головы разговор с отцом.

— Останови! — попросила она, увидев молодую березовую рощу.

— Привал сделаем? Отличная идея. Я взял с собой бутерброды и кофе в термосе, как ты велела.

Лариса совершенно забыла о еде, ей просто стало невмоготу сидеть в машине и слушать треп Рената...

* * *

Брат Онуфрий, шаркая ногами, брел мимо погоста, покачнулся и схватился за сердце. Один из послушников бросил мешок с мусором и подбежал к старику. Онуфрию исполнилось пятьдесят шесть лет, но выглядел он на все семьдесят. Худоба, седина, морщины, сутулая спина. В монастыре для него год шел за пять.

Онуфрий осел на землю, хватая ртом воздух, а послушник бестолково суетился, бормоча молитву. Губы монаха побелели. Послушник обмахивал ему лицо полой рясы и испуганно приговаривал:

— Дыши, брат... дыши... дыши...

Онуфрий отдышался, ему полегчало. Ввалившиеся щеки порозовели, и парень перевел дух.

— Оклемался, брат?

— Хвала Всевышнему, милосердие Его безгранично...

— Я возьму твои сумки, — предложил послушник. — Они у скамейки остались. Птицы до продуктов доберутся, расклюют.

— Возьми... отнеси в трапезную...

Парень помог Онуфрию подняться и довел его до кельи. Потом вернулся за продуктами. Нахальная галка уже проделала клювом дырку в пакете с пряниками и конфетами.

— Кыш!.. Кыш! — прогнал ее послушник.

Товарищ его подошел к скамейке и сглотнул слюну. Очень хотелось есть. На завтрак братьям давали молоко и хлеб, а до обеда еще далеко.

— Совсем плох стал Онуфрий, — сказал он, глядя на сумки, битком набитые всякой снедью. — Ему бы к врачу надо.

— Настоятель предлагал. Онуфрий об этом и слышать не хочет. Просил молиться за него.

Послушники взяли по сумке и бодро зашагали к трапезной.

Тем временем брат Онуфрий лежал на своем жестком ложе и прислушивался к боли в груди. Эта боль напоминала ему прошлое...

Когда-то он был рядовым солдатом, считал дни до дембеля и с нетерпением ждал писем от девушки, которая провожала его в армию. Он мечтал о любви, о возвращении домой, о счастливой жизни. Не так сложилось, как думалось...

— Валер, а Валер! — окликнул его Витька Сазонов. — Курить будешь? Я сигареты раздобыл!

— Где?

— Грузчики забыли, а я подобрал. Они намахались с бревнами, перекурили, а пачку на крыльце оставили. Тут целых пять штук!

Витек с удовольствием затянулся и протянул сигарету товарищу. Тот чиркнул спичкой, неумело прикурил и закашлялся. Едкий дым щекотал горло, но казаться белой вороной парню не хотелось. В их взводе все курили, выпивали и тайком бегали к девчатам в поселок. Служба в стройбате не сахар, но в ней есть свои прелести. С дисциплиной попроще, от начальства подальше. Генерал, которому они строили дачу, не афишировал факт, что привлекает к работе солдат. Сам на стройке появлялся редко, прораба поставил гражданского. Тот три шкуры с ребят не драл, по пустякам не придирался и заботился, чтобы их кормили прилично.

— Что твоя пишет? — пуская изо рта дым, полюбопытствовал Витек. — Любит?

— Она скромная, о любви писать стесняется.

— А от моей последнее письмо было зимой. С тех пор всё, как отрезало. Наверное, другого себе нашла. — Он злобно сплюнул и щелчком отправил окурок в кусты. — Приеду, убью обоих!

— Дурак ты. Девушек вокруг полно, выбирай любую. Хочешь, здесь женись, в поселке. Дом себе построишь, заживешь...

— За какие шиши строить-то? Ты гляди, сколько генерал бабок отстегивает! А я где возьму? Разве что банк ограбить?

— Зачем тебе такие хоромы? Срубишь пятистенку с резными ставнями, на окнах герань разведешь, в палисаднике смородину посадишь. Красота! Лодку купишь, на реке рыбы — лови, не хочу. А какие тут закаты, глаз не оторвать...

— Это ты, Валера, дурак и глупый мечтатель! — рассердился Сазонов, прикуривая вторую сигарету. — До дембеля пару месяцев осталось. С каждым днем сильнее домой тянет.

Они сидели на куче бревен для бани, которую собирались строить. Генеральская дача была почти готова, без внутренней отделки, но уже с окнами, с дверями, с лестницами и мансардой, откуда открывался чудесный вид на Оку.

Вечерело, из поселка доносились переливы гармони, за соседним забором срывалась с цепи овчарка, захлебывалась лаем.

— Едет кто-то! — спохватился Витек и встал, прислушиваясь. — Кажись, военный уазик по проселку шурует! Пылищу поднял... Неужели, генерал нагрянул? Мать честная!.. Увидит, что работа стоит, а мы прохлаждаемся, мало не покажется! Прораб где?

— Спит наверху в мансарде. Пьяный в стельку.

— Как — пьяный?

— У него сын родился, вот он на радостях и... того...

Сазонов нервно выругался, вытягивая шею и вглядываясь в облако пыли на грунтовке.

— Давай спрячемся! Пусть генерал с прорабом разбирается. Тот отпустил ребят в поселок на гулянку, ему и отвечать. Я за всех спину гнуть не подписывался.

— Мы с тобой сами решили остаться.

— Потому что болваны! Будет нам на орехи... Бежим прятаться!

— Может, пронесет?

Не пронесло. Уазик притормозил у сооруженного на скорую руку деревянного штакетника, из машины вышел мужчина в штатском и шагнул к воротам.

— А водила где? — буркнул Витек, увлекая товарища за угол дома. — Если генерал сам за рулем ехал, значит, лучше ему на глаза не попадаться. Чует мое сердце, злой он, как меч!

— Небось растрясло его на колдобинах-то...

— Теперь он на нас отыграется! Прораб зенки залил, ему море по колено. А мы с тобой огребем по полной.

Солдаты юркнули за поленницу и затаились. Солнце садилось, все вокруг погружалось в густые сумерки. Было слышно, как со скрипом открылись ворота, и машина въехала во двор.

— Не к добру это, — тоскливо прошептал Валера, ощущая холод под ложечкой. — Чего ему на ночь глядя приезжать?

— Ладно, не дрейфь! Никто нас за поленницей не увидит. Не царское это дело, по углам рыскать.

— Тс-сс! Идет...

Хлопнула входная дверь, и солдаты поняли, что генерал вошел в дом...

ГЛАВА 3

Ренат наблюдал за проезжающими машинами. Их было немного, и ни одна не сбавила скорость, не остановилась неподалеку.

— Думаешь, за нами следят? — нахмурилась Лариса.

— Возле монастыря точно следили. Правда, не знаю, кто.

Они сидели на расстеленном в тени берез покрывале. Над головой, в гуще веток, стучал дятел. В траве цвели колокольчики и белая кашка.

— Кому мы понадобились?

— Тебе виднее. Твой отец в этой обители живет, а не мой. Чего он вдруг в монахи подался?

— Значит, есть причина.

Лариса отказалась от бутерброда и пила только кофе. Зато Ренат уплетал за двоих. Неизвестный соглядатай не испортил ему настроения, скорее развлек. Солнце просвечивало сквозь молодую березовую листву, от земли шел пар, в кронах деревьев чирикали птицы.

— Тут наверное грибы есть, — сказал Ренат, не переставая жевать. — Подберезовики. Можно поискать. Любишь грибы собирать?

— Мне не до грибов, — кисло улыбнулась Лариса.

— Что так?

— Я чувствовала, все это неспроста. С чего бы человеку семью бросать, работу, дом...

— Давай ближе к делу. Что тебе сказал отец?

У Рената язык не поворачивался задать ей вопрос, который пришел ему в голову.

— Вот, смотри, — она протянула ему записку с адресом: «Уссурийск, улица Никольская, дом двадцать три. Сазонов Виктор Петрович».

Он прочитал и поднял на нее глаза:

— Ого! Это же на краю света!

— Что скажешь?

— Армейская дружба? — предположил Ренат. — Вижу двух молодых солдатиков... какая-то река... деревянный сруб...

— Еще что видишь?

— Ты мне экзамен устроила?

— Я понять хочу, что там произошло. Из-за этого у отца жизнь наперекосяк пошла.

— Он в Уссурийске служил?

— Да нет, под Калугой...

Лариса глотнула кофе и закашлялась. Не в то горло пошло.

— Калуга гораздо ближе, — констатировал Ренат. — Это все упрощает. Выходит, в Уссурийске живет его сослуживец?

— Он туда уехал после дембеля. Не домой, а к черту на кулички.

— За длинным рублем, что ли? — Ренат крутил в руках записку, пахнущую ладаном. От нее веяло чем-то зловещим. — Смерть!.. — вырвалось у него. — Я чувствую смерть...

— Отец с этим Сазоновым работали у генерала, строили ему дачу над рекой. Однажды генерал приехал под вечер, зашел в дом... и...

— Умер?

— Ага. Отец говорит, кроме них с Сазоновым, на даче был пьяный прораб, который спал в мансарде...

— Постой. Генерала убили?

— Отец уверяет, что никто пальцем его не трогал. Когда тот неожиданно заявился на дачу, они с товарищем спрятались за поленницу. Чтобы не попадаться ему на глаза. А потом...

Перед Ренатом фрагментами развертывалась картина давней трагедии. Новый деревянный дом, запах стружек, которые валялись повсюду. Просторную комнату тускло освещала свисающая с потолка лампочка...

— Генерал вошел внутрь и крикнул: «Есть кто-нибудь?» — продолжала Лариса. — Никто не отозвался. Прораб не проснулся, а солдаты решили себя не выдавать. Генерал поднялся по лестнице наверх, увидел спящего прораба, махнул рукой и спустился на первый этаж. Он решил, что больше на даче нет ни души. Окна гостиной выходили на ту сторону, где складывали дрова. Когда в комнате зажегся свет, Сазонов не удержался и заглянул в окно. Генерал присел на корточки и возился в углу...

«Что он делает?» — прошептал Витек. Товарищ дергал его за гимнастерку и бормотал: «Идем отсюда, не то хуже будет!»

«Да погоди ты! — отмахнулся Сазонов, которого разбирало любопытство. — Может, у него там тайник для денег!»

«А наше какое дело? Меньше знаешь, крепче спишь».

«Трус ты, Курбатов...»

«Подглядывать нехорошо!»

«Генерал достал сверток, — шепотом сообщил Витек. — Точно деньги! Он их от жены заныкал!»

«Идем отсюда, дурья твоя башка!»

Сазонов в азарте забыл об осторожности и прильнул носом к стеклу, бормоча: «Неужели, в доме были спрятаны деньги, а мы не подозревали? Вот, дурачье!»

«Ты что задумал, Витек? — испугался товарищ. — Мы не воры!»

«На стройке столько народу шастает, любой может на тайник наткнуться...»

Курбатов не выдержал и тоже привстал, заглядывая в окно. Ему было интересно и страшно. Под ложечкой неприятно заныло.

Генерал положил сверток на стол и разглядывал его содержимое. Проверяет, все ли на месте? Он сидел спиной к солдатам, загораживая от них пачки денег. То, что это именно деньги Сазонов с Курбатовым не сомневались.

«Считать будет, — прошептал Витек. — Хитрый лис! Никому не доверяет. А вдруг, кто-нибудь понемногу потягивает из тайника? Чтобы не сразу заметно было!»

Его возбужденное состояние передалось товарищу. Время шло, а генерал продолжал сидеть над своими сбережениями, как зачарованный.

«Долго считает, — пробормотал Курбатов. — Видать, сумма большая».

«А я о чем? Это же... это...»

Витьку не хватило слов, чтобы выразить завистливый восторг. Он вдруг недовольно покосился на товарища. Лишний свидетель. Лучше бы тот ушел вместе со всеми в поселок а его оставил одного охранять стройматериалы и пьяного прораба.

Между тем генерал все сидел, наклонившись над свертком, и почти не двигаясь.

«Уснул, что ли? — беззвучно хохотнул Витек. — Застыл, как статуя!»

Должно быть, генералу не хватало света. Он зажег свечу из тех, что стояли на столе на случай перебоев с электрикой, и взял ее в руки. Может, он решил закурить?

Внезапно перед ним что-то вспыхнуло и озарило полутемную гостиную...

* * *

Утром Ренат проснулся в скверном расположении духа. Ночью его мучили кошмары. Какие-то белогвардейцы расстреливали пленных комиссаров... какой-то маленький отряд пробирался сквозь таежную чащу... кого-то жестоко пытали в тесном земляном подвале...

Он вытер кончиком простыни испарину и обнаружил, что подушка Ларисы не смята. Вчера, возвратившись из монастыря, она была тиха и молчалива. Впрочем, он сам не заговаривал с ней: обдумывал историю ее отца. После ужина Ренат отправился в спальню первый и его сморило. А Лариса, выходит, так и не ложилась...

Он прислушался к звукам в кухне, где кипел чайник и звенели тарелки. Значит, она готовит завтрак. Ренат встал, потянулся и босиком прошлепал в душ. Вода привела его в чувство. Кровавые пытки и расстрелы отступили, на ум пришел адрес: Уссурийск, улица Никольская...

Брат Онуфрий попросил дочь проведать бывшего сослуживца. Переться в такую даль Ренату не хотелось. Лариса и не настаивала. Погруженная в свои мысли, она казалась крайне рассеянной.

Ренат насухо вытерся, пригладил перед зеркалом волосы и удовлетворенно кивнул. Он отлично выглядит, несмотря на утомительную поездку и ужасную ночь.

— Борода растет, как сумасшедшая, — отметил он, глядя на свое отражение. Симпатичный шатен, красиво очерченные губы, подбородок с ямочкой. Хоть сейчас на обложку модного журнала.

— Любуешься собой? Красавец!

Лариса застала его врасплох и окатила холодным сарказмом. Ренат не обиделся. Вчерашняя встреча с отцом выбила ее из колеи. Брат Онуфрий до сих пор не обращался к дочери с просьбами, скорее наоборот, отвергал ее внимание и заботу. Значит, что-то изменилось.

— Ты совсем не спала?

— Не смогла глаз сомкнуть, — призналась она и добавила. — Давай, поторапливайся, яичница стынет.

За едой Лариса заявила, что завтра улетает во Владивосток. Ренат ожидал чего-то подобного, но не так скоро.

— Уже завтра?!

— Я заказала билет. Восемь часов в самолете лучше, чем тащиться несколько суток на поезде. Духота, пыль, навязчивые попутчики! Нет уж!.. Я предпочитаю комфортабельный салон пассажирского лайнера, а не пропахший углем вагон.

— Билет? — напряженно переспросил Ренат. — Только один, для себя? А мне?

— Я должна сама с этим разобраться, — отрезала она. — Я думала всю ночь и решила, что тебе лучше остаться в Москве. Съездишь под Калугу, отыщешь ту злополучную дачу, осмотришь дом, поговоришь с людьми... в общем, ты знаешь, что делать. Связь будем держать по сотовому или в скайпе. Надеюсь, там нет проблем с Интернетом.

— «Там» — это где?

— От Владивостока до Уссурийска ходят автобус и электричка. Пожалуй, туда можно и на такси добраться. Посмотрю по обстоятельствам.

Ренат обескураженно пожал плечами. Возражения застряли у него в горле, когда он ощутил ее внутренний отпор.

— Не стоит меня переубеждать, — твердо молвила Лариса. — Я обещала отцу, что выполню его просьбу, и сделаю это. Он никогда ни о чем меня не просил...

— Я не собираюсь тебя отпускать одну! — разозлился Ренат.

— Пей чай...

С этими словами она вышла из-за стола. Он потянулся к планшету и отыскал завтрашний рейс на Владивосток. Надо будет отвезти Ларису в аэропорт. У него пропал аппетит, когда он вспомнил свои сны.

— Это опасно, Лара! — крикнул он, глотая безвкусный чай. — Ты сильно рискуешь!..

ГЛАВА 4

Уссурийск

Работница социальной службы выложила на стол купленные лекарства, продукты и спросила:

— Как вы сегодня, Виктор Петрович? Лучше?

— Нога болит, — пожаловался старик. — А в остальном ничего, терпимо. Спасибо тебе, Ириша, за заботу.

— Не за что, — смутилась девушка. — Это моя обязанность.

Ее подопечному Сазонову не исполнилось и шестидесяти, а на вид ему можно дать все восемьдесят. Рано одряхлел, поседел, изъеден болезнями. Еле-еле по дому ковыляет с палочкой. Семьи нет, друзей нет, один как перст. Получает пенсию по инвалидности, едва сводит концы с концами. Ногу ему на железной дороге покалечило, позвоночник повредило, едва выкарабкался, бедняга.

— Вам укольчик сделать? — предложила девушка. — Зачем медсестру ждать, если я могу сама?

— Не надо. Ты иди, Ириша, я прилечь хочу. Устал.

— Ну, как хотите.

Девушка удалилась, а Сазонов, кряхтя и отдуваясь, опустился на диван. В комнате было душно. Окна он не открывал, боялся сквозняков. Мерз даже в жару, кутался в заячью жилетку. Мех вытерся, но Виктор Петрович не хотел расставаться с жилеткой, сшитой из собственноручно добытых на охоте зайцев. Неужели, он когда-то был молод, полон сил, ходил на охоту, рыбачил, радовался жизни?

Впрочем, радоваться он перестал давно. С того времени, как отслужил в стройбате. После дембеля решил уехать подальше, чтобы никто и ничто не напоминало ему о той страшной ночи в генеральском доме.

Услышав, как хлопнула дверь, Сазонов вернулся к занятию, от которого его оторвал визит социальной работницы: принялся перебирать фотографии и откладывать в сторону те, что нужно сжечь. Коробка со старыми снимками стояла тут же на диване. Фото, одно за другим, оказывались в кучке на сжигание.

— Какого черта я вожусь с этим хламом? — рассердился Виктор Петрович. — Спалить все и с плеч долой!

В последние дни он все чаще думал о том, как сложилась бы его судьба, не останься он тогда с закадычным дружком Курбатовым на генеральской даче. Пошли бы вместе с ребятами в поселок, хлебнули самогону для храбрости, закрутили любовь с местными девахами... и жизнь потекла бы в совершенно другом русле. Он бы мог жениться, обзавестись детишками, внуками... стареть в кругу родных и близких, а не ждать помощи от посторонних.

— Повезло тебе, Валера, — с сожалением пробормотал Сазонов, разглядывая лицо товарища на любительском черно-белом снимке. — А я пропал!.. Худо мне, брат! Ох, и худо!.. Призраки вокруг бродят... добычу подкарауливают, словно стервятники. Нет мне спасения от них... Борюсь с безумием, как могу!.. Сил уже не осталось...

Он поколебался и оставил фотографию армейского друга на память. Решил пока не сжигать. Зато несколько писем от Курбатова в пожелтелых конвертах отправились на утилизацию.

Сазонов будто подводил итоги, готовился к чему-то. Завещание он написал, благо, Ириша подсобила, вызвала нотариуса на дом. А то в контору Виктор Петрович бы не дошел. Одышка замучила, боли в спине, хромота.

— Ты, Валера, забыл обо мне... писать перестал. Я сам виноват. С ответами не торопился. Да и что отвечать было? Работа — дом, дом — работа. Бабы на одну ночь, пьянки, угар. Это я после аварии на железке поневоле пить бросил. Сердце сдавать стало, давление прыгает. Выпью, и хоть «скорую» вызывай!.. Тебе меня не понять... Верно? Ты — другой. Честный, порядочный, совестливый. Словом, пионер, всем ребятам пример!

Сазонов натужно рассмеялся и подмигнул солдату на фотографии.

— Хорошо тебе! А я, брат, погибаю... Ну да ладно, жалеть не о чем! Видно, по-другому быть не могло...

За окном между деревьев мелькнула тень. Виктора Петровича обдало холодом, он отвернулся и неумело перекрестился. Тень исчезла. Может, она существовала только в его воображении? Собаку Сазонов во дворе не держал, не выносил громкого лая. Соседских шавок хватало, чтобы не спать ночами, крутиться на неудобной подушке, проклинать бестолковых псов. Бессонница его не поддавалась лечению, упорствовала. Со временем он понял, что просто боится уснуть...

* * *

Ренат свернул на кольцевую и прикинул: до Калуги ехать часа три. Он включил музыку для медитаций. Медленная мелодия не успокаивала, а действовала на нервы. Расставаться с Ларисой оказалось тяжелее, чем он ожидал. Впервые с тех пор, как они поселились вместе, Ренат проводил ее одну в дальний путь. Почему она отказалась от его помощи? Женщины — загадочные существа.

Он представил Ларису в кресле рядом с иллюминатором, за которым — небесная синева и белые шапки облаков. Самолет скоро приземлится во Владивостоке, она выпьет кофе в буфете аэропорта, выйдет из терминала, возьмет такси и... отправится навстречу неизвестности.

Ренат гадал, что кроется за историей ее отца. Столько лет инженер Курбатов, а затем брат Онуфрий не заикался об армейской дружбе, ни слова не проронил о бывшем сослуживце, и вдруг — заговорил. Мол, его сны дурные беспокоят...

Какой смысл ворошить прошлое? К смерти генерала солдаты не причастны. По крайней мере, так утверждает отец Ларисы. Когда друзья-приятели сообразили, что произошло неладное, первым в дом кинулся Сазонов, влетел в комнату и застал генерала уже без признаков жизни. Тот внезапно упал головой на стол и... испустил дух. Никаких денег в свертке не оказалось. По словам брата Онуфрия, вместо купюр перед покойником лежали несколько странных предметов, похожих на черепки. Никакой ценности они собой не представляли.

Ренат мысленно перенесся на место происшествия...

— Ты видел? — бормотал Сазонов, озираясь по сторонам. — Видел?

— Что? — не понял товарищ. — Что я должен видеть?

— Знаки... огненные! Знаки...

— Какие знаки? Где?

— На стене!.. Это сатанинское искушение, вот, что! — размахивая руками, бормотал Витек. — Адское пламя!

Курбатову стало страшно. Товарищ выглядел и вел себя как безумец. Его глаза лихорадочно блестели, губы дрожали, грудь судорожно вздымалась. Он твердил про «огненные знаки», хотя ничего подобного в комнате не было. Правда стена была сажей измазана, будто кто-то начертил углем загогулины. Свеча на столе потухла, генерал не двигался и не дышал. Его черты заострялись, кожа бледнела. Рядом с рукой покойника лежала пачка сигарет: очевидно, генерал собирался закурить, но не успел.

— Беда! Надо прораба будить! — выдохнул Курбатов и побежал по лестнице наверх, в мансарду. Там раздавался молодецкий храп. Все попытки растолкать пьяного ни к чему не привели.

— Труба дело, — сдался солдат. — Это дрова, а не человек!

Он выругался и спустился в горницу, к Сазонову.

— Черт! Пошли в поселок, Витек, в милицию!

На лице товарища появилось более осмысленное выражение, он уставился на сослуживца и мотнул подбородком.

— Нас же загребут в каталажку, брат! Скажут, мы того... генерала порешили!

— А мы расскажем, что он сам...

— Кто нам поверит? Посадят за убийство, как дважды два!

— Какое убийство? — опешил Курбатов. — Он своей смертью умер. Мы свидетели.

— Мы — подозреваемые! — нервно возразил Витек, прижимая руки к груди. — А скоро станем обвиняемыми! Сечешь? Бежим отсюда, пока прораб не очухался. Пусть он с милицией объясняется! Ему больше поверят!

— Ты че, Витек, ошалел? Погляди на труп, он же целехонький... Никаких повреждений нет. Ни раны, ни ушиба. Как сидел, так и сидит...

Курбатов указал дрожащим пальцем на генерала, который словно прилег щекой на стол и уснул. Казалось, что человека просто сморила усталость.

— Целехонький, говоришь? — прошептал Витек. — Подойди поближе, братан, зенки протри! Генерал-то... убитый!

— Убитый? — ахнул Курбатов и в ужасе попятился. — Врешь ты все, нарочно меня пугаешь...

— Делать мне нечего!

Сазонов силком заставил друга приблизиться и наклониться над мертвецом. Генерал недавно посетил парикмахера: его виски и затылок были аккуратно подстрижены, щеки побриты и пахли одеколоном.

— Смотри! — прошептал Витек, показывая на лоб покойника. — У него брови обгорели... и на переносице черное пятно!

Курбатов прищурился, у него перед глазами все плыло от страха. Какие брови? Какое пятно?

— Все же при нас случилось, — промямлил он. — Мы видели, что в дом никто не входил...

— Мы ничего не докажем. Нас под трибунал отдадут! До конца дней небо в клеточку обеспечат!

Черное пятно на переносице генерала походило на дырку от пули. Но в комнате никто не стрелял.

— Мы бы услышали, — рассудил Курбатов. — Мы не глухие и трезвые, как стеклышко.

— Это не пуля, а... черная метка, — заявил Витек. — Генералу лицо адским пламенем опалило, и сатана свою печать поставил! Видел зарево?

— Может, он свечкой обжегся?

Ренат так глубоко погрузился в воображаемую сцену, что чуть не пропустил поворот. Он вел машину на автопилоте. Скорость была малая, его обгоняли грузовики и легковушки, мимо пробегали темные ели. Ренат не заметил, как пролетело время. В зеркале заднего вида показался серый «рено», который словно приклеился к нему. На каком-то участке дороги он отстал, и теперь опять маячил позади.

Ренат притормозил у заправки и сделал вид, что ему нужно залить в бак топливо. Заодно он проверит, как поведет себя «рено»...

ГЛАВА 5

Дорога из Владивостока в Уссурийск

Таксист Ларисе попался словоохотливый, ей даже не пришлось вытягивать из него информацию. Та сама лилась, как из рога изобилия.

— Вы, значит, из самой столицы к нам? — улыбался парень. — К родственникам или так, на отдых?

— На отдых.

Водитель был похож на мушкетера: длинные волосы, молодое узкое лицо, бородка и усы.

— Меня Саней зовут, а кличка Мушкетер, — подтвердил он догадку Ларисы. — Она ко мне еще со школы пристала. Фамилия у меня Мушкин, вот ребята и придумали такое прозвище. Я специально волосы отпускал, хоть батя меня и метелил за это! Директор школы грозился мне лично патлы обкромсать. Но я выстоял! Правда, я на Боярского похож?

— Отдаленно...

— Места у нас чудесные! Базы отдыха — на любой вкус. Кто походные условия предпочитает, кто любит комфорт, выбор есть у каждого. Вы, небось, на цветение лотосов приехали?

— Здесь есть лотосы? — удивилась Лариса.

— Ха! Целое озеро! Не хуже, чем в Индии. Распускаются сразу сотни бутонов! Надо в Дубовый Ключ ехать, номер в гостинице снять. А можно в частном секторе поселиться. Мой друг комнаты в доме сдает все лето, правда, в августе цены кусаются. Наплыв туристов бешеный. Хотите, я с ним переговорю? Он вам скидку сделает.

— Я подумаю.

— Вот мой телефон, — обрадовался парень и протянул пассажирке визитку. — Звоните, когда понадобится. Я буду вашим личным извозчиком. Согласны?

— Ладно, — кивнула она.

Водитель продолжал болтать, но Лариса его не слушала. Смотрела в окно на сопки, на окрашенный закатом лес, на серую ленту шоссе. Она решила остановиться у Сазонова, если тот не откажет. Лариса представляла его рано постаревшим одиноким человеком, который ходит, опираясь на палку. Скоро она убедится, насколько ее представления соответствуют истине. Роковую роль в судьбе молодого солдата сыграла та злополучная ночь на недостроенной генеральской даче.

Солнце село за кромку леса, и машин на трассе поубавилось. Фары подержанного «опеля» выхватывали из сумерек указатели, и в какой-то момент Ларисе показалось, что они свернули не в ту сторону.

— Черт, что за фигня? — рассердился таксист. — Сплошные ухабы! Я тут, почитай, каждый день катаюсь, и такого не помню. — Он притормозил, опустил стекло, выглянул наружу и присвистнул. — Ой, блин... асфальт-то где? Корова языком слизала?

— Где мы, Мушкетер? Заблудились?

Водитель вышел из машины и осмотрелся по сторонам. Знакомое шоссе изменилось до неузнаваемости.

— Я что, запутался и на проселок свернул? Не может быть! Я по этой трассе с закрытыми глазами проеду. Короче, лажа...

Пассажирка встревожилась, и парень поспешил ее заверить, что он здесь каждую тропку как свои пять пальцев знает.

— Как нас сюда занесло, блин?

Он с трудом развернулся на узкой грунтовке и поехал обратно. Тревога Ларисы передалась ему. Раньше с ним такого не случалось. А тут как на грех, темно и никаких дорожных знаков.

— У нас тут разная чертовщина творится, — пробормотал Мушкетер и выругался сквозь зубы. — Я от ребят слышал, но сам в передряги не попадал.

— Все когда-нибудь происходит в первый раз...

— Этого только не хватало!

— А что за чертовщина? — осведомилась пассажирка. — Леший кругами водит?

— Если бы леший... Здесь дело посерьезнее. Про Илюшкину сопку слышали? С нее весь город видно. А под сопкой — заброшенные каменоломни. Туда лучше не соваться.

— Откуда же мне слышать? Я приезжая.

— Короче, старики говорят, в Уссурийске водятся призраки. Причем много. Говорят, некоторые улицы и дома на могилах построены. От самых древних захоронений каменные черепахи остались. Наша главная достопримечательность. Символ вечности!

— Черепахи? — переспросила Лариса.

— Краеведы считают, что эти черепахи были надгробиями. Разве можно надгробие переносить в другое место? Покойнику это не понравится.

— Ну да...

— А в городской парк в полнолуние ходить опасно, — разошелся Мушкетер. — Там оборотни поселились. Выскакивают словно из-под земли и рыщут, чем бы поживиться. Собаку бродячую разорвать могут, или даже козу. Мне дед рассказывал, что когда-то на берегу речки нашли растерзанную корову. С тех пор про «Зеленку» дурные слухи ходят. Официально парк называется «Зеленый остров», — пояснил он. — В просторечии — «Зеленка».

— Ясно. У вас в парке козы пасутся? — прыснула Лариса.

— Вы не смейтесь, — обиженно насупился парень. — Я не шутки шучу. Застрянем здесь, мало не покажется.

— Так до города еще далеко. Или у вас везде оборотни водятся?

— Далеко или близко, одному черту известно. А оборотней лучше не поминать после захода солнца.

— Вы же сами о них заговорили.

Таксист промолчал. «Опель» подпрыгивал на ухабах, проваливался в ямы, и парень опасался, что добром это не кончится. Так и вышло. Вдруг машина начала сильно припадать на правую сторону.

— Остановиться бы надо, — заявил Мушкетер. — Поглядеть, в порядке ли колеса. Странно, что мы до сих пор по грунтовке едем. Я видно опять не туда повернул...

«Опель» нырнул в глубокую колею и, перекосившись, замер на месте, но водитель не спешил выходить.

— Что случилось? — спросила Лариса. — Вам страшно?

— Место глухое, — поежился парень. — Честно говоря, мне не по себе. Мы какую-то петлю сделали и заехали непонятно куда.

— Не сидеть же в машине до утра? У вас телефон есть? Звоните своим друзьям, зовите на выручку.

Водитель достал из бардачка видавший виды мобильник и сплюнул с досады.

— Разрядился, блин!

— Возьмите мой. — Лариса достала из сумочки сотовый и протянула парню.

— И ваш разряжен. Хреново...

— Не может быть! — Она убедилась, что Мушкетер прав, и раздраженно вздохнула. — Что теперь делать? Я устала, перелет был тяжелый... хочу выпить чаю и лечь.

— Я сиденье разложу, если надо.

— У вас запаска есть?

— Вы думаете, колесо менять придется?

— Кажется, правое заднее спустило, — предположила Лариса. — Идите и проверьте! Делайте что-нибудь! Я не собираюсь ночевать в вашей колымаге!

— Правое заднее?..

С этими словами таксист вышел-таки из машины, взял в багажнике фонарик и удостоверился, что пассажирка права.

— Вы кто? Ведьма?

— Ага! Меняй колесо, быстро! Не то съем! — вызверилась на него Лариса и показала зубы...

* * *

Дачный поселок Песчаное под Калугой

Ренат добрался до набережной улицы уже затемно. Фонарей тут не было, дорога оставляла желать лучшего. В свете фар за заборами виднелись как роскошные деревянные хоромы, так и скромные дома обычных дачников. Луна на небе стояла огромная и желтая, как кошачий глаз. Россыпь звезд отражалась в спокойных водах реки.

Ренат любовался плавным течением Оки, открывающимся с холма. На берегу горели костры. Пахло смолой для лодок, были слышны голоса рыбаков и лай собак.

— Глупо приезжать сюда на ночь глядя, — сказал Ренат в темноту, полную стрекота сверчков. — Где искать тот самый дом?

«Да вот же он, — прошептал кто-то ему на ухо. — Ты его нашел!»

«Хендай» Рената приткнулся возле покосившегося

штакетника, за которым темнели очертания двухэтажного строения.

Дачники не спали. Кто-то пил чай на веранде, кто-то жарил рыбу во дворе, кто-то ссорился. Визгливый голос женщины перекликался с сердитым мужским баском. Хлопнула калитка. Ренат увидел огонек сигареты и пошел навстречу.

— Здравствуйте!

— И тебе не хворать, — раздраженно буркнул мужик в майке и трениках, в шлепанцах на босу ногу. Он щурился, пуская изо рта дым. Свет фар бил ему в глаза, и мужик злился.

— Я порыбачить приехал, — соврал Ренат. — Где тут можно комнату снять на пару дней? Я хорошо заплачу.

Упоминание о деньгах заинтересовало мужика, который явно был под хмельком.

— Бабло вперед!

— Нет проблем, — Ренат достал из кармана купюру и показал собеседнику. — Веди, показывай жилье. Удобства есть? Вода, туалет?

— Удобства во дворе. А купаться в речке можно. Для здоровья полезно.

— Идет, — он протянул деньги мужику и добавил. — Будем знакомы? Я Ренат, а тебя как величать, добрый человек?

Тот пьяно икнул и представился:

— Игорь... меня тут каждая собака знает. Твоя тачка?

— Моя. Нравится?

— А то!

— Слушай, что это за домина? — показал Ренат на мрачный особняк за штакетником. — Не продается, случайно?

— Кто его купит? Это ж генеральский дом! Его все стороной обходят. Худое место! Проклятое.

— Я не суеверный. Место как место. Вид на реку обалденный, просто дух захватывает. А я как раз дачку себе приглядываю. Недострой. Люблю сам все делать, на свой вкус.

Мужик приблизился, дохнув на приезжего табаком и самогоном.

— Смелый, да? А может, тебе жить надоело? Тогда покупай этот дом, заселяйся... долго не протянешь. Га... гарантирую!

— Что так?

— Ладно, не парься, — осклабился Игорь и подтянул треники. — Я пошутил...

ГЛАВА 6

Мужской монастырь в Подмосковье

Брат Онуфрий молился перед сном. Его одолевали бесы. Главным бесом выступал почему-то бывший армейский товарищ Сазонов. В кошмарных снах он хватал Онуфрия за рясу и тащил в преисподнюю. Монах отбивался, но сил не хватало, и бес почти побеждал. В последний момент Онуфрию удавалось вырваться из его когтей, но каждый раз он боялся за свою бессмертную душу, на которую охотился нечистый. Молитва ненадолго успокаивала монаха, а потом все начиналось заново.

— Зачем ты послал ко мне свою дочь? — глумился над ним Сазонов. — Откупиться хочешь? Не выйдет!

— Изыди! — махал руками Онуфрий. — Прочь от меня! Сгинь!

— Ой-ой-ой! Раскричался! Чем ты лучше меня?

— Я ничего подлого не совершал...

— Что ж ты тогда в монастыре отмаливаешь?

— Сам не знаю. Страшно мне вдруг стало жить, невмоготу... Едва глаза закрою, передо мной зарево вспыхивает и черная метка на лице покойника. Генерал-то никак не отстает от меня, грозится дочь мою погубить, ежели не сведу ее с тобой, Сазонов! А за что ей страдать безвинно?

— Без вины никто не страдает, — жестко отрезал бес. — На твоей дочери тоже метка стоит! И когда придет срок...

— Замолчи! Заткнись!

— Где же твое смирение, монах? — хохотал злодей. — Где же твоя благость? Видать, мало поклонов бьешь! Постов не соблюдаешь! Плоть не усмиряешь!

— Не тебе меня судить, — огрызался Онуфрий.

— Ты сам себя осудил. Закрылся от мира, но не от себя. Сидит в тебе червь и точит, точит... пока не сожрет изнутри. Не будет тебе спасения, не надейся...

Шепот беса проникал в мозг Онуфрия, отравляя его, распространялся с током крови по жилам, оседал в сердце. Бес был повсюду — выглядывал из каждого угла, даже, прости Господи, из-за святых образов. Он дышал на Онуфрия смрадом, напускал уныние и болезни.

— Врешь! — оправдывался Сазонов. — Болеешь ты от своей глупости! Я тут ни при чем. Так и сгниешь в тесной сырой келье, и никто на твою могилу не придет. Ни жена, которую ты оставил, ни дочь, которую ты предал.

— Я ее не предавал... В одном ты прав, Витек: от судьбы не уйдешь. Потому я и послал к тебе Ларису. Пусть она своей судьбе в лицо взглянет, примет вызов. А там, как бог даст...

— Дурак ты, Онуфрий! И всегда был дураком! Никто тебе ничего не даст, если сам не возьмешь. Чистеньким хочешь быть? И волков накормить, и овец сохранить? Не бывает такого, дружище! Либо ты овца, либо волк... Выбирай! Что тебе милее?

Монах просыпался в поту, крестился, молился и понимал: бес поселился в нем и не желает уходить. Ему хорошо! Есть, с кем поговорить, на кого излить свою желчь! Монашество Онуфрия его не смущает. Забавно искушать чернеца, подбрасывать тому греховные мысли. Изъян изначально заложен в человеческой природе, главное — суметь его растравить. А где тонко, там и рвется...

Козни хитрого беса измучили монаха. Он все чаще возвращался мыслями к той летней ночи на Оке, когда они с Сазоновым наблюдали кончину генерала и позорно сбежали, оставили покойника в доме вместе с пьяным прорабом. Тот потом еле отмылся, чуть не сел за убийство, которого не совершал. Причина смерти высокопоставленного военного так и не была установлена. Решили, что генерала хватил удар из-за неприятностей на службе. Якобы, его заподозрили в растрате казенных денег, вызвали на ковер, отчитали и предложили во избежание скандала уйти в отставку.

Казалось бы, чего проще поверить и успокоиться? Но Курбатов с Сазоновым не успокоились. Они понимали, что ввязались во что-то непонятное и страшное. Стройку прикрыли, солдат вскоре демобилизовали, и Сазонов вдруг решил махнуть в Приморский край. Он объяснил это желанием поглядеть мир, пока молодой. Курбатов удивился: «За длинным рублем гонишься, Витек?»

Оправдания товарища звучали фальшиво. Сазонов был на взводе, вел себя странно и перед отъездом предложил Курбатову еще раз посетить генеральскую дачу.

— Это еще зачем? — насторожился тот. — Ты как хочешь, а я туда больше ни ногой! Меня жуть берет, как вспомню ту комнату, зарево и мертвеца с обгорелым лицом. Бр-ррр!

— Подумаешь, брови обгорели и переносица, — занервничал Витек. — Ничего такого!

— Ты же сам твердил про «огненные знаки», «сатанинское пламя». Забыл, что ли?

— Какие знаки? Какое пламя? Не было этого. У тебя с головой все в порядке, братан?

Курбатов засомневался. Может, и правда он тогда умом тронулся? Временно, на почве испуга. И то, что якобы говорил товарищ, ему померещилось?

— Едешь со мной в Песчаное или нет? — наседал Витек. — Что, кишка тонка? Спекся? Струсил?

Курбатов обиделся и устыдился. Он не трус. Но оказаться опять возле того дома и тем паче переступать порог той зловещей гостиной ему было боязно.

— Что ты затеял? — спросил он дружка. — Решил проверить свою храбрость?

— И мою, и твою. Мужики мы с тобой или кто?

Брат Онуфрий не раз пожалел, что согласился тогда составить Витьку компанию. С тех пор бес к нему и прицепился...

* * *

Окрестности Уссурийска

— Ну что, Мушкетер, надолго мы здесь застряли? — осведомилась Лариса, глядя на растерянного водителя.

— Домкрата нет, — развел тот руками. — Всегда в багажнике был, а вчера я его выложил. Как без домкрата колесо менять?

От волнения она перешла на «ты».

— Хочешь сказать, что нам придется ночевать в машине?

— А че делать-то?

— Я против! — возмутилась пассажирка и оглянулась по сторонам. — Далеко тут до какого-нибудь жилья? Может, где-то рядом есть база отдыха?

Парень сердито теребил бородку и вздыхал. Он понятия не имел, куда их занесло. Что это за место?

— Ты без навигатора ездишь?

— Я из Владивостока в Уссурийск каждый день мотаюсь, таксую. На кой черт мне навигатор?

— Как же ты заблудился?

— Убейте, не понимаю, — отвел глаза Мушкетер. — Леший попутал...

— Н-да, весело. Поездка удалась! Лучше бы я на электричку села.

— Электричку долго ждать было...

— А ты меня быстро в город доставил, — съязвила она. — В два счета, как обещал. Вжик, и я там.

Водитель «опеля» виновато кивнул и пнул ногой спущенную резину.

— Я вас подвел, признаю. Со мной такое впервые. Извините...

— Пошли жилье искать, — решилась Лариса. — Дорога должна куда-то вести.

— Я машину не брошу.

— Предлагаешь мне одной по лесу топать? В темноте?

— Оставайтесь здесь, со мной.

— Ага! — перебила она. — Костер разведем! Суслика на ужин зажарим! Отлично! Я всю жизнь мечтала о таком экстриме. А утром что? За нами вертолет пришлют?

— Утром кто-нибудь ехать будет, поможет.

— Чует мое сердце, тут давно никто не ездил. Разве что телега... или лошадь. Принюхайся!

Парень послушно потянул носом. В воздухе пахло навозом. Кажется, он наступил на кучку экскрементов.

— Невезуха, блин! — с этими словами он начал вытирать о траву подошвы кроссовок. — Что за день сегодня?

— Уже ночь, — заметила Лариса. — Я спать хочу. И не в машине, а в нормальной постели.

— Трасса должна быть где-то рядом. Слышите?

Лариса прислушалась, но характерного шума транспорта не доносилось. Дул ветер, жалобно вскрикивала в лесу птица.

— Дымом пахнет! — обрадовался Мушкетер. — Значит, база недалеко! Хорошо, что ветер в нашу сторону.

— Я же говорила. Идем! Поможешь нести чемодан?

— Оставьте его в багажнике. Утром заберете. Может, я на базе домкратом разживусь...

Они двинулись на запах дыма. Грунтовка повернула направо, и вдали показался огонек. Таксист ускорил шаг, Лариса едва поспевала за ним.

— Эй, не торопись! Я не чемпионка по спортивной ходьбе!

Чем ближе они подходили к жилью, тем тревожнее становилось у нее на душе. Парень тоже заволновался.

— На базу не похоже, — обронил он. — Может, просто жилой дом? На отшибе.

— Нам выбирать не приходится. Пятизвездочного отеля тут все равно не найти. Значит, попросимся на ночлег в хижину лесника.

Парень промолчал, вглядываясь в облитый луной силуэт дома. Высокая крыша, труба дымохода и тусклый свет в двух окошках.

— Осторожнее. Хоть бы собаки не было, — предупредил он пассажирку. — Не хватало, чтобы нас злая зверюга покусала.

Они подошли к забору и остановились, ожидая собачьего лая. Но дом окружала глухая тишина: ни ветра, ни ночных птиц, ни комариного писка.

— Не нравится мне эта «хижина», — поежился Мушкетер. — Ей-богу, лучше к машине вернуться.

— Нет уж! Я обратно не пойду, — простонала Лариса. — Сил нет! Я устала, ноги натерла. Давай, иди вперед, а я за тобой...

ГЛАВА 7

Поселок Песчаное под Калугой

Ренат предусмотрительно купил по дороге бутылку водки и теперь угощал размякшего и подобревшего хозяина. Они сидели за столом во дворе, под навесом. Лампочку облепили ночные мотыльки, лохматый пес добродушно обнюхивал гостя.

— За что я его кормлю? — возмутился Игорь. — Хоть бы тявкнул для острастки!

У него после третьей рюмки развязался язык. Его жена, — дородная дама лет сорока, — поставила перед мужчинами сковороду с жареной рыбой, огурцы и помидоры.

— Закусывайте!

— Он у нас поживет денька три, — сообщил ей супруг. — Человек на рыбалку приехал. Я ему лодку свою дам, напрокат.

— За отдельную плату, — кивнул Ренат.

— Во такой мужик! — обрадовался Игорь и махнул жене рукой. Иди, мол, не мешай.

Она недовольно зыркнула на постояльца и скрылась в доме.

— Хорошо у вас, — вздохнул Ренат. — Тихо, река рядом. Я бы тоже тут поселился, да нельзя. Работа.

— А меня с работы турнули, — пьяно качнулся вперед хозяин. — Рыбалкой промышляю. На рынок улов таскаю, когда повезет. Вот, пью с горя! Жена пилит, дети не слушаются. Страх потеряли перед отцом! От рук отбились...

Ренат терпеливо выслушивал его жалобы и выжидал удобного момента, чтобы вклиниться со своим главным вопросом. Его интересовал генеральский дом. Кому тот принадлежит? И почему пользуется дурной славой? Соседи порой знают больше, чем кто бы то ни было.

— Хочешь на халяву бабла срубить?

— Че? — встрепенулся Игорь. — На х-халяву? Это как же?

— Я дом решил купить над рекой, хоть развалюху какую-нибудь. Никто не продает? Хорошую цену дам.

— На нашей улице только на генеральские хоромы никто лапу не наложил. А так... всё нарасхват. П-первая линия! С видом на Оку.

Ренат наполнил его рюмку и мечтательно произнес:

— Я бы тебе по-барски отстегнул, Игореха. Помоги эту дачку приобрести. Ты здесь не первый год живешь, в курсе, кто чем дышит.

— Дак... чем же я помогу-то? — хозяин опрокинул водку в рот и проглотил, по коже побежали мурашки. Разговор о генеральском доме наводил на него жуть. Даже хмель выветрился. — Не к ночи будь сказано... лучше тебе туда не соваться, мил человек. Я же тебе говорил, п-проклятое место!

— Ты меня с владельцем сведи. Кто владелец?

— Генеральша Лукина... вдова...

— Она сюда приезжает?

— Давно не видел. Чего ей сюда ездить? Дом не достроен, все, что можно было взять, люди разворовали. Колодец обмелел, сарай завалился. Может, уже и старуха преставилась.

— Ты с ней не в ладах?

— Боже избавь, — перекрестился Игорь и проглотил очередную порцию водки. — Я с ней не ссорился и никому не советую. Она м-мужа в могилу свела и обоих зятьев.

— У нее две дочери?

— Одна. Два раза замужем побывала, и двое похорон справили. И мать, и дочь — ч-черные вдовы. Слыхал о таких?

— Мрачную картину ты нарисовал, — усмехнулся Ренат. — Но я не робкого десятка. И жениться на генеральской дочери не собираюсь. Чего мне бояться?

— Да она тебе в матери сгодится.

— Как ее зовут?

— Софья! — хохотнул Игорь. — Модное имя, белая кость. Не нам чета! Генерал молодую жену из дальних краев привез. Не здешняя она, не нашенская. Взгляд у нее, как бритва, и волосы, как вороново крыло. Она их до сих пор в смоль красит.

— А собой хороша?

— Раньше, говорят, была красавица. Нынче-то ей уже восьмой десяток пошел, если жива.

— Что с ее мужем случилось? Супчику отравленного поел? — пошутил Ренат.

Игорь наклонился над столом и понизил голос:

— Какой там... Сам дьявол ему в лицо дохнул и спалил изнутри! Выжег дотла!

— Да ну?

— Говорят, что так и было. Генеральша, ясный перец, скрывала это от всех... но правда дырочку найдет и просочится. Народ шептался, мол, генерал дурную смерть принял. Человека одного арестовали по подозрению в убийстве, помытарили и отпустили. Не виноватый он оказался. Схоронили покойника по-тихому, и думали, что все шито-крыто. Ан нет!

— Правда просочилась? — повторил за ним Ренат.

— Ага. Нечистый с-следы оставил. На стене! Расписался, значит!

— Ты меня разводишь?

— Истинный крест, — пробормотал Игорь, оглядываясь на страшный дом. — Истинный крест!..

* * *

Уссурийск

Ирина снимала квартиру вместе с коллегой из социальной службы, Катей Синицыной. Так было дешевле и веселее. Вдвоем легче платить, вести хозяйство и есть, с кем парой слов перекинуться. Девушки подружились.

— Как твой Сазонов? — спросила Катя, поджаривая блинчики на ужин. — Ему лучше?

— Не похоже. Я предлагала в больницу его положить, но он и слышать об этом не хочет. Твердит, что умрет дома, в своей постели. Мол, чувствует приближение конца.

— Плохо одному остаться в старости.

— Знаешь, он только выглядит стариком, а на самом деле ему еще шестидесяти нет. Я удивилась, когда в первый раз к нему пришла. Он седой как лунь, дряхлый. Едва ноги волочит! Подозрительный, придирчивый, мелочный, — пожаловалась Ирина. — С ним не каждый общий язык найдет.

— У тебя получилось! Ты уже третья социальная работница, которую к нему прикрепляют. Двое не выдержали.

— У меня закалка, будь здоров. Мамаша моя — зверь! Думаешь, я зря от нее сбежала? После моей мамаши Сазонов просто паинька.

Ирина раньше не упоминала о своей семье, но сегодня ее прорвало.

— Мои дед с бабкой жили, как кошка с собакой, — продолжала она. — Страшно скандалили. Бабуля была моложе деда, строптивая и откалывала такие штуки, что он начал поднимать на нее руку.

— Бил, что ли?

— Иначе ее было не унять. Они дрались, потом целовались, потом опять дрались. Моя мамаша росла в атмосфере любви-ненависти и пропиталась этим до мозга костей. Ничего странного, что у нее ужасный характер.

— Натерпелась ты от нее? — посочувствовала подруге Катя.

— Еще как! В один прекрасный момент я уехала и адреса не оставила. Пусть друг друга едят поедом, лишь бы не меня. Осточертело всё!

— Твои родные не знают, где ты?

— А зачем им знать? — вздохнула Ирина. — Я совершеннолетняя, сама себе хозяйка. Как хочу, так живу.

— Они искать тебя будут...

— Наверное, уже ищут. Бог им в помощь, — девушка сделала непристойный жест.

— Не богохульничай, — нахмурилась Катя.

— Прости. Я от злости! Достала меня моя семейка до самых печенок! Наверное, я замуж не выйду. Не хватало мне для полного счастья мужа-грубияна или алкаша.

— Твой отец пил?

— И пил, и дебоширил. Противно вспоминать. Вроде приличный человек, а если с катушек съедет, прячься кто может. Мы с ним, бывало, сцепимся, а мать растаскивает.

— Мои родители тоже не сахар. Ругаются с утра до вечера, но до потасовок не доходило. Они в деревне живут, на базе отдыха работают. Мама — горничной, а папа — электриком. Хотели и меня туда пристроить... посудомойкой. Спасибо, не надо! Лучше я буду стариков обхаживать. Платят не очень, зато уважают. Пожилым людям помогать приятнее, чем тарелки и кастрюли после туристов драить.

— Ну да...

За ужином разговор вернулся к подопечному Ирины — бывшему железнодорожнику Сазонову.

— Он уже к смерти готовится, — сообщила девушка. — Завещание написал. Жалко его... а что сделаешь?

— Завещание? На кого?

— Не знаю. Я не читала. Какое мое дело?

— У него родных в Уссурийске нет, — заметила Катя, поливая блинчик вареньем. — Вот бы он тебе свой дом завещал! А ты бы за ним присматривала до конца дней. И ему хорошо, и тебе.

— Кто я ему такая?

— Близкий человек, который всегда рядом и готов прийти на помощь. Что еще надо больному старику? Я, например, была бы на седьмом небе, если б мне какая-нибудь старушенция наследство отписала. Свечки бы ей в церкви ставила и молилась за упокой души!.. Какая у меня перспектива? Возвращаться в деревню я не намерена, а кредит на квартиру мне не дадут. Всю жизнь по чужим углам мыкаться тоже не выход.

Катя обвела тоскливым взглядом кухню. Пара навесных шкафчиков, минимум посуды, обшарпанный холодильник, старая плита и микроволновка. На подоконнике квартирантки развели цветы в горшках. На пол купили простенький коврик. Немного уюта, и съемное жилье стало более приветливым.

— Сазонов говорил, что издалека сюда приехал, — сказала Ирина. — Может, у него на родине кто-то остался. Братья, сестры, племянники...

— Вот-вот! Племянники! Когда старику уход нужен, их не дождешься. Ты видела, чтобы кто-нибудь приезжал навестить Сазонова? Наверняка нет. Зато после смерти слетятся имущество делить! Разве это справедливо?

— Жизнь вообще штука несправедливая.

— Ты его не боишься? — неожиданно спросила Катя.

— Виктора Петровича? Нет... а что?

— Две твоих предшественницы всякие страсти о нем рассказывали. Мрачная личность! Телевизора в доме не держит, мобильника не переносит, компьютера не признает. Дикарь какой-то!

— Он со странностями, — кивнула Ирина. — Но его можно понять. Человек потерял здоровье, стал калекой, еле сводит концы с концами. Откуда у него деньги на компьютер?

— А дом у него добротный, мебель хорошая, говорят...
— Верно. Я об этом не подумала. Хотя... Сазонов же раньше работал на железке, тратил только на себя, мог откладывать. У него должны быть сбережения.
— Сейчас любой пенсионер пользуется сотовой связью, а у твоего Сазонова — допотопный проводной аппарат.
— Динозавр, — улыбнулась Ирина. — Они оба динозавры: и старик, и его телефон. Прошлый век!
— Интересно, он был женат?
— По его словам, невеста, которая обещала ждать его из армии, вышла за другого, и никто ее заменить не смог. После он встречался с разными женщинами, но ни одна его не зацепила. Сердцу-то не прикажешь.
— Ишь, ты! — фыркнула Катя. — Разборчивый жених!
— А ты его не суди. Неизвестно, какая судьба нам выпадет. Счастливый билетик не каждому достается.
— Это же не лотерея?
— Как знать? — пожала плечами Ирина. — Вдруг, кто-кто сидит на небесах и крутит рулетку? Куда твой шарик попадет, так твоя жизнь и сложится. Слепая фортуна! Одного она обласкает ни за что, другого уничтожит.
— Я бы на твоем месте на фортуну не рассчитывала. Ищи подходы к Сазонову, войди к нему в доверие.
— Он и так мне доверяет.
— Этого мало, голуба! Он к тебе должен сердцем привязаться, душой прикипеть. Понимаешь? Тогда есть надежда на изменение завещания.
— Ты о чем, Кать?
— Надо завещание найти и прочитать. Где старик свои бумаги держит?
— В комоде...
— Завтра же загляни туда, когда он уснет. Подмешай ему снотворное в чай, а сама...
— Хватит! — разозлилась Ирина. — Виктор Петрович мне как родной!
— Вот и отлично...

ГЛАВА 8

Окрестности Уссурийска

На крыльцо дома вышел молодой человек со свечой в руке.

— Извините... у нас колесо спустило... — пробормотал Мушкетер, испытывая непреодолимое желание унести отсюда ноги поскорее. — Не могли бы вы женщину приютить... до утра?.. Я на ночлег не напрашиваюсь, но она...

— Как? — выступила вперед Лариса. — А ты что же? Будешь на проселке ночевать?

Хозяин молча разглядывал незваных гостей.

— Я вернусь к машине, — заявил таксист. — Мне не привыкать спать в походных условиях. Тем более сейчас лето. А вы оставайтесь.

— Я вам заплачу, — сказала Лариса, присматриваясь к незнакомцу. Тот был молод и довольно привлекателен. Одет в светлую рубаху и брюки на подтяжках. Модник. — Так вы согласны?

Мужчина продолжал обескураженно молчать. Язычок свечи в полном безветрии горел ровно, почти не колеблясь. Лариса взяла с собой телефон, который можно будет зарядить в доме. Однако, судя по свече, у хозяина проблемы с электричеством. Или жесткая экономия. Хотя по внешнему виду не скажешь, что он бедствует. Довольно ухожен, подтянут, распространяет запах хорошего табака.

— Он онемел от счастья, — шепнул водитель, сжимая локоть Ларисы. — Вы произвели на него впечатление. Пользуйтесь... иначе придется ночевать в машине.

— Можно войти? — уныло осведомилась она. — Я падаю с ног от усталости. Я вас не стесню! Мне нужно только место, где бы прилечь.

Кажется, молодой человек принял решение. Он посторонился и тихо молвил нечто наподобие «Прошу, сударыня...».

Мушкетер подумал, что ослышался. На всякий случай он спросил у хозяина, как его фамилия.

— Я не обязан отвечать вам, — поморщился тот. — Впрочем, извольте... Илья Шувалов.

— Шувалов? — недоверчиво переспросил парень.

— А вы кто будете?

— Мушкин, Саня. — Он неловко протянул молодому человеку руку, но тот проигнорировал его жест. Отчего таксист еще больше смутился. Он мог бы поклясться, что самозванец темнит. Потребовать у него паспорт было бы со стороны Мушкетера неслыханной наглостью. Он не рискнул накалять и без того напряженную обстановку.

— Ладно, я пошел?

Хозяин дома повел плечами, словно выражая недоумение. Не попрощавшись, Мушкетер бочком спустился с крыльца и зашагал прочь, сдерживая желание припустить бегом.

Необъяснимый ужас объял его. Зря он оставил с самозванцем свою пассажирку! Но та сама виновата: все произошло по ее настоянию.

Парень не помнил, как добрался до машины, завалился в салон, рухнул на сиденье и мгновенно погрузился в тревожный сон...

* * *

Дачный поселок Песчаное под Калугой

Ренат дождался полуночи, прислушиваясь к молодецкому храпу Игоря и сопению его супруги. Ветер с реки надувал занавески на открытых окнах, в зарослях камыша на берегу пели лягушки. Гость осторожно выскользнул в сад, прокрался к забору и легко перемахнул через него.

До злополучной дачи было рукой подать. Такое соседство, очевидно, не пугало Игоря с женой, раз они до сих пор не съехали. Рассказывать небылицы приезжим под дармовую водку было любимым развлечением безработного мужика.

— А я уши развесил, — самокритично заметил Ренат и посветил себе фонариком.

Недостроенные генеральские хоромы имели жалкий вид. Время делало свое разрушительное дело, и люди активно способствовали этому процессу. Ренат представил, как много лет назад здесь кипела работа — стучали топоры, звенели бензопилы, раздавались крики прораба и суетились солдаты. Среди них был молодой отец Ларисы! Этот факт не абы как волновал Рената. Если бы не Лара, он бы не полез в темноте в чужое заброшенное жилье...

Задумавшись, он оступился и чуть не упал. Это отрезвило его. Луч фонарика выхватывал завалившийся сарай, прогнивший колодезный сруб, кучу строительного мусора, поросшую сорняками. Давненько тут не ступала нога человека!

Дверь в дом была крест-накрест забита досками, и Ренат прошелся вокруг, выбирая наиболее удобный способ проникнуть внутрь. Одно из окон на первом этаже оказалось прямо над кучей мусора. Стекла не уцелели. Ренат сунул фонарик в карман, схватился за подоконник, подтянулся и скоро очутился в комнате, красочно описанной братом Онуфрием.

— Ну-ка, ну-ка...

Он осветил почернелые стены, ища место, где в то далекое лето стоял стол, за которым умер генерал Лукин. Ясно, что ни стола, ни всего прочего тут не было. Видимо, дом и правда пользовался плохой репутацией, потому что ни экскрементов, ни следов попоек и гульбищ гость внутри не заметил.

Картина прошлого проявлялась медленно, туго. Словно ее участники не желали раскрывать свою тайну. Ренат стоял, пытаясь мысленно перенестись в тот роковой вечер. На месте стола теперь валялась груда поломанных деревянных ящиков. Но ему виделась грубая столешница, спина мужчины, свеча...

Ренат вздрогнул, когда комнату осветила огненная вспышка, которая и послужила причиной гибели генерала. Но... что же здесь загорелось? Он смотрел на стену, к которой генерал сидел лицом: бревна посредине были густо замазаны зеленой краской. Это зеленое пятно казалось тут совершенно чуждым, нелепым. Кому понадобилось красить стену в заброшенном доме?

Ренат подошел и дотронулся пальцем до краски. Она была положена небрежно и явно поверх уже существующего слоя. Стену красили несколько раз! Но зачем? Зачем?..

«Нечистый следы оставил. На стене! — вспомнил он пьяные слова Игоря. — Расписался, значит!»

— Генерал Лукин, — прошептал Ренат, вызывая фантом покойного и устанавливая с ним телепатический контакт. — Что здесь случилось?

Погибший не выходил на связь. «Вспышка» оглушила, ослепила и отбросила его так далеко, что до него не доходило обращение Рената. Какой-то страшный вид колдовства? Интересно, как умерли зятья генеральши Лукиной?.. Вопросы вырастали в уме, как грибы после дождя. В отличие от ответов.

Ренат увлекся и слишком поздно среагировал на звуки чьих-то шагов сзади. Под ногами невидимки хрустнул осколок стекла, треснула щепка. Кто-то еще не спал этой ночью и решил посетить генеральскую дачу...

Одновременно с этой мыслью Ренат получил удар по затылку, к счастью, скользящий. Успел увернуться. Нападающий не ожидал от него такой прыти и поплатился. Локоть Рената с размаху врезался ему в нос. Пока тот приходил в себя, нога Рената достала его в пах. Не зря он ходил на тренировки! Инстинкты тела опережали ум, как и положено инстинктам.

Противник сдавленно вскрикнул и поспешно ретировался. Ренат не стал его догонять. Затылок болел, фантом вызвать не удалось, а за окнами занимался рассвет. Время в генеральском доме протекло быстрее, чем обычно.

Ренат кое-как выбрался наружу и огляделся. Противника и след простыл. Бегать за ним по сонным улицам дачного поселка не было смысла. Над рекой стояло бледное зарево. Солнце еще не показалось на горизонте, но его свет уже разливался в небе, отражался в покрытой рябью воде.

Ренат вернулся в свою комнату и решил проверить, на месте ли хозяин.

В спальне было сумрачно. Игорь с женой безмятежно посапывали. Не похоже, чтобы кто-то из них только что прибежал домой и прикинулся спящим. Носы обоих были целы.

— Я не поднимаю руку на женщин, — пробормотал Ренат, укладываясь в кровать. — Тем более не бью их ногами. На меня напал мужик. Как он пронюхал, что я в полночь собираюсь посетить генеральскую дачу? Следил за мной? А я ни черта не заметил. Шляпа!

С этой мыслью он задремал. Во сне к нему пришел Вернер[1] и поднял его на смех.

---

[1] Подробнее читайте о Вернере в романе Н. Солнцевой «Иди за мной».

— Ты позоришь меня, дружище, — потешался гуру, развалившись в старом потертом кресле у окна. — Ты позволил застать себя врасплох! Тебя стукнули по дурной башке, как последнего лоха! Скажи спасибо, что твой череп не пострадал. Сегодня ты отделался шишкой, балбес! Но в следующий раз тебе придется худо, если ты не возьмешься за ум.

— Идите к черту...

— Ха-ха-ха! — развеселился Вернер. — Ха-ха-ха-ха-ха!.. Боюсь, скоро тебе будет жарко, мой мальчик! Очень жарко...

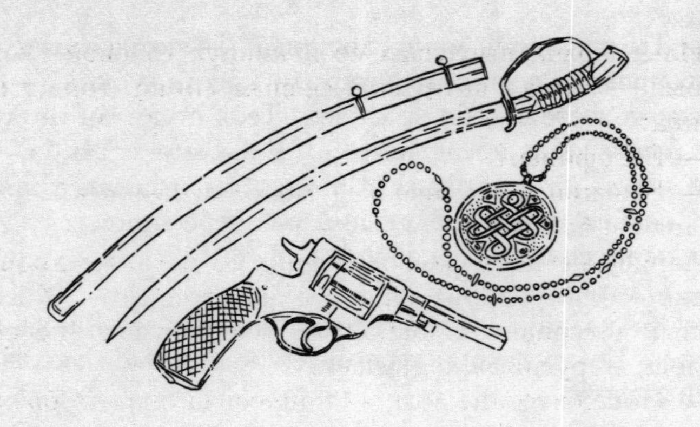

ГЛАВА 9

Окрестности Уссурийска

Утром Лариса умылась над тазиком водой из кувшина, который принес Илья, и привела себя в порядок.

— Могу я зарядить телефон?

— Что, простите?

Она не нашла в комнате ни одной розетки, и это ее удивило.

— На вас мужское платье, — заметил Илья, рассматривая ее спортивный костюм. — Вы скрываетесь?

— С какой стати мне скрываться?

— Причины могут быть разные... Впрочем, не смею допытываться.

Это был странный дом, странный молодой человек и странный разговор. Лариса чувствовала себя не в своей тарелке, но Илья ей понравился. Он был красив и безукоризненно вежлив. Пожалуй, она чуточку увлеклась им. Сильный, умный, вежливый мужчина. Сразу видно, что с хорошим вкусом. Вероятно, из экстремалов или интеллигентных отшельников, которые любят чудачества.

— Наша машина застряла на проселке, — объяснила она. — Колесо спустило, а у водителя не оказалось домкрата. Он поменяет колесо и заберет меня.

Илья молча выслушал ее и кивнул головой. У него была военная выправка: ровная спина, горделивая осанка.

— Вы офицер?

— Бывший, — признался молодой человек. — Все мы нынче бывшие.

Ларису не покидало ощущение *дежавю* и одновременно какого-то чудовищного несовпадения. Когнитивный диссонанс! Словно что-то сдвинулось, переместилось, нарушился ход вещей.

— Покажите мне дом, — попросила она, чтобы хоть как-то сориентироваться. — Он у вас особенный. Здесь люди живут по-другому. Не то что в Москве.

— Вы долго добирались?

— Прилично. Устала страшно, да еще угораздило заблудиться в последний момент. Я думала, шофер знает дорогу.

— Дороги у нас ужасные...

Илья тщательно скрывал свои истинные чувства. Лариса готова была держать пари, что ее визит поразил молодого человека до глубины души. Он этого не ожидал.

— Я живу уединенно, — заметил он и предложил ей сначала позавтракать, а потом совершить экскурсию по дому. Она согласилась, хотя есть не хотелось.

На стенах столовой висели картины и несколько старинных черно-белых фотографий. Обстановка в стиле ретро и такое же ретроповедение хозяина. Он играет в какую-то свою игру. На столе — самовар, пирожки, варенье и фарфоровые чашки, которым место в музее.

— Кто это? — полюбопытствовала Лариса, глядя на фото мужчины в монгольском халате. На его плечах красовались погоны, а на груди — наградной крест времен Первой мировой войны.

— Барон Унгерн.

— Ваш предок?

Илья обратил на нее изумленный взор, и она сообразила, что ляпнула глупость.

— Ой, извините... У меня вчера был тяжелый день, ночью я не выспалась... ноги натерла...

Гостья прикусила язык. Упоминать о натертых ногах — моветон. Илья деликатно промолчал, наливая ей чай из самовара. Она понимала, что тоже ему нравится. Между ними вспыхнула искра симпатии, которая имела шанс разгореться в пламя. Пожалуй, Лариса могла бы влюбиться в такого, как Илья Шувалов. Фамилия у него знатная, дворянская.

— Вы... граф?

— Титул для меня не имеет значения, как и многое другое, — уклончиво ответил хозяин дома. — Я предпочитаю тонкие материи. Вы пейте чай, ешьте.

Лариса откусила пирожок и жевала, не ощущая вкуса. Она не вспоминала о Ренате, который остался в Москве, о Сазонове, которого приехала навестить. Ее внимание было приковано к фотографии барона Унгерна. Неказистый офицер, очевидно, славился неоправданной жестокостью. Широкоскулое лицо, бесноватые глаза, лихо закрученные усы.

— Вы почитатель этого человека? — вырвалось у гостьи.

— Мы сотрудничаем. Барон Унгерн фон Штернберг принадлежит к древнейшему роду. Его пращур погиб под стенами Иерусалима, участвуя в крестовом походе Ричарда Львиное Сердце. В жилах Унгерна течет кровь странствующих рыцарей, священников, пиратов и алхимиков. От них он унаследовал безумную храбрость, авантюризм и мистические способности. Кстати, его выгнали из гимназии вовсе не за плохую успеваемость, а за организацию алхимического кружка. Я тоже грешил тем, что пытался сделать из свинца золото. В этом мы с ним сошлись.

Слова Ильи шокировали Ларису, она поперхнулась и торопливо запила пирожок горячим чаем. Вкус напитка был необычен, как и все в этом доме. Завтрак они заканчивали в молчании. Хозяин бросал на Ларису любопытные взгляды, но вопросов не задавал.

Он первым встал из-за стола и предложил гостье осмотреть его скромное жилище.

— Идемте со мной! Только ничему не удивляйтесь.

— Хорошо...

Не удивляться было трудно.

— Здесь все так живут? — не удержалась Лариса. — Без электричества, со свечами? Пьют чай из самоваров, зимой печки топят?

— Почти все, — подтвердил Илья. — Это вам не Москва, не Питер. Глухомань таежная! Рядом Китай, Монголия. Словом, Азия. Тут нравы другие: дикие, первобытные.

— Я думала, цивилизация и сюда добралась.

— Это произойдет не скоро.

Илья показывал гостье комнаты, обставленные в духе начала прошлого века.

— Как же вы без холодильника обходитесь? Где продукты храните?

— У меня в погребе лед с зимы нарублен.

— А стираете по старинке, вручную?

— Для стирки я прачку нанимаю, — терпеливо объяснял хозяин. — Если помыться желаете, можно баньку истопить. Пар отменный, венички березовые.

— Не надо баньку, — отказалась Лариса. — Я не хочу злоупотреблять вашим гостеприимством. Жалко, что телефон разряжен, я бы видео сняла о вашем житье-бытье!

Она говорила что-то не то, и молодой человек не преминул заметить:

— Дивные у вас речи, сударыня. Запутанно выражаетесь. Признаться, я вас не совсем понимаю.

— Не обращайте внимания. У вас — своя игра, у меня — своя.

— Я с вами не играю, — смутился Шувалов. — Хотя вы правы. У каждого из нас свой интерес. Вы мне напоминаете одну особу... не внешне, но...

Он запнулся и побледнел.

— Вы отличаетесь от прочих людей, — брякнула Лариса, тоже испытывая необъяснимое волнение. — Разве нет?

— Не буду спорить. Вы попали в точку.

— Вы мне не весь дом показали, Илья. Тут есть... потайное помещение. Что вы там прячете?

Он помолчал, глядя ей в лицо и через силу улыбаясь.

— Впервые встречаю столь проницательную даму. Как вы догадались?

— Женская интуиция.

— Похвально, — заметил молодой человек. — Пожалуй, я вас недооценил.

Лариса не дала ему необходимой передышки, чтобы собраться с мыслями.

— Как вы сотрудничаете с бароном Унгерном? Или это ваш секрет?

— Верно, — кивнул Илья. — Секретами я ни с кем не делюсь...

* * *

Утром Мушкетер так и не смог поменять колесо. За два часа ни одна машина мимо не проехала. Он попытался определить, где трасса, и потопал вдоль грунтовки в обратную сторону. Где-то должен быть поворот, который привел их с пассажиркой в это дурное место! Не по воздуху же они сюда прилетели!

Парень шагал и шагал, напрягая слух, но никакого шума транспорта до него не доносилось. Всё будто вымерло. Кроме лошадиного помета и следов собственных шин, ему по пути ничего не попалось. Не было и электрических столбов. Значит, жилья поблизости не встретишь.

— Вот, влип, блин...

Он вернулся к «опелю» и попробовал приподнять кузов без домкрата. Ни черта не получалось. Саня пыхтел, сидел на корточках, ложился на землю, испачкался в пыли, содрал кожу на руке и отчаялся. Что делать?

Хоть сигнал SOS посылай! Только каким образом? Рации у него нет, он же не настоящий таксист, а обычный бомбила.

Было стыдно перед москвичкой, которую он завез, хрен знает, куда. Как ей теперь выбираться? Пешком? С натертыми ногами? Если бы точно знать направление...

Мушкетер не считал себя хлюпиком и не мог предположить, что заблудится в трех соснах и поддастся страху. То, что с ним произошло, пугало его своей невозможностью. Допустим, он съехал с шоссейки не там, где нужно. Не велика беда. Любая проселочная дорога куда-нибудь да выведет. Однако парень ощущал себя затерянным в пустыне.

Звать на подмогу Илью Шувалова, у которого он оставил пассажирку, ему было неловко. Неужели, он сам не справится? Ударить в грязь лицом перед столичной фифой не хотелось. Уссурийск — большая деревня, слухи разносятся мгновенно. Завтра каждый, кому не лень, будет обсуждать бестолкового водилу. Он потеряет не только клиентов, но и уважение товарищей. Его поднимут на смех!

Стрелки часов неумолимо двигались по циферблату, солнце поднималось все выше, а «опель» стоял на приколе без всякой перспективы выбраться отсюда. Ехать на спущенном колесе Саня не решался. Если уж быть честным, он боялся заблудиться еще больше. Эта абсурдная, по сути, мысль его останавливала.

Мушкетер устал осыпать бранью проклятый проселок и свою беспомощность. Какой-то ржавый гвоздь нарушил все его планы! Порой ничтожная мелочь может перевернуть жизнь человека...

— Ну, если не жизнь перевернуть, то отбить охоту нелегально таксовать, — поправился он. — Была бы у меня рация, связался бы с диспетчером, и давно бы проблема разрешилась. А так... сижу тут, кукую! Не выспался, комары покусали. Жрать охота, сил нет!..

За неимением собеседника Саня разговаривал сам с собой. И отважился наконец идти с повинной к москвичке, признаваться в своей несостоятельности, каяться и просить Шувалова одолжить домкрат.

— Почему я сразу к нему не обратился? — сокрушался парень. — Давно был бы дома и не парился.

Он понуро двинулся в ту сторону, куда провожал ночью пассажирку. Дорога петляла в лесу. Никаких признаков жилья вокруг не наблюдалось...

ГЛАВА 10

Дачный поселок Песчаное под Калугой

— Рыбалка отменяется, — сообщил Игорь, затягиваясь утренней сигаретой. — С реки гроза движется. Видишь тучи?

— Вижу, — кивнул Ренат, прислушиваясь к боли в затылке.

Ночная вылазка на генеральскую дачу ему не приснилась. Шишка под волосами свидетельствовала о том, что кто-то совершил на него нападение.

Игорь по-своему истолковал его помятую физиономию и паршивое настроение.

— Башка трещит? Перебрали мы вчерась с тобой. Опохмелиться надо.

— Давай, — согласился гость. — А твоя жена скандал не закатит?

— Моя Зинка на работу собирается. Когда уйдет, мы чекушку разопьем. Она продавщицей устроилась тут, в магазине неподалеку. Скоро отчалит. А мы мигом за стол...

Ренат перестал его слушать и вернулся мыслями в заброшенную комнату с зеленым пятном на стене.

— Ты о моей просьбе не забыл? — вклинился он в монолог хозяина. — Я привык платить за услуги. Если останусь доволен, то тебя не обижу.

— Да помню я всё. Только рыбачить в грозу — дурное дело. На голову льет, молнии в воду бьют, страсть. В прошлом году у нас мужика убило прямо на берегу.

— Рыбалка подождет. Я про соседний дом, — нахмурился Ренат, осторожно трогая шишку. — Сведешь меня с генеральшей?

— Ведьма она! Ведьма! Вот те крест!.. Держись от нее подальше, — Игорь выбросил окурок и в сердцах сплюнул. — Дался тебе этот чертов дом! Связываться с черной вдовой — боком вылезет. Проверено! Думаешь, стоял бы такой лакомый кусок беспризорным?

— Наверное, нет.

— То-то! — Игорь достал вторую сигарету и нервно закурил. — Бери, кури, — предложил он гостю. — Может, ума прибавится! Задолбал ты с этим домом!

— Я не курю, — отказался Ренат. — Тебе деньги нужны?

— Кому они не нужны? Но на том свете бабло ни к чему. Тратить некуда. Там коммунизм! Всё равно и все равны. Интересно, бухать там можно?

— Не знаю. Так сведешь с генеральшей? Или мне другого посредника искать?

— Ну, ты упертый! — разозлился Игорь, пуская из ноздрей табачный дым. — Жить надоело?

— Не верю я в басни про колдовство и черных вдов. Брехня все это.

— Брехня, не брехня, а мужики в семье Лукиных вымерли. Дачку эту многим показывали, да никто не купил. Ходят, смотрят и... пропадают. Не продается она! Будто заговоренная. Кто-то на нее заклятие наложил.

— Ишь ты, «заклятие»! — усмехнулся Ренат.

На веранду, где они беседовали, вышла жена хозяина в открытом летнем платье и босоножках. От нее несло дешевыми духами, на плече висела простенькая сумка из соломки.

— Ну, я пошла! — игриво сообщила она. — А ты во двор иди курить, ирод! Надымил тут! Дышать нечем!

— Ага... счас... — процедил супруг. — Разбежался...

Ренат наблюдал через окно, как женщина вышла за калитку и зашагала по улице. За ней увязалась маленькая лохматая дворняжка. На другой стороне через дорогу виднелся генеральский дом, угрюмый и темный в наплывающих с реки грозовых облаках.

— Может, я тоже посмотрю и передумаю покупать. Скажи прямо, что боишься.

— Опасаюсь, — не стал отрицать Игорь. — Я себе не враг. И тебе плохого не желаю. Не ищи беды на свою голову.

Ренат пустил в ход последний аргумент.

— А мы выпьем для храбрости! У меня в машине коньяк есть, пять звездочек.

— Ладно, тащи...

Когда гость вернулся с обещанной бутылкой, хозяин накрывал на стол. Вместо жареной рыбы — холодная яичница и салат из огурцов и помидор.

— Зинка сама выращивает. Натурпродукт! — Он покосился на коньяк и судорожно сглотнул. — Садись, покумекаем, как быть. Авось, днем нечистая сила на людей не нападает.

— Рискнем? — подмигнул ему Ренат, наполняя граненые стопки дорогим напитком. — Где наша не пропадала? Кстати, ты правду говорил, что в том доме дьявол на стене расписался?

— Я вру исключительно бабам. В основном Зинке своей, чтобы не пилила. Тебя мне нет резона обманывать. Говорю, как на духу... сатана в комнате, где генерал скончался, свой знак оставил, стену пометил, значит. Эти метки ничем не вывести! И глядеть на них долго нельзя — опасно. Их каждый раз краской замазывают, а они опять проступают. Их замазывают, а они проступают... Здешние мужики пытались красного петуха в чертов дом пустить, сжечь колдовское гнездо. Не вышло! Огонь не разгорался никак, а потом дождь пустился и загасил всё. Прикинь? Зачинщика на следующий день машина сбила, остальные отделались жутким испугом. С тех пор народ угомонился, никто худого не замышляет, обходят генеральскую дачу за версту. И ты на рожон не лезь...

* * *

Окрестности Уссурийска

— Барон обратился ко мне по специфическому вопросу, — признался Илья. — Я оказываю ему помощь.

— В смысле? — удивилась Лариса. — Как вы с ним общаетесь?

— Через посыльного.

Молодой человек не выглядел сумасшедшим, но его слова звучали по меньшей мере оригинально.

— Каким образом посыльный связывается с вами? Вы проводите... спиритические сеансы?

— Я увлекаюсь спиритизмом. Вижу, что и вам это не чуждо. Вы сразу догадались, что в доме есть тайная комната.

— Там много зеркал, — вырвалось у Ларисы.

— О-о!.. Я чувствую, мы с вами встретились не случайно! Извольте, покажу вам свое изобретение. Впрочем, не смею приписывать себе авторство. Психомантеум придумали древние греки, а может, кто-то еще до них. Вы читали сочинения Геродота?

— Нет.

— Он первый из великих греческих историков описал «оракула мертвых»...

Ларисе казалось, что это происходит не с ней. Пока Илья вел ее по коридору к двери, замаскированной коричневой портьерой, она пыталась взять себя в руки. Внутри разрасталась паника. Молодой человек рассказывал о Геродоте, а она с замиранием сердца ждала какой-то ужасной развязки этих странных событий.

— Вы сказали... *психомантеум?*

— Это и есть «оракул мертвых», — пояснил Илья. — Служители «оракула» жили в подземельях, связанных между собой длинными туннелями. Они могли выйти на поверхность только ночью. Луна была их магическим светилом. Тех, кто обращался к «оракулу», долго вели к главному святилищу лабиринтами и пещерами, переходящими одна в другую. Посередине главной комнаты стоял котел, наполненный водой из подземного источника. Вообразите слабый мерцающий свет, черную поверхность воды...

Ларисе не хватало воздуха. Она схватила Илью за руку, и тот, поддавшись минутному импульсу, коснулся ее щеки теплыми губами. Между ними, разжигая кровь, пробежал любовный ток.

— Входите, — прошептал молодой человек, увлекая ее за собой. — Не бойтесь.

Они очутились в кромешной тьме. Илья чиркнул спичкой и зажег свечу, держа ее за спиной Ларисы. В камере без окон в центре стояло удобное мягкое кресло. Стены были отделаны черным бархатом.

— Вместо котла я использую зеркала, которых не было у древних греков, — сообщил Илья. — Это мой психомантеум. Ну как, впечатляет?

Лариса попятилась, но хозяин дома легонько подтолкнул ее вперед.

— Хотите побеседовать с духами? Садитесь, я устрою вам сеанс общения с известной личностью. Иван Грозный, король Артур, Чингисхан... Выбирайте!

— Зачем? — поежилась она.

— Вы не любопытны? Между прочим, с некоторых пор я не пускаю сюда женщин. Исключение сделал лишь для вас. Чего вы боитесь? Духи не причинят вам вреда. Я все настрою и оставлю вас здесь одну на полчаса.

— Ого! Целых полчаса я буду сидеть тут и... говорить с мертвецами?

— Духи бессмертны, — возразил Илья. — Решайтесь. Вы запомните этот опыт на всю жизнь. Я буду поблизости, и в случае чего вы сможете меня позвать.

— А что может случиться?

— Мало ли...

Ларисе на ум пришел генерал Лукин. Что, если вызвать его и расспросить подробно о причине смерти?

— Пожалуй, я попробую.

Молодой человек усадил ее в кресло и отрегулировал зеркала так, чтобы гостья не видела своего отражения. По коже Ларисы бегали мурашки, но ею овладел азарт экспериментатора.

— Кого будем вызывать? — осведомился Илья.

— Генерала Федора Лукина.

— Кто таков? Участник белого движения? Погиб в бою? Не приходилось слышать.

— При чем тут белые? — удивилась Лариса.

— Значит, он из красных? Не ожидал. Вы не похожи на... — Шувалов осекся и замолчал, обдумывая слова гостьи.

Эта женщина поразила его своей интуицией и сходством с той, которая покинула его... В то же время Лариса отличалась от знакомых ему дам. Она говорила странные вещи, вела себя по-другому и взволновала его.

— Ладно, Лукин, так Лукин... Смотрите сюда!

Илья указал ей на зеркало, где в темной глубине отражался язычок свечи. Лариса послушно уставилась на огонек, у нее зарябило в глазах.

— Думайте о вашем генерале, — прошептал молодой человек ей на ухо. — Представляйте себе его образ...

ГЛАВА 11

Дачный поселок Песчаное под Калугой

Шел дождь. Мужчины сели играть в карты навеселе. Игорь, который выпил в два раза больше, проигрался в пух и прах.

— С тебя причитается, — посмеивался над ним Ренат.

— Я отлично играю в очко. Даже под кайфом, — недоумевал тот.

— Карты у тебя крапленые. Дуришь своих собутыльников?

— Мы по мелочевке ставим. Так, для куражу.

— Значит, ты мелкий шулер. Ладно, предлагаю бартер.

— Чего? — не понял хозяин дома.

— Ты мне — телефон генеральши, а я тебе прощаю долг. Согласен?

Игорь смущенно кивнул, ощупывая карты из своей любимой колоды. Как постоялец заметил? Вроде, крап нанесен аккуратно, можно сказать, профессионально. Для прикола! Дружки у Игоря такие же, как он, с пустыми карманами. Много на них не заработаешь.

— У меня — глаз-алмаз! — подмигнул ему Ренат. — И пальцы чуткие. Меня не проведешь.

— Кто тебя так играть научил?

— Один человек, Вернером зовут. Классный мужик. Тебе бы понравился.

На самом деле Вернер не учил членов своего клуба карточным играм. Он развил у них более ценные качества: предвидение и чтение мыслей. А мысли Игоря, когда тот смотрел в карты, проступали у него на лбу.

— Что ж, твоя взяла... Дам тебе телефон Лукиных. Но чур, если с тобой беда приключится, я не виноват. Я тебя предупреждал.

— О кей. Я все помню. И про черную вдову, и про дьявола, и про подпись на стене. Кстати, ты сам ее видел?

— Бог миловал... Сатанинские следы всегда закрашены.

— Кто же такой заботливый?

— Дьякон из нашего поселка способ придумал. Надо святой крест на себя повесить, зенки завязать и с молитвой вперед, на борьбу с нечистым. Говорят, после этого человека неделю лихорадка треплет. Но потом ничего, попускает.

— Сплетни всё! — отрезал Ренат. — Местным жителям скучно, вот они и травят байки. Пугают приезжих. И ты туда же.

Игорь укоризненно покачал головой и ушел в комнату за блокнотом. Номер генеральши был записан на отдельном листке.

— Это она мне оставила, — вернувшись, объяснил хозяин. — На случай пожара или еще какой оказии. Все же мы рядом живем.

Ренат внес номер в список контактов на сотовом и поблагодарил.

— Я бы на твоем месте поостерегся, — добавил Игорь. — Зря ты меня не слушаешь.

— Ты этой ночью крепко спал?

— Я пьяный всегда сплю, как убитый. А что?

— Собаки лаяли...

— Они всегда лают. Мы с женой привыкли.

Ренат потрогал шишку на затылке и поморщился. Кому-то он недавно разбил нос, но пострадавший вряд ли покажется ему на глаза.

— Болит? — посочувствовал Игорь. — Может, еще по одной?

— Нет, спасибо. Позвоню-ка я генеральше, поговорю насчет дачи.

— Иди во двор звонить. А лучше — на улицу! — рассвирепел хозяин. — И на меня не ссылайся! Я типа не при делах. Не хочу неприятностей!

— Я скажу, что взял телефон в агентстве недвижимости.

— Во-во! Скажи!

Ливень шумел в саду, барабанил по крыше. Ренат раскрыл зонтик и вышел за ворота. Его не покидало ощущение, что за ним наблюдают. Кто? Зачем? Он содрогнулся от сырости и поднял воротник ветровки. Над рекой плыли тяжелые тучи, волоча за собой хвосты дождя. Сверкнула молния, и оглушительный раскат грома потряс все вокруг.

Ренат набрал номер Ларисы и услышал равнодушное: «Связь с абонентом временно отсутствует». Он повторил набор — результат не изменился. Зато генеральша Лукина сразу ему ответила...

* * *

Окрестности Уссурийска

Илья оставил гостью одну в зеркальной комнате. В том, что его психомантеум работает, он не раз убедился сам.

Лариса сидела, до боли в глазах всматриваясь в зеркальную поверхность. Она представляла себе генерала, каким его видели рядовые стройбата Сазонов и ее отец. В Интернете она не нашла никаких сведений о семье Лукиных. Множество однофамильцев не имели отношения к тому Федору Лукину, который умер у себя на даче при невыясненных обстоятельствах.

В зеркале мелькали смутные силуэты, тени и световые пятна. А может, у Ларисы просто слезились глаза от напряжения. «Оракул мертвых» не желал общаться с ней. Вероятно, потому, что ее не подготовили должным образом: не водили подземными лабиринтами и пещерами перед тем, как вызывать духов. Те обиделись и играют в молчанку.

Время в психомантеуме словно остановилось. Свеча чадила. Лариса не знала, сколько прошло минут. Генерал Лукин так и не явился. Вместо него в темной глубине мелькнул образ... Шувалова. Гостья вздрогнула от неожиданности. Молодой человек как-то странно взглянул на нее, взмахнул рукой и исчез.

— Эй! — вырывалось у нее. — Ты ведь живой!.. То есть вы...

По зеркалу пробежали огненные искры, и все погрузилось в темноту. Лариса не сразу сообразила, что свеча догорела и погасла.

— Илья! — крикнула она, боясь пошевелиться. — Илья! Вы где?

В зеркальной комнате стояла гулкая тишина. Дверь была закрыта, хозяин дома не торопился на зов гостьи. Возможно, он далеко и не слышит.

— Илья! Идите сюда!.. Здесь темно!.. Я не могу выйти!

С этими словами Лариса вскочила на ноги и попыталась в кромешной тьме определить местонахождение двери. Вход в психомантеум — где-то за спинкой кресла. Она на ощупь двинулась вперед, боясь наткнуться на одно из зеркал и разбить его. Посыплются осколки, о которые можно порезаться.

— Илья! — продолжала звать она, понимая, что выбираться ей нужно самой. Молодой человек не придет. Почему? Об этом она старалась не думать.

— Илья!.. Да где же вы?! Отзовитесь!

Появившийся в зеркале силуэт, похожий на нового знакомца, наводил ее на мрачные предположения. Неужели, она имеет дело с... покойником?

— Не может быть... ты жив, Илья... Илья!.. Ты меня слышишь?..

Лариса блуждала по кругу, осторожно касаясь пальцами бархатных стен, драпировок, зеркал, снова стен... пока не нащупала дверное полотно.

— Наконец-то!.. Надеюсь, он не закрыл меня на ключ... Только не это!!!

Она нашла ручку, повернула ее и с облегчением выдохнула. Дверь беззвучно отворилась. В коридоре тоже было темно, но из узкого окошка у лестницы падал дневной свет. Лариса побежала в ту сторону, приостановилась и перевела дух. Хозяин дома будто испарился. Оставил ее одну и...

— Черт!.. Илья... где ты? Неужели... Нет! Не может быть...

Она медленно спустилась по деревянным ступенькам и повернула к столовой, где они с молодым человеком завтракали. На столе блестел начищенными боками самовар, чашки остались на своих местах. В вазочке темнело брусничное варенье, которым ее угощал Шувалов. На блюде лежали румяные пирожки.

— Илья... — простонала Лариса, ощущая дрожь в коленках. — Не пугай меня так...

Хозяин дома сидел на диване, свесив голову на грудь. На его рубашке расплывалось красное пятно, посредине которого торчала рукоятка ножа. Прежде чем накатила дурнота, Лариса определила, что нож — охотничий.

Она очнулась на полу, схватилась за ножку стола, приподнялась и в ужасе прошептала:

— Это сон!.. Мне все приснилось...

Илья сидел в той же позе, лишь пятно на его груди стало больше. Лариса отчетливо видела его ноги в военных брюках, заправленных в сапоги. Она поднялась на четвереньки, потом с трудом выпрямилась.

— Господи... да что же со мной такое...

Лариса вспомнила, что она бывший врач, заставила себя наклониться к молодому человеку и пощупать пульс. Его рука была еще теплая.

— Мертв!.. Вот, почему я видела его в зеркале вместо генерала... Он что-то хотел сказать мне... А я — трусливая недотепа!

Лариса решила не вызывать полицию. Ведь, кроме нее, в доме никого нет. Убийца скрылся, и единственной подозреваемой станет она. К тому же, ее сотовый разряжен, а Илья, кажется, был отшельником и не пользовался мобильной связью. Обычного телефона у него тоже не имелось.

Ей на ум пришел водитель «опеля», который привел ее сюда. Если он даст показания, тогда ей крышка! Лариса схватила со стола матерчатую салфетку и торопливо протерла все, к чему прикасалась. «Зеркальная комната! — спохватилась она. — Там полно моих отпечатков! Я оставила их на зеркалах, на двери, на подлокотниках кресла!»

Но возвращаться в психомантеум было выше ее сил.

— Нет, ни за что...

С минуты на минуту сюда мог прийти бомбила по прозвищу Мушкетер! Тогда ей не отвертеться. Парень обещал, что как только поменяет колесо, заберет ее и доставит в город. Вероятно, он уже едет.

Ларису охватила паника. Недолго думая, она выпрыгнула через раскрытое окно в сад и побежала, куда глаза глядят...

ГЛАВА 12

Москва

Ренат договорился о встрече с генеральшей в кафе неподалеку от сквера. Голос у черной вдовы был не по годам твердый и звонкий. Она наотрез отказалась ехать в Песчаное. Придется «покупателю» возвращаться в столицу. Ренат был рад и этому. Какая разница, где они побеседуют?

Игорь провожал его с кислой миной, но деньги за посредничество взял. Хмуро спросил напоследок:

— Когда тебя обратно ждать?

— Скоро, — улыбнулся Ренат. — Если сойдемся с хозяйкой в цене, я сразу же приеду. Пойдешь со мной дом смотреть?

— Ты сначала вернись...

— Не так страшен черт, как его малюют, — отшутился гость. — Вернусь, не сомневайся!

Все дорогу до Москвы он представлял себе жену покойного Лукина. Это не она говорила с ним по телефону. На том конце связи была женщина помоложе, — вероятно, дочь.

Ренат прибыл на место первым и занял свободный столик. Сделал заказ: двойной кофе и творожная запеканка. В Песчаном он соскучился по десерту. Поджидая Софью, он несколько раз набирал номер Ларисы — в ответ звучало все то же: «связь с абонентом временно отсутствует». Старания Рената выйти с ней на телепатический контакт окончились неудачей. *Она словно зависла между мирами.*

Борт, которым Лариса вылетела во Владивосток, благополучно приземлился, а потом... она куда-то пропала. Все, что ему удавалось «рассмотреть» — это сумрачная комната, темные стены, зеркала и кровь...

— Кровь? — ужаснулся Ренат. Он поднял голову и встретился взглядом с высокой худощавой женщиной.

— Вы говорили со мной по поводу покупки дачи?

Он узнал голос, который слышал по телефону, галантно привстал и подвинул ей стул.

— Присаживайтесь. Я заказал вам кофе. Может, что-то еще?

— Нет, спасибо.

Женщина уселась напротив и положила ухоженные руки на скатерть. Прямая осанка, строгое платье, темные волосы, причесанные на прямой пробор, крупные серьги в ушах. Длинная шея бесстрашно выставлена напоказ. Даме перевалило за полтинник, но она неплохо сохранилась.

— Софья, — представилась она. — Можно без отчества.

— Я думал, что говорю с генеральшей Лукиной, — солгал Ренат. — Но вы гораздо моложе.

— Я ее дочь. Давайте к делу. У меня времени в обрез.

— Если вы спешите, я вас подвезу, куда скажете. Я на машине.

— Обойдусь.

Она не старалась быть приветливой, не утруждала себя светскими манерами. Из нее вполне мог бы получиться военный. Вероятно, Лукин хотел сына, а у него родилась девочка. Ее явно не баловали, воспитывали по-спартански. Когда отец умер, в семье наступили трудные времена. Недостаток денег, долги, неурядицы. Вдова больше не помышляла о замужестве, а дочери надо было дать приличное образование, справить свадьбу. Дачу пытались продать еще тогда. Не вышло. С тех пор мать и дочь трезво оценили шанс разбогатеть на выгодной сделке и поумерили пыл.

— Вы из агентства? — неприязненно осведомилась Софья. — Если так, разговор окончен.

— Я реальный покупатель, — заверил ее Ренат. — Часто езжу на рыбалку в Песчаное, и мне приглянулся ваш участок на возвышенности, с видом на реку. Я бы охотно приобрел его по разумной цене.

— Назовите сумму.

— Простите, — смешался он. — Сумму назначаете вы, а не я.

— Дача давно выставлена на продажу. Вас не пугают слухи, которые ходят в поселке?

— Будто бы в доме творится всякая чертовщина? Я не суеверен. А что, есть повод для беспокойства?

Дочь генерала сжала губы и покачала головой. Она решила расставить все точки над і, чтобы потом к ней не было претензий. Покупателя лучше сразу ввести в курс дела, а там пусть решает, как ему быть. Лишние хлопоты им с матерью ни к чему.

— Не люблю недомолвок, — сказала она, пробуя кофе. — Если вы не робкого десятка, то слухи не будут помехой. Людей хлебом не корми, дай поболтать. Чего они только не придумают! Язык-то без костей.

— Как умер ваш отец? Хотелось бы знать это из первых уст.

— Вижу, вас посвятили в нашу семейную тайну...

— Местный дьякон красит стену в комнате, где скончался генерал. Якобы, замазывает сатанинские символы.

— Религиозный фанатик, — пробормотала Софья. — Одержимый. Что с него взять?

— И все же...

— Папина смерть была естественной.

— Сгорел на службе! — заметил Ренат.

Этот пробный шар произвел неожиданный эффект.

— Да, сгорел! Сгорел в буквальном смысле! Производилось вскрытие, делались все необходимые экспертизы. Человек, которого подозревали в убийстве отца, был оправдан. Какие еще доказательства вам требуются?

— Доказательства?

— Никто отца не убивал, если вы об этом, — разошлась Софья. — Он умер от инсульта. Когда упал головой на стол, на лице остались следы ожога от свечи. Сколько можно повторять одно и то же? В каждом доме кто-нибудь умирает, и ничего. Бедный папа! Он и представить не мог, как все обернется... Если б знал, умер бы в машине! Или на полигоне, прямо на службе! Чтобы не было потом кривотолков.

— Вы хорошо его помните?

— Что? — опешила она.

— Каким человеком был ваш отец?

— Ну... солдатом до мозга костей. До того, как переехать в Москву, мы жили в Приморье. Потом отца перевели, он получил квартиру и забрал нас с мамой.

— Ваша мать родом из Приморья?

— Она родилась в Уссурийске. Там они с отцом познакомились. Он был в служебной командировке, мама работала в музее... А вам-то что до этого? — спохватилась женщина. — Любопытный больно?

— Есть такая слабость, — добродушно рассмеялся Ренат.

Упоминание об Уссурийске резануло ему слух. В этом городе теперь жил бывший рядовой Сазонов, который когда-то невольно стал свидетелем смерти генерала. Туда поехала Лариса и... пропала по дороге.

— Значит, ваша мать — музейный работник?

— Она проработала в Уссурийске всего год, кажется, — неохотно пояснила Софья. — Потом вышла замуж, а жены офицеров обычно сидят дома. В гарнизоне для них работы нет. Мама воспитывала меня и вела домашнее хозяйство. После смерти отца ей пришлось работать, куда возьмут... Зачем я вам все это говорю?

— Мы беседуем.

— Я не беседовать приехала, а решать вопрос с продажей дачи.

— Назовите вашу цену, Софья, и если это мне по карману, я готов приобрести участок с недостроем.

Дочь генерала задумалась, глядя на кофейную гущу на донышке чашки. Покупатель смущал ее своими вопросами. С виду человек, как человек, только не в меру любознательный. Но ей очень нужны деньги. Мать болеет, а лекарства нынче дорогие, да и доктора в руки смотрят.

Она достала из сумочки ручку и написала на салфетке сумму с пятью нулями. Будто произнести то же самое вслух было нельзя.

— Помилуйте! — удивился Ренат. — Вам столько не дадут! Дом — сплошная руина, всё разграблено, и репутация места, простите, подмочена.

— Поторгуемся...

* * *

Уссурийск

Ирина постучала в дверь, но ее подопечный не спешил открывать. Она терпеливо ждала, переминаясь с ноги на ногу и озираясь по сторонам. Отчего-то ей было не по себе. Дом выглядел угрюмо, маленький двор и сад погружены в тень. Солнце появится здесь после полудня.

Девушка потопталась на крыльце, ощущая неприятный холодок в груди, и полезла в сумочку за ключами. У них с Сазоновым был договор — если тот долго не открывает, значит, Ирина делает это сама. Такое случалось всего пару раз. Однажды Сазонову стало плохо с сердцем, и она воспользовалась своим комплектом ключей. А как-то старика скрутил приступ радикулита.

Ирина вставила ключ в замок, — тот не поворачивался. Дверь оказалась незапертой! Может, Сазонов приболел еще с вечера и лежит пластом? Почему не позвонил? Не смог дотянуться до аппарата?

С этими мыслями она глубоко вздохнула и шагнула в темную прихожую.

— Виктор Петрович! Это я!.. Вы в порядке?..

Ее обступила глухая ватная тишина. Ирина сняла обувь и босиком поспешила в спальню, где обычно коротал ночи хозяин дома. Комната была пуста, кровать не разобрана.

— Виктор Петрович! — испугалась она. — Вы где?.. Виктор Петрович!..

Она заглянула в гостиную и поспешила на кухню.

— Ой... боже...

Сазонов сидел за столом, уронив голову на руки лицом вниз. Его палка валялась на полу. Видно, он садился второпях, чтобы не упасть, и не успел поставить ее рядом, как обычно. Стена напротив стола была выпачкана сажей.

— Виктор Петрович, что с вами?.. — Ириша замерла на пороге, потом кинулась к больному, прикоснулась к запястью и... отшатнулась. Его рука была остывшей и твердой.

— О, господи... умер...

На столешнице перед покойником расплылась лужица парафина. Перед смертью тот жег свечу, которая полностью догорела. Ирина заметила в подсвечнике черный хвостик фитилька. Коробок со спичками лежал тут же. Неужели вчера вечером не было света, и старику прошлось сидеть при свече? Хорошо, хоть пожар не случился.

Вместо того, чтобы вызывать полицию, девушка достала из своей сумки медицинские перчатки и, стараясь не смотреть на труп, обыскала кухню: шкафчики, выдвижные ящики, емкости для круп. Такому же тщательному обыску подверглись все помещения в доме.

Ирина взмокла от нервного напряжения, выбилась из сил. Завещание хранилось в комоде вместе с остальными документами, практически на виду. Она прочитала текст, пожала плечами и разочарованно вздохнула. Сазонов отписал все свое имущество не ей, чего следовало ожидать. Советы подруги запоздали. Впрочем, не стоит жалеть. Дом на окраине Уссурийска — не бог весть, какое богатство.

Ирина отдохнула, выпила воды и... отправилась на второй круг поисков. Вдруг, Сазонов держал где-нибудь в укромном месте заначку на черный день?

Прошло полтора часа. Среди вещей усопшего девушка не обнаружила ничего, достойного внимания. Немного денег в деревянной шкатулке, старые фотографии, зуб какого-то крупного животного на шнурке, охотничье ружье и потрепанную книгу «Потомок Чингисхана», написанную неким Гажицким.

— Вот так улов... — прошептала Ирина, сдерживая слезы.

Она вернула вещи на прежние места, навела порядок и позвонила в полицию.

— Это Ирина Ермакова, социальный работник. Инвалид, которого я обслуживала, умер... Нет, не при мне. Я застала его уже холодным... Нет, причина мне неизвестна... Понятия не имею... Он был серьезно болен... Есть его медицинская карта... Записывайте адрес...

ГЛАВА 13

Окрестности Уссурийска

Лариса бежала, не разбирая дороги. Она забыла о натертых ногах и не думала, куда приведет ее узкая тропка. Между деревьями в жуткой тишине курился туман. На расстоянии нескольких метров ничего не было видно. У Ларисы в ушах бешено стучал пульс, а перед внутренним взором стоял мертвый Илья. Она остановилась, чтобы отдышаться, и прислонилась к стволу кедра.

Сквозь молочную мглу проступали вокруг такие же могучие стволы. Лариса перевела дух и побрела наугад, лишь бы подальше от ужасного дома. Она полагалась только на свою интуицию. В здешних лесах легко заблудиться и пропасть, тем более приезжей, которая не знает местности.

Вероятно, она наматывала круги, как всякий неопытный человек. Но в тумане невозможно было определить, в каком направлении двигаться. Тем временем ум Ларисы напряженно работал, подыскивая оправдания для ее побега из дома Шувалова. Она погрузилась в размышления и не заметила мелькающего впереди силуэта. Налетев на препятствие, она вскрикнула:

— А-ааа!.. Кто вы? Отпустите!

— Я вас не держу...

Мужчина был удивлен не меньше ее. Они уставились друг на друга, как два порожденных туманом призрака.

— Вы? — первым обрел дар речи молодой человек, в котором Лариса со страхом узнала вчерашнего водителя. — Что вы здесь делаете?

— Иду... разве не ясно?

— Я думал, вы меня ждете в доме этого... Шувалова. Странный тип! Однако делать нечего, придется просить у него домкрат. Как вы думаете, он поможет?

— Ты до сих пор не поменял колесо, парень?! Уже утро! Неужели, никто не проезжал мимо?

— Фатальное невезение, — пожаловался Мушкетер. — Кажется, будто все вымерли. А без домкрата ничего нельзя сделать.

— Подложил бы бревно какое-нибудь...

— Я не умею поднимать машину рычагом из бревен. У меня ни черта не вышло! Вот, решил идти на поклон к самозванцу. Этот Шувалов... вовсе не Шувалов. Ну и хрен с ним! Лишь бы помог выбраться отсюда! Гнилое место...

— Да уж, — кивнула Лариса. — Ты тоже хорош, оставил меня в доме с чужим мужчиной. Правда, я толком не знаю ни тебя, ни его. Поэтому выбор был невелик: либо ночевать с тобой в машине, либо у него в отдельной комнате.

— Надеюсь, он не приставал к вам?

— Слава богу, нет. До этого не дошло. Где ты был, кстати? Почему раньше не пришел за мной?

Мимолетную страсть, которую Лариса ощутила к Илье, совершенно затмила его смерть и ее страх быть обвиненной в убийстве.

Она должна отвести от себя подозрения. Но как? Мушкетер — опасный свидетель. Ему известно, что пассажирка провела эту ночь в доме, где лежит мертвец. Вернее, сидит...

— Я пошел, — оправдывался водитель. — Но сбился с пути. Потом откуда-то взялся чертов туман! Этот проселок ведет к деревне?

— Не знаю... — Лариса опустила глаза и увидела под ногами укатанный колесами грунт. Тропинка все-таки вывела ее из лесу на дорогу.

— Вы все время шли прямо, не сворачивая?

— Я не помню...

— Может, вернемся? — предложил парень. — Без помощи самозванца нам не обойтись. Мне самому не хочется иметь с ним дело, но...

— Почему ты называешь его «самозванцем»?

— Я уже говорил, он — не Шувалов. Брешет, собака. Комедию ломает!

— Зачем ему это?

— У людей дури хватает. Накурятся травки, грибов сушеных нанюхаются и давай куролесить!

— Ты намекаешь, что Шувалов — наркоман?

— А вы этот вариант исключаете?

Лариса вынуждена была признать, что у нее нет убедительных аргументов ни «за», ни «против». Если Шувалов употреблял наркотики, или, чего доброго, торговал ими, то с ним могли расправиться на этой почве.

«Меня спас психомантеум! — осенило ее. — Иначе я тоже была бы мертва. Илья живет один, убийца знал это. Ему просто не пришло в голову обыскать дом. Скорее всего, он не догадывался о существовании зеркальной комнаты».

— Ну что, топаем обратно? — донеслись до нее слова Мушкетера.

— Возвращаться нельзя. Мы опять заблудимся, — возразила она. — Туман густеет, я боюсь забрести в чащу или не дай бог, в болото. У меня ноги болят, и вообще... хватит с меня на сегодня приключений. Пощади!

— Вы правы...

— Идем к машине, попробуем подставить бревно, ветку потолще. Я тебе помогу.

— Не смешите, — нахмурился парень. — Не хватало, чтобы женщина возилась с бревнами, тем более моя клиентка. Я обязан доставить вас в гостиницу и сделаю это, несмотря ни на что. Даже без самозванца.

Они двинулись по проселочной дороге в ту сторону, где по мнению таксиста остался его «опель». Лариса не могла отделаться от мыслей об убитом. Жалко Илью! Он был такой... красивый, галантный и немного загадочный. Совсем не похож на наркошу.

Чтобы как-то развлечь огорченную спутницу, Мушкетер начал болтать всякую чепуху.

— Где-то в этих местах действительно стоял дом Шувалова... только настоящего. Он был графских кровей, но бедный. Служил офицером в банде барона Унгерна. Потом бросил кровавый промысел и занялся разными оккультными штуками.

Лариса вздрогнула и повернулась к рассказчику:

— Барон Унгерн был бандитом?

— По форме вроде бы нет, а по существу иначе как бандитом его не назовешь. В наших краях о бароне ходят легенды. И «дом Шувалова» — одна из них. Якобы, Унгерн искал древнее золото, а Шувалов вызывал духов, выспрашивал у них о кладах и передавал информацию бывшему командиру. Общались они через нарочного, который тайно посещал Шувалова, пока того не убили...

— Кого убили? — вскинулась Лариса.

— Шувалова, разумеется. Его нашли мертвым, с ножом в груди. Вроде бы с ним расправились враги Унгерна. Или сработало проклятие покойных шаманов, которых он тревожил на том свете. Вы в наш музей сходите, там вам больше расскажут.

Пассажирка притихла. Может, ей приснился страшный сон от переутомления? И в доме, где она ночевала, нет никакого трупа?

За спиной путников послышался шум, Мушкетер повернулся и радостно замахал руками.

— Грузовик едет! Наконец-то! Посторонитесь, Лариса, я его тормозну...

* * *

Москва

Генеральская дочь отказалась сопровождать Рената в Песчаное, но дала ему ключи от входной двери дома и сколоченной из досок времянки, где хранился ржавый инвентарь.

— На самом деле это лишнее, — усмехнулась она. — Замки давно пришли в негодность, а дверь в дом забита досками. Вы справитесь и без меня, и без ключей. Однако так положено. Ключи — что-то вроде символа. Поезжайте, осмотрите все, что есть на участке, и определяйтесь. Если решите брать, я вам уступлю пару тысяч.

Она не верила в то, что продажа состоится. Ренат читал это в ее глазах. Покупатели появлялись и пропадали, надежды выручить за недостроенную дачу приличные деньги таяли. Сумма, которую написала на салфетке Софья, была специально завышена. Чтобы отбить у собеседника охоту напрасно занимать время хозяев.

— Я верну вам ключи, как только приму решение.

— Разумеется...

Дама степенно кивнула красивой головой и попрощалась. Ренат остался сидеть за столиком, недовольный собой и обескураженный. Ему с трудом удалось *телепатически подключиться* к Софье, в буквальном смысле пробиваясь сквозь стену огня. Языки неведомого пламени моментально «пожирали» картины ее прошлого. Но некоторая информация все же просочилась.

Игорь не лгал. Дочь генерала Лукина похоронила двух мужей. Оба умерли от странной лихорадки, которая унесла их в течение недели. Медики не нашли причину болезни и списали все на грипп. После смерти второго мужа Софьи следователь заподозрил отравление неизвестным ядом, но доказательств тому не обнаружил. С тех пор вдова больше в брак не вступала и любовниками не обзаводилась.

Нельзя сказать, насколько сильно она переживала потерю обоих супругов. Софья не выглядела убитой горем, но и радости на ее лице Ренат не заметил. В ожидании встречи он нашел в «Одноклассниках» ее страничку. В последний раз женщина заходила туда год назад. Видимо, она не фанат общения в соцсетях. Все, что Ренат выжал из этого, была близкая подруга Софьи — администраторша казино «Валет». Судя по редким комментариям и совместным селфи, они сохранили приятельские отношения.

Расплатившись по счету, Ренат отправился в казино. По дороге он набрал номер Ларисы и в очередной раз услышал: «Связь с абонентом временно отсутствует».

— Черт! Она телефон потеряла, растяпа? Могла бы уже новый купить, если так!

Прекрасно понимая, что дело не в телефоне, Ренат изнывал от беспокойства. Что он мог сделать в сложившихся обстоятельствах? Срочно вылететь во Владивосток? Это не выход. Он нужен здесь, чтобы помочь Ларисе раскрыть тайну семьи Лукиных. Она рассчитывает на него.

С этими мыслями Ренат припарковал свой внедорожник на площадке перед казино «Валет». Заведение было закрыто для посетителей.

— Я к Эльвире Рудецкой, — заявил он швейцару, который пропустил его внутрь раньше, чем успел что-либо сообразить. — Она у себя?

— В кабинете, — растерянно пробормотал тот.

Казино не самое шикарное, средней руки. Ренат вошел к администраторше без стука. Та подняла голову, оторвавшись от компьютера, и сердито проворчала:

— Я занята!..

Они с Софьей немного похожи внешне, это было заметно на фото. В жизни Эльвира выглядела моложе и энергичнее подруги. Стильная одежда, прическа, макияж, — работа обязывает держать марку. В голове Рената пронеслись «кадры» ее жизни: регулярно ходит на массаж, колет ботокс, не вылезает из косметических салонов. Не замужем. У нее сын наркоман, который периодически лежит в клинике. Эльвира скрывает это от всех. Тайком от хозяина она крутит роман с одним из крупье...

ГЛАВА 14

Уссурийск

— Умер? — ахнула Катя, с жалостью глядя на подругу. — Сазонов? При тебе? Ты все видела?

Ирина отрицательно мотнула головой.

— Нет. Это случилось раньше. Когда я пришла, он уже задубел...

— Ужас какой! Я бы с ума сошла от страха!

— Я тоже испугалась.

— А завещание? Ты же не сразу вызвала полицию и «скорую»?

— «Скорая» ему была ни к чему. В полицию я позвонила, но они не торопились ехать. Ждала больше двух часов.

— Наедине с трупом? — побледнела Катя. — Я бы не смогла! Я очень боюсь мертвецов.

Ирина умолчала об обыске, который устроила в жилище покойного. Кате это знать не обязательно.

— Мне пришлось на кучу вопросов отвечать. Врачам, ментам... Кошмар какой-то! Словно я нарочно Виктора Петровича уморила. Все ли лекарства он принимал? Как он себя чувствовал? Вовремя ли обращался за медицинской помощью?.. Только я-то ему не указ! Он взрослый человек, сам решал, что делать.

— Ты нашла завещание? Прочитала?

— Его искать было нечего. Виктор Петрович хранил все документы в ящике комода, — призналась Ирина. — Имущество он отписал какой-то Ларисе Курбатовой.

— Это кто же такая? Племянница? Седьмая вода на киселе?

— Наверное. Он о ней никогда не говорил. Он вообще мало говорил о своих родичах.

— Вот так всегда! Одни ухаживают за стариками, а другие становятся наследниками...

— Хватит причитать! — возмутилась Ирина. — Зачем мне старый дом? Там все пропитано духом Сазонова, он мне мерещиться станет. Я и раньше... в зеркала старалась не смотреть. Казалось, он за мной оттуда подглядывает...

— Ужас! Женщины, что у него до тебя работали, тоже жаловались, что в доме нечисто.

Девушки сидели в кухне и пили чай. Катя купила пирожные, но у подруги испортился аппетит. Еще бы! Проторчать полдня рядом с мертвецом, у любого кусок в горло не полезет.

— А я бы от наследства не отказалась. Ты же храбрая, Ир! Дом продать можно, и земля кое-что стоит. Этих денег на покупку квартиры хватит.

— Квартира здесь, в Уссурийске? Ну, не знаю...

— Я бы ипотеку оформила. Главное первый взнос внести, а потом потихоньку выплачивать.

— У тебя одно на уме: деньги, квартира, — упрекнула ее Ирина. — Человек умер! Тебе его не жаль?

— Да кто он тебе? Привередливый старикан, который даже чаевых не давал. Знаю, что ты скажешь! Мол, он едва сводил концы с концами. Только это неправда! Была у него заначка как пить дать. Или счет в банке. В завещании про счет написано?

— Нет.

— Дура ты, Ирка! Надо было все там обыскать, каждый уголок! В сарай заглянуть, в погреб, на чердак! Нельзя быть простофилей... Теперь уж поздно. Поезд ушел!.. Слушай, а от чего он умер, Сазонов твой?

— Я думаю, от сердечного приступа. Одно странно, у него брови и ресницы обгорели, и ожог был на лбу.

— Да ты что?

— Менты сказали, от свечи. Он свечу жег перед смертью. Представляешь?

— Видать, предчувствовал свою кончину. Молился, наверное...

— Я его застала лицом вниз, не заметила ожога. А медики когда осматривали, удивились. Менты спрашивали, часто ли Сазонов свечами пользовался. Но я не знаю! Я же с ним не жила.

Она хлебнула чаю, поперхнулась и долго кашляла. Катя постукивала ее по спине и приговаривала:

— Пусть ему земля будет пухом. Не важно, что наследство не тебе досталось. Ты же бескорыстная...

— А еще... на стене напротив стола кто-то выжег закорючки.

— Кто? — заинтересовалась Катя. — Может, сам Сазонов?

— Он не был маразматиком. И стены в своем доме не портил.

— Откуда же тогда взялись закорючки?

— Вот и менты ко мне пристали, что да как? Выходит, кроме Сазонова, некому было стену разрисовать. Я сразу обратила внимание на эти... иероглифы. Поразилась. Зачем печной сажей стены мазать? Но то оказалась не сажа.

— Может, Сазонову что-то в голову вступило перед смертью?

Ирина пожала плечами и покосилась в окно. В вечерних сумерках уже светили фонари, с улицы доносились голоса подростков, которые бренчали на гитаре. Им было весело, они распивали пиво, курили и тискали девчонок.

— После выяснилось, что закорючки выжжены на дереве. Сазонов мертв, его уже не спросишь, что случилось!.. А по городу слухи пойдут... Меня с работы не уволят?

— Ты тут ни при чем, — заключила Катя. — Но у людей языки длинные, всякое болтать будут. Не парься, подруга! Слово к делу не пришьешь.

— Только у меня были ключи от дома Сазонова. Я могла зайти к нему в любое время. Вчера вечером, когда он умирал, я гуляла в парке... Одна! Я люблю гулять в одиночестве. Но лучше бы я сидела тут с тобой и смотрела дурацкий сериал.

— Чего это «дурацкий»? — обиделась подружка. — Нормальное кино!.. Послушай, ты о чем? — спохватилась она. — Разве Сазонова... убили?

— Нет, конечно.

— Из тебя могут сделать козла отпущения? Ты этого боишься?

— Надеюсь, вскрытие покажет, что Виктор Петрович умер по естественной причине...

* * *

Водитель грузовика, толстяк и балагур, помог Мушкетеру поменять колесо. Он не мог поверить, что бомбила заблудился в трех соснах.

— Да ладно! Ты гонишь, парень! — посмеивался он. — Тут одна проселочная дорога, которая ведет к трассе. По ней нечасто, но ездят.

— За всю ночь и утро ни одной машины не было. Ты первый!

— Не может быть. Ты, часом, не обкурился? — водитель грузовика оглядывался на Ларису и качал головой. — Скажи честно, что телку клеишь, вот и решил комедию разыграть. Она с тобой ночь провела?

— Не твое дело, — насупился Саня.

— Значит, с тобой! Ты и домкрат нарочно забыл,

чтобы бабенку окрутить. Понимаю, братан. Сам такой был, пока не женился.

— А что за деревня поблизости?

— Ты что, чувак, с луны свалился? От деревни пара домов осталась, да и те валятся. Базу отдыха тут открыли, «Семеновка» называется. Слыхал? Я туда дровишки вожу, оттуда мусор забираю. Видишь мешки в кузове? Отдыхающие пьют по-черному и жрут в три горла. Мусора после них валом!

— «Семеновка»? — пробормотал Мушкетер. — Точно, блин. Как я сразу не догадался?

— Народ нынче любит все натуральное: баню парную, шашлыки, барбекю. В люксовских номерах везде камины, на кухне — русская печь. Экзотика! Ты свою пассажирку туда вези, попаритесь вместе.

— Тихо ты! Услышит, рассердится.

— Понял, — водитель грузовика захохотал и похлопал Саню по спине.

— А где столбы электрические?

— С другой стороны, братан. От базы «Таежник» к «Семеновке» линия ведет. Ладно, мне пора. Бывай!

Толстяк забрался к себе в кабину и помахал бомбиле рукой.

Странный парнишка попался. Вроде не тупой, а вопросы задает, глупее не придумаешь.

Взметая клубы пыли, грузовик умчался прочь. Мушкетер уселся в машину и позвал Ларису.

— Все готово! Поехали за ним! У меня запаска хилая. В случае чего, попросимся на буксир. До города дотянет, а там сразу к ребятам на станцию техобслуживания.

Он не мог признать, что опасается не новой поломки, а того, что снова заблудится. Лариса испытывала нечто подобное. Ориентир в виде грузовика впереди не помешает. «Опель» сорвался с места, подпрыгнул и резво покатил по рытвинам.

— Эй, эй, полегче. Не то глушитель потеряем.

— Главное грузовик не потерять, — вырвалось у парня. Лариса полностью разделяла его мнение.

— Оказывается, тут рядышком база отдыха «Семеновка», — добавил он. — Что же мы ее не видели? Топали, топали, и кроме леса — ни фига...

— Да, странно.

Мушкетер крутил руль, чтобы не отстать от грузовика. Лариса молчала. Все же он задал вопрос, которого она боялась.

— Как самозванец себя вел? Тоже мне, артист из погорелого театра! Надо же? Илья Шувалов!.. Обалдеть!

— Может, это в самом деле его фамилия?

— Однофамилец? А что, все бывает, — согласился парень. — Только жилых домов поблизости нет, развалюхи одни. Была деревня Семеновка, да сплыла. Базу так по старой памяти назвали.

— Развалюхи? Я бы не сказала. Дом добротный, правда, без электрики.

— Потому что столбы от «Таежника» идут, с другой стороны. И вообще... Спорим, мы теперь тот дом днем с огнем не сыщем?.. Чертовщина какая-то! Вот, что, барышня: лучше никому про это не рассказывать. Нас за психов примут. Не было никакого дома, никакого Ильи Шувалова. Нас кто-то развел! А мы повелись, как лохи... мгм... извините, — смутился таксист.

— Ладно, я не в обиде.

Лариса с облегчением вздохнула. Мушкетер зря болтать не будет, а она тем более. Может, и пронесет. Но... как же убийство? Как труп в гостиной на диване? Зеркальная комната, где молодой граф Шувалов вызывал духов усопших шаманов?..

Она закрыла глаза. Натертые ноги болели, голова раскалывалась. Сквозь дрему проступали тени барона Унгерна, генерала Лукина, солдата Сазонова... Она снова очутилась в психомантеуме, смотрела в зеркало и видела там молодого человека в форме советского образца. Стало быть, Сазонов — мертв?..

— Вам куда? — раздалось у нее над ухом. — В гостиницу?

Лариса очнулась и сообразила, что «опель» едет по городу Уссурийску. Наконец-то! Сейчас она снимет номер в отеле, примет душ и завалится спать. Никаких мыслей, никаких звонков. Все дела завтра. Она мельком вспомнила о Ренате. Нет, даже ему она позвонит завтра...

ГЛАВА 15

Москва

Эльвира злобно уставилась на наглого посетителя.

— Что вы себе позволяете?

— Я хочу поговорить с вами, — улыбнулся тот и, не дождавшись приглашения, опустился в кресло и заложил ногу на ногу. — О вашей школьной подруге Софье. Вы давно дружите. Сидели за одной партой, потом поступили в один вуз, выучились на экономистов...

— Выйдите вон!

— Меня зовут Ренат, — не моргнув глазом, представился нахал. — Давайте спокойно побеседуем, и я уйду. Не заставляйте меня принуждать вас, я этого не люблю. Предпочитаю добрую волю.

— Вон! — Эльвира указала пальцем с длинным блестящим ногтем на дверь. — Убирайтесь, или я позову охрану!

— Это вряд ли. — Он наклонился вперед и понизил голос. — Вы не заинтересованы, чтобы владелец казино узнал о пагубной страсти вашего сына и, особенно... о ваших интимных отношениях с...

Женщина побледнела и прижала ладонь к губам. Ренат понял смысл ее жеста: в кабинете установлена прослушка. Эльвира предупреждает его об этом. Он встал и понимающе кивнул со словами:

— Моя машина на парковочной площадке. Светлый джип «хендай».

— Убирайтесь! — повторила она, делая знак, что придет.

Ренат показал ей пятерню и постучал согнутым пальцем по циферблату своих часов. Мол, даю вам пять минут. Администраторша согласно прикрыла веки с наклеенными ресницами.

Прошло не пять минут, а десять, прежде чем Эльвира, благоухая духами и распространяя флюиды страха, устроилась на переднем сиденье внедорожника. «Чистила перышки, — догадался Ренат. — Собиралась с духом. Размышляла, что мне надо и как от меня отделаться».

Администраторша привыкла сразу брать быка за рога.

— Что вы хотите?

— Я уже сказал. Поговорить о Софье. Ничего криминального.

— Вы... ухаживаете за ней?

— С чего вы взяли?

— Вот и я думаю, разница в возрасте у вас лет двадцать. На ухажера вы не похожи, значит...

— Какая вам разница, кто я? — перебил Ренат. — Ответьте мне на несколько вопросов, и мы больше не увидимся. Я никому не скажу, что ваш сын сидит на кокаине, а вы завели интрижку с красавчиком крупье и содействуете его карьерному росту.

— Вы частный детектив? Следите за мной?

— На вопросы должны отвечать вы, а не я.

— Кто вас нанял?

— Эльвира, вы обманываете хозяина казино, потому что вам нужны деньги... не на лечение сына, а на погашение его долгов. Я-то вас понимаю, но босс расправится с вами без всякой жалости. Такие люди не ведают сострадания. Их бог — золотой телец!

— Кто вы? — упрямо допытывалась она.

— Зачем вам это знать? Просто расскажите мне о Софье, и я оставлю вас в покое. Вы связаны с ней какими-то обязательствами?

— Мы подруги. Я не хочу навредить ей.

— О вреде речь не идет. Скорее, о помощи.

Эльвира была дамочка тертая и битая. Она не верила Ренату, но у нее не было выбора. Собственное благополучие в обмен на сведения о Софье — сделка показалась ей выгодной.

— Хорошо. Спрашивайте...

— Вам известно, как погиб генерал Лукин?

— Отец Софьи? Конечно... у них в семье не делали из этого секрета. А что? Дело прошлое, столько воды утекло... Кому понадобилось копаться в чужом грязном белье? Человека давно нет!

— И все-таки.

— Ну... генерал совершил растрату, попался, и его хватил удар. На даче в Песчаном, которую он строил на казенные деньги. Там его и нашли. Теперь этим никого не удивишь. Все воруют, кто где может.

— Вы бывали на той даче?

— Ни разу. Во-первых, меня не приглашали. Во-вторых, я сама не рвалась. От Софьи я слышала, что после смерти отца дом достроить не удалось, они с матерью пытались его продать, но безуспешно. Я хотела помочь и тоже обломалась.

— Что так?

— Стоило покупателю съездить туда, как его словно ветром сдувало. Софья считает, что в доме бродит дух покойного генерала и... отпугивает клиентов. Дескать, отец против продажи. Честно говоря, меня это удивило. Разве ему на том свете не все равно?

— Софья дважды была замужем, и оба раза это плохо закончилось.

— Вы думаете, генерал ревнует дочь к зятьям и убивает их? — усмехнулась Эльвира. — Является из загробного мира, чтобы отомстить живым?.. Я не увлекаюсь мистикой. И вам не советую. Так можно далеко зайти.

— От чего умерли мужья вашей подруги?

— Заболели...

— Симптомы были похожи?

— На что вы намекаете? Люди от гриппа умирают, и симптомы у всех примерно одинаковые.

— Кем был первый супруг Софьи? Вы его знали?

— Разумеется. Сергей был военным, служил в штабе. Когда он заболел, его положили в госпиталь, лечили, но...

— Софья не боялась, что вы отобьете у нее мужа? Вы женщина красивая и свободная.

— Тогда у меня был любовник, и подруга это знала. Мы с ней делились сердечными тайнами. На похоронах Софья не плакала. Она долго не могла отойти от шока. Прошло два года, прежде чем у нее появился Виталий. Они познакомились на вечеринке по случаю моего дня рождения, начали встречаться. Софья не сразу решилась на второй брак. У меня было много мужчин, — призналась Эльвира. — Но она не такая. Мы с ней разные.

— Что же питает вашу дружбу?

— Ушедшая юность, вероятно. Привычка, совместные воспоминания, ностальгия по прошлому, когда мы были молоды и полны надежд...

Перед Ренатом, словно в кино, пробегали кадры из жизни этой зрелой, с виду уверенной в себе женщины. Эльвира пользовалась успехом у противоположного пола, искала состоятельного мужа, а в результате родила сына от женатого человека, который обманул ее. Парень понятия не имеет, кто его отец. Он спутался с плохой компанией, рано пристрастился к наркотикам. Теперь мать борется с его зависимостью от кокаина и воспринимает это как наказание за собственную сексуальную распущенность. Но остановиться уже не может. Молодой крупье, с которым она делит постель, ее единственная отрада. Любовник и работа — вот, что держит ее на плаву.

Беседуя с Софьей, Ренат не смог так же легко «просмотреть» ленту ее судьбы. Мысли и поступки генеральской дочери скрывала огненная ширма. Языки пламени ослепляли его, мешали проникнуть в ее внутренний мир.

Эльвира же была открыта, и он без труда читал эту драматическую женскую прозу. Дама больше не делает ставку на замужество, она не готова терять свою свободу. Никто не согласится терпеть и тем более любить ее сына. Это ее крест, и она будет его нести, пока хватит сил. А потом...

Ренат встряхнулся, возвращаясь к интересующей его теме. Будущее Эльвиры сейчас не имеет значения. Даже если он скажет, что ее ждет... она ему не поверит.

— Кем был второй муж вашей подруги? Тоже военным?

— Представьте, да. Он служил переводчиком, знал два языка. У них с Софьей родилась дочка, а вскоре Виталий заболел и скончался. Ужасная трагедия...

* * *

Уссурийск

Лариса проснулась в гостиничном номере, привела себя в порядок и спустилась в кафе пообедать. Телефон успел зарядиться, и за едой она переговорила с Ренатом.

— Куда ты пропала? — возмутился он. — Я не знал, что и думать!

— Так получилось. Пришлось переночевать в частном доме, где не было света и связи.

— Еще есть такие дома?

— Вообрази?! Ладно, я допиваю кофе и еду к Сазонову. Только боюсь... его нет в живых.

— Ты шутишь? Проделать такой путь, чтобы сходить на кладбище?

За соседним столиком официантка принимала заказ у пожилого мужчины с наружностью профессора. Лариса покосилась на них и сообщила:

— Со мной тут приключилась странная история... После расскажу.

— Будь осторожнее.

— Все, пока! Вечером позвоню.

Она сунула смартфон в сумку и прислушалась. «Профессор» и официантка обсуждали рыбные блюда. Мужчина явно не первый раз в этом кафе.

— Надолго к нам? — осведомилась девушка.

— Дней на десять. Хочу заснять цветение лотосов.

— Тогда вам надо в Дубовый Ключ.

— У меня есть еще дела в городе. Загляну в музей, навещу черепаху.

Они обменивались репликами, как старые знакомые. Когда официантка отошла, Лариса подсела к «профессору».

— Разрешите?

Тот расплылся в дружелюбной улыбке. Нечасто дамы баловали его своим вниманием. Возраст и скромная внешность не располагали к флирту. Худощавая фигура, узкое лицо, очки, жидкая бородка. Не плейбой.

— Буду рад, если вы составите мне компанию. Здесь неплохо готовят.

— Я уже пообедала, — огорчила его Лариса. — Простите, что невольно подслушала ваш разговор. Вы приехали снимать лотосы?

— И лотосы тоже. Вообще-то я ученый, исследую природу Приморского края. Меня зовут Аркадий. А вас?

Слово за слово, выяснилось, что Аркадий издал несколько трудов по аномальным зонам Дальнего Востока.

— Увлекся, знаете ли, здешними чудесами. Уссурийск — уникальный город с особенной энергетикой! Он стоит на древнейших и загадочнейших руинах. Чего стоят одни его черепахи!

— Здесь водятся черепахи?

— Гигантские, каменные. Вы не видели?

— Я не успела.

— Судя по говору, вы из Москвы. На отдых? Или к родне?

— Решила совместить то и другое, — уклончиво ответила Лариса. — К сожалению, человек, который пригласил меня в гости, тяжело болен и вряд ли сможет показать мне местные достопримечательности. Будете моим гидом?

— С превеликим удовольствием! — «Профессор» наклонился вперед и прошептал: — В этом городе оживают мертвые...

ГЛАВА 16

Ирина взяла себе на память о Сазонове потрепанную книгу «Потомок Чингисхана». Стражи порядка не возражали.

Издание не представляло ценности, и наследница покойного не будет предъявлять претензий.

— Зачем тебе эта макулатура? — фыркнула Катя, брезгливо глядя на замусоленную обложку. — Ничего лучшего у старикана не нашлось?

— Книга очень интересная, — огрызнулась девушка. — Не всё же в Интернете сидеть? Виктор Петрович любил читать, а компьютеров не признавал.

— Твой Сазонов был динозавром, и ты от него заразилась! Он тебя от современной жизни отвадил, а что взамен? Холмик на кладбище? Теперь там его навещать будешь?

— Отстань, а? Без тебя тошно.

Ирина отложила книгу и включила чайник. Разговоры с Катей порой были невыносимы. Пусть бы сидела за своим ноутбуком, чем донимать подругу упреками и поучениями.

— Про что там хоть написано? — примирительно спросила Катя.

— Тебе не все равно?

— Ну хватит дуться! Я же не со зла. Просто жалко тебя стало. Чахнешь над книгой, как синий чулок. Между прочим, еще пару лет, и ты — старая дева. Никто замуж не возьмет.

— Плевать.

— Тебе, может, и плевать. А я одна куковать не собираюсь.

— Поэтому ты на сайте знакомств зарегистрировалась? — Ирина заварила чай и намазала булочку клюквенным джемом. — Давай, присоединяйся. Или ты решила худеть до посинения? Имей в виду, счастье не в размерах бедер и не в смазливом личике. Модели тоже плачут!

— Мне до модели далеко, — пригорюнилась Катя. — И лицом я не вышла.

— Ничего ты, Синицына, не понимаешь в жизни.

— По-твоему, я дура?

Она со слезами на глазах потянулась за булочкой и принялась нервно жевать. Подруга права, ничего хорошего ей не светит. Попадется аферист какой-нибудь, разведет на деньги и бросит. В Интернете таких пруд пруди. Только и ждут, чтобы поживиться.

— Ладно, не кисни, — посочувствовала ей Ирина. — Хочешь, расскажу про барона Унгерна?

— Кто он такой?

— Потомок Чингисхана. По крайней мере, он провозгласил себя таковым. Хотел восстановить империю великого завоевателя в прежних границах. Отчаянно храбрый и страшно кровожадный человек. Белые от него шарахались, красные его ненавидели.

— Белые, красные... Ты что, Ир? Когда это было? Еще в гражданскую?

— Барон ходил в атаку, не жалея ни себя, ни врага. Чтобы так драться, надо было искать смерти... или точно знать, что не умрешь.

— Это ты в книжке прочитала?

— Ну да.

— Бумага все стерпит, — вздохнула Катя, поедая булочки с джемом. — Художественный вымысел!

— Между прочим, клады барона Унгерна до сих пор ищут. Тут написано, что он с помощью колдовства обнаружил древнее золото и спрятал в горных пещерах. Ему духи мертвых подсказали.

— Думаешь, Сазонов не зря книжку до дыр зачитал? Хотел сокровища отыскать?

Ирина пожала плечами.

— Он охотником был, бродил по тайге... пока не стал инвалидом.

— Может, он правда золото нашел? — воодушевилась Катя. — Принес из тайги и спрятал в доме? Где-нибудь под полом... или на участке закопал? Ой, все это пустые фантазии... Но знаешь, дай-ка и мне книжку почитать!

— Неужели? — усмехнулась подруга. — Зачем тебе всякие глупости вековой давности? Ты женихов ищи на сайте. Свадьбу сыграем, я буду подружкой невесты. Снимете с мужем квартиру, детишек нарожаете... Ты ведь об этом мечтаешь?

Катя молча хлебнула чаю и покачала головой. Ее представления о счастье менялись на ходу. Перспектива жить от зарплаты до зарплаты, вечерами стоять у плиты, обхаживать супруга и детей уже не казалась ей привлекательной.

— Сазонов был мужик ушлый и умный. У него в гостиной — целая библиотека, а эту книженцию он неспроста отдельно держал.

— Угу. Слушай, Ир, нельзя свой шанс упускать. Скоро наследница нагрянет, и все приберет к рукам. В том числе и сокровища!

— Нет никаких сокровищ. Я тебя нарочно дразнила.

— А я верю, что есть! — горячо возразила Катя. — Только надо с толком к делу подойти. Этот... как его... металлоискатель достать и применить. Хочешь, я с тобой пойду?

— Куда?

— К Сазонову... с металлоискателем, ночью...

* * *

Москва

Ренат всюду ощущал за собой слежку. Кто-то не спускал с него глаз. Быть может, тот, кто напал на него в заброшенном доме? Соглядатай сопровождал его из Песчаного в столицу, наблюдал за его встречами с Софьей и Эльвирой. Подслушивать он не мог, но, сидя в машине, поджидал Рената сначала у кафе, потом у казино.

Это был высокий молодой человек с развитой мускулатурой и не менее развитым интеллектом. Преследователь тщательно маскировался, не подозревая, что его почти раскрыли.

Внутреннее чутье все больше заменяло Ренату обычные зрение и слух. Вернер, надо отдать ему должное, хорошо потрудился над развитием экстрасенсорных способностей у членов своего клуба. Теперь эти способности набирали обороты. Однако всегда существовали блоки и препоны, о которых предупреждал гуру. Ренат *чувствовал* наблюдателя, не видя его наяву. Но проникнуть в сознание парня ему что-то мешало. Словно тот тоже был «под колпаком» у кого-то покруче, чем сам.

Ренат крутил руль и поглядывал в зеркало заднего вида на мелькающий среди легковушек серый «рено». Улучив момент, он резко свернул в сторону. В голове звучали слова Эльвиры. По сути, она не пролила свет на истинные обстоятельства смерти мужчин в семье Лукиных. Можно еще встретиться с генеральшей и ее внучкой. На фото, выложенных Софьей в «Одноклассниках», дочери не было. Эльвира упомянула о ней вскользь, а ведь девушка тоже — потенциальная невеста, жена, возлюбленная...

«Интересно, сколько ей лет? — рассуждал Ренат. — Если Софья родила девочку во втором браке, той должно быть около двадцати пяти. На кону — жизнь ее будущего либо нынешнего жениха. Барышня хоть соображает, что ему грозит?»

«Рено» не отставал. Это был «хвост». Ренат отчего-то покрылся потом, хотя в салоне работал кондиционер. Пришлось припарковаться в ближайшем дворе и перевести дух.

— Черт!.. Что за фигня происходит?

Он подумал о Ларисе и заволновался. Далекий Уссурийск казался ему опасным и непредсказуемым. Хотелось поехать в монастырь к преподобному Онуфрию, взять его за грудки и вытрясти все, что тот не договорил.

— Это подстава! — проворчал Ренат. — Набожный папаша натворил беды и послал на заклание родную дочь.

Волна негодования быстро схлынула. Он ломал голову, как встретиться с внучкой покойного генерала. Виталий Ермаков, второй муж Софьи, умер до того, как появились социальные сети, а его дочь оказалась редким исключением среди современной молодежи. У нее не было странички в Интернете. Если только она не пользовалась ником вместо своего имени и фамилии.

Ренат понял, что легче искать иголку в стоге сена, и нетерпеливо вздохнул. После смерти генерала его семья осталась жить в квартире, адрес которой был известен. Можно поговорить с соседями, вычислить школу, где училась девочка... можно перелопатить кучу бесполезной информации, потратить время и зайти в тупик.

Я превращаюсь в заурядного детектива, — злился Ренат. — Это не мой метод.

«А какой — твой? — ехидно осведомился Вернер. — Сидеть и скулить, когда надо действовать?»

— Что именно я должен сделать?

«Покумекай! — хохотнул Вернер. — Я не собираюсь тебе подсказывать. Я вложил в тебя достаточно знаний, чтобы ты нашел выход из любой ситуации».

— Вылезайте из моей головы, — огрызнулся Ренат. — Вы мешаете мне думать.

«Так-то лучше!»

Голос в голове стих. Ренат некоторое время прислушивался, но убедился, что гуру оставил его в покое. У Вернера была отвратительная манера насмехаться и подначивать. А может, эти внутренние диалоги являлись игрой воображения.

Ренат рассердился и включил зажигание. Черные вдовы проживали в Свиблово, на Снежной улице, рядом с метро. Пока он туда доберется, город погрузится в сумерки.

Внезапно перед внутренним взором Рената развернулась жуткая картина, каким-то образом связанная с его расследованием.

Кромешная тьма, огонек папиросы и невнятный говор... Несколько мужчин обсуждают, кто первым войдет в шатер и выстрелит...

— Это чудовище надо остановить, господа, — заявил молоденький прапорщик. — Подобные зверства противны человеческой природе!

— Барон, несомненно, рехнулся, — отозвался из темноты старший офицер. — Мы все устали от его кровавых оргий.

— Мы не убийцы, — возразил кто-то, чиркая спичкой. — Нельзя вот так просто застрелить безоружного человека, к тому же спящего!

Короткая вспышка на миг осветила усталые небритые лица. В воздухе потянуло табачным дымом. Посыпались реплики:

— Вы трус, поручик! — возмутился прапорщик. — Уходите, ежели кишка тонка! Без вас справимся.

— Я предлагаю вызвать барона Унгерна на дуэль!

— Этот маньяк вас убьет, не моргнув глазом. Знаете, скольких он уже отправил на тот свет?

— Господа! Господа! Не ссорьтесь! Барон не оставил нам выбора...

— Он всех нас замазал кровью...

ГЛАВА 17

Уссурийск

— Интересуетесь бароном Унгерном? — удивился Аркадий. — Мрачный и жестокий персонаж, скажу я вам. Его фигура занимает ключевое место в здешних легендах. Лидер белого движения на Дальнем Востоке, безжалостный палач. Даже сослуживцы испытывали к нему отвращение. Несколько покушений на барона провалились. Он был словно заговоренный от пуль и клинков. Однажды пятеро офицеров ворвались к нему в шатер и разрядили в спящего командира свои пистолеты. Вообразите, *никто из бравых вояк в Унгерна не попал!* Наутро он, как ни в чем не бывало, вышел на построение. Его глаза горели, с безумным смехом он заявил заговорщикам: «Вы поторопились, господа. Умереть мне предстоит через год. И вы этого уже не увидите!» А потом приказал четвертовать их. Вообразите! *Четвертовать*.

— Какой ужас... Внешне он не выглядит монстром. Я видела его фото на стене... — обмолвилась Лариса и прикусила язык. — Впрочем, не важно.

В гостинице был wi-fi. Она села за ноутбук, просмотрела все новостные сайты и ни на одном не нашла упоминания об убийстве Ильи Шувалова. Живет он уединенно, и труп до сих пор не обнаружили.

— Этот русский генерал был странным типом, — разглагольствовал «профессор». — Он храбро воевал в Маньчжурии и Монголии и пытался создать «Орден военных буддистов».

— Буддистов? — поразилась Лариса. — С их принципом ненасилия?

Аркадий Засекин, с которым она познакомилась в гостиничном кафе, пригласил ее на прогулку по городу. Он привел ее в парк, где в тенистых зеленых аллеях никто не мешал им беседовать. Говорил в основном ученый, а она слушала.

— Унгерн был помешан на всяческих сакральных знаниях, окружал себя колдунами, шаманами, гадалками и всюду таскал с собой личного хироманта. Говорят, он получил посвящение и после разгрома своей Азиатской дивизии собирался укрыться с доверенными людьми в тибетском монастыре. Но попал в плен к монголам. Те не посмели поднять руку на «потомка Чингисхана» и... сдали барона красным. В 1921 году его расстреляли по приговору революционного трибунала.

Лариса «увидела» увешанного амулетами наркомана, который весь процесс просидел в полузабытье, с улыбкой разглядывая свои ладони. Словно ища на них божественные или дьявольские предначертания...

— Остатки его недобитых вояк осели в Харбине, — продолжал Аркадий. — И долго будоражили обывателей байками о кладе Унгерна. Монгольские, китайские и советские искатели сокровищ снаряжали тайные экспедиции, но ничего не нашли.

— А ведь клад был...

— Полагаю, да. Иначе откуда бы так щедро финансировалась Азиатская дивизия? По слухам, Унгерн получил доступ к сказочным богатствам чжурчженей, в том числе он рвался к знаменитой Золотой Бабе. Это статуя богини, которой поклонялись древние племена.

Ее ищут здесь сотни лет! Пещеры, где прятали золото, тянутся на тысячи километров. Кровавый барон, якобы, лично совершил над кладом магический ритуал и «запечатал» его специальными заклинаниями. Поэтому до сокровищ никому не добраться.

Ларису подмывало спросить о Шувалове, но она не рискнула.

— Кто такие чжурчжени?

— Империя, которая существовала на Дальнем Востоке в Средние века. Чжурчжени унаследовали от своих пращуров тайные знания и письменность, которая еще толком не расшифрована.

— Аркадий, что вы имели в виду, когда говорили о мертвых, которые оживают в этом городе?

Деревья в парке были старые, огромные. Солнце светило сквозь листья, и в аллеях словно стоял зеленый туман. «Профессор» сорвал веточку туи и вертел ее в руках.

— Ах, это... В Уссурийске много привидений. Я же изучаю аномальные явления, собираю информацию, беседую с горожанами. Взять хоть этот парк, в просторечии его называют «Зеленка»... Считается, что тут обитают чудовища. В начале прошлого века в город приехала цирковая труппа и показывала двух «человекообезьян», якобы пойманных в лесах Амазонии. Народ валом валил на представления. Перед самым отъездом циркачей гигантские «звеколюди» сломали вольер и сбежали. На них делали облавы, но безуспешно. С тех пор они появляются в парке, рычат по ночам, а иногда в аллеях находят растерзанных домашних животных. Собак, кошек...

— И всё? — рассмеялась Лариса. — Страсти-мордасти! Выдумки для туристов.

— Как эти монстры выжили, по-вашему? — ничуть не смутился Засекин. — Я полагаю, что они существуют в ином измерении и время от времени выходят в наш мир на охоту. А затем снова исчезают. Аномальная зона! Призраки в Уссурийске попадаются на каждом шагу. На месте бывшего погоста, например; там, где стоял бордель; в бывшем штабе японской контрразведки...

— Здесь были японцы?

— В гражданскую войну. Арестантов пытали и расстреливали в подвале штаба. Потом здание много лет пустовало, пока его не снесли.

— Что там теперь?

— Сбербанк. Но работники иногда слышат по ночам предсмертные стоны, японскую речь и лязганье железных засовов. Я говорил с одним из охранников банка, который не выдержал и уволился. Он поведал мне, как во время дежурства столкнулся нос к носу с привидением замученного узника. Впрочем, жизнь переменчива. На улице Пушкина стоял дом, позже построенный пленными японцами для высших офицерских чинов. Тела умерших от непосильного труда рабочих сбрасывали в строительный котлован. Так вот, годы спустя поблизости не раз видели японских самураев, которые занимались поджогами.

— Пожары устраивали?

— Еще какие! Дом несколько раз выгорал дотла. А еще в городе есть Илюшкина сопка. Там обнаружили залежи каменного угля и прорыли каменоломни. Лично я уверен, что под видом добычи угля в недрах горы искали ту самую Золотую Бабу, о которой ходят легенды. Но вы меня не слушаете...

— Ой! Извините, Аркадий, я задумалась.

Лариса не могла отделаться от пугающих мыслей о трупе и своем позорном побеге из дома гостеприимного Ильи. Она не ожидала от себя такой паники. Если водитель «опеля» даст против нее показания, ее могут заподозрить в убийстве.

— Мне нужно идти, — спохватилась Лариса. — Спасибо вам за прогулку, но мне пора. Солнце садится, а я еще должна успеть проведать одного человека. Не подскажете, где Никольская улица?

— Не только подскажу, но и провожу вас туда, если позволите.

«Профессору» понравилась новая знакомая. Он был готов сутками рассказывать ей обо всех здешних аномалиях. Красивая женщина, москвичка и совсем не заносчивая. Может, попытать счастья, — поухаживать? Он достал из рюкзачка на плече шоколадку и предложил своей спутнице:

— Угощайтесь...

Когда улицы уже погрузились в теплые сумерки, они подошли к дому номер двадцать три. Ларисе казалось, их сопровождает незримая тень. Может, это не упокоенный дух Шувалова следует за ней по пятам?..

* * *

Москва

Во дворе старой высотки на лавочке скучала дебёлая пенсионерка. Ребенок лет пяти, видимо, ее внук, возился в песочнице. Ренат вежливо поздоровался и присел рядом с пожилой дамой.

— Какой милый мальчик...

— Леша, мой внучек, — сообщила пенсионерка. — В садике объявили карантин. Теперь я за няньку. А вы кто? — насторожилась она.

— Я агент по недвижимости, — соврал Ренат. — Показываю людям квартиры, выставленные на продажу.

— И кто у нас продает?

— Генеральша Лукина.

— Да вы что? — ахнула она, забыв о внуке. — Евгения Павловна? Неужели, дела так плохи? Она очень больна, на ладан дышит. Но чтобы жилье продавать...

— Наверное, ей деньги нужны.

— На лечение? Ах, ты, беда какая... Они с дочкой вдвоем дни коротают. У генеральши пенсия, а Софья перебивается на временных работах. Она бухгалтер. Сейчас лекарства-то в копеечку влетают! Проще сразу в гроб, чем по больницам мыкаться.

— Госпожа Лукина живет с дочерью?

— Да. А вы не знали? У Софьи второй муж умер, она к матери вернулась. У них в семье на мужиков мор какой-то. Сам Лукин скоропостижно скончался, зятья на тот свет молодыми ушли. Евгения Павловна об этом молчит, но шила в мешке не утаишь. Слухи разные ходят! Мол, ведьма она, черная магесса. За грехи тяжкие расплачивается до седьмого колена.

— Вы в это верите?

— И да, и нет...

Пожилая дама опасливо покосилась в сторону парадного. Не выйдет ли, не ровен час, соседка, о которой она судачит.

— Генеральша на улицу не выходит, — успокоил ее Ренат.

При мысли о вдове Лукина ему представлялась худая изможденная женщина с подкрашенными в синеву седыми волосами. Передвигается она с палкой, еле-еле. У нее больные суставы и желчный характер.

— У Софьи тоже глаз черный! Я на нее стараюсь не смотреть, — разоткровенничалась пенсионерка. — Леша! Леша! — закричала она на внука. — Не сыпь песок на голову!

Мальчик набирал песок на пластмассовую лопатку и подбрасывал вверх. Услышав замечание, он перестал играть и насупился.

— Озорной мальчонка растет. Мне с ним тяжко, а куда денешься?

— Все дети такие, — посочувствовал ей Ренат. — И я таким был. Кстати, у генеральши тоже внучка есть. Мне бы поговорить с ней.

— Я ее давно не видела. Съехала она от бабки с матерью. Не ужилась!

— Съехала?

— Я бы на ее месте так же поступила. У нее молодой человек появился, она и унесла ноги-то! От черного глаза подальше...

ГЛАВА 18

Уссурийск

Мушкетер забрал машину из ремонта и вместо того, чтобы взять клиента до Владивостока, поехал искать... дом самозванца Шувалова. Никому из знакомых он и словом не обмолвился о странном приключении. Боялся стать посмешищем.

Каким образом он свернул на проселок, ведущий к базе отдыха «Семеновка», парень не помнил. Заговорился с пассажиркой, она на него, видать, чары наслала, он и забылся.

Проутюжив грунтовку до базы и обратно, таксист не обнаружил по пути мало-мальски пригодного для жилья дома. Обочины заросли травой и кустами, брошенные сельчанами усадьбы пришли в упадок. Заборы повалились, во дворах зеленели одичавшие фруктовые деревья. Даже бродячих собак не было.

— Куда я попал? — растерялся он, пробираясь пешком сквозь густой малинник. — Опять бесы попутали?

В малиннике гудели пчелы. Мушкетер отмахивался от них, пока одна не ужалила его в шею. Место укуса отекло и болело. Проклиная свое любопытство, парень вернулся к машине, сел и задумался. Все вокруг выглядело не так, как в прошлый раз. Растительность казалась мельче, а грунтовка, наоборот, шире. Конский помет не попадался, и рытвины были глубже.

Неужели, он ошибся местом? Хотя шофер грузовика возит на базу дрова этой дорогой. Другой тут просто нет.

Саня достал из аптечки антисептик и обработал укус. Шея опухла, настроение испортилось.

— Может, у меня что-то с головой, блин? — спросил он у своего отражения в зеркальце. — Я, должно быть, спятил! Никакого дома и в помине не было. Но... где же тогда ночевала столичная дамочка? В придорожных кустах?

Мушкетер пригорюнился и поехал вперед, пока не уперся в ворота базы отдыха. Что, если тем вечером они были не заперты...

— ...и мы с пассажиркой приняли отель за частный дом? — вслух окончил он смелую мысль. — Нас просто разыграли! Кто-то от души повеселился. Ну, я этого так не оставлю!

Таксист погрозил кулаком воображаемому самозванцу и громко посигналил охраннику.

— Давай, открывай, твою мать...

Крепкий молодой человек в спортивном костюме, почесываясь, лениво подошел к воротам:

— Чего шумим? У нас аншлаг. Свободных мест нету. Если хочешь, я позвоню в «Таежник», спрошу...

Мушкетер опустил стекло и сердито спросил:

— Я к вам прошлой ночью пассажирку привел. Она утром выехала, а телефон забыла в номере, — на ходу сочинял он. — Просила вернуть.

— Какая женщина? У нас ночью заезда не было.

— Ты спал, наверное, поэтому не в курсе.

— Ну, спал, — не стал отрицать охранник. — А твоя пассажирка, значит, через забор перелезла? Кроме меня, ворота открывать некому.

— Они были открыты.

— Ты че гонишь, чувак? — рассвирепел охранник. — У нас после десяти вечера территория на замке. Усек? Иначе начальство взгреет, мало не покажется.

Таксист ни черта не понимал. За воротами усыпанная гравием дорога упиралась в двухэтажный коттедж, не похожий на дом самозванца. Было темно, но он не мог перепутать простое деревянное крыльцо с этой просторной резной террасой, увешанной лампочками.

— Ты, случайно, не под кайфом? — ухмыльнулся охранник.

— Я трезв, как стеклышко.

— Сомневаюсь... Где твоя пассажирка? Зови ее, разберемся, что за хрень ты несешь.

— Говорю же, она утром выехала. А меня за телефоном послала.

— У нас на одну ночь номера не сдаются. Это тебе не бордель! К нам девочки по вызову не ездят.

— Как бы не так! — парировал Мушкетер. — Просто вы девочек клиентам сами из города возите, вон на том бусе.

На парковочной площадке стояли два джипа и белый бус, на который показывал пальцем назойливый визитер.

— Я сейчас ребят позову, они тебе шею намылят, — пригрозил охранник. — У нас приличное заведение, заруби себе на носу, бомбила! Я тебя узнал! Ты в аэропорту ошиваешься, клиентов пасешь. Вали отсюда, не то получишь!

— Ладно, ладно, не кипятись. Я только хотел пассажирке услужить. Она дорогой телефон где-то забыла, подумала, что в номере вашего отеля.

— В каком номере? — зарычал охранник, теряя терпение. — Ты глухой или чокнутый?

— Всё, всё... я понял...

Парень поспешно сдал назад, развернулся и укатил от греха подальше. «Опель», ныряя в рытвины, благополучно выехал на шоссе.

— «Приличное заведение»! — передразнил оппонента таксист. — Небось, бабла дерут немерено, а нормальный асфальт положить не могут, уроды!

Он понял, что Лариса ночевала где угодно, но не на этой базе отдыха. Где же тогда?

— Я тебя найду, «Шувалов»! Лоб расшибу, но найду...

* * *

Калитка во двор дома номер 23 была открыта. На крыльце, обхватив руками колени, сидела девушка в джинсах и открытой летней блузке.

— Ну, я пойду? — откланялся Аркадий. — Звоните, если понадоблюсь.

— Спасибо, — кивнула Лариса, разглядывая девушку. Интересно, кто она? Дочь Сазонова, внучка? Не похоже...

От калитки к дому вела вымощенная камнями дорожка. Лариса подошла к девушке со словами:

— Я ищу Виктора Петровича Сазонова. Он здесь живет?

— Жил... Умер он! Скончался от сердечного приступа. Тело увезли в морг. Завтра похороны.

Предчувствия Ларисы оправдались. Она потому и не торопилась к Сазонову, что тот уже был вне досягаемости. Значит, он действительно мертв! Сначала Шувалов, теперь бывший папин сослуживец... Два трупа — многовато для начала.

— Вы из полиции? — сердито осведомилась девушка.

— Нет. А вы кто?

— Меня зовут Ирина. Я присматривала за Виктором Петровичем, носила ему продукты и лекарства. В последний год он стал почти беспомощным. Не мог сам сходить в аптеку, вещи отнести в прачечную. Это все я делала. Помогала, чем могла. Но умер он в одиночестве.

— Очень жаль...

Лариса посмотрела на дверь и увидела наклеенную бумажку. Дом опечатали. Как же она войдет?

— Вы родственница? — неприязненно спросила Ирина.

— Я... приехала навестить Сазонова. По его приглашению.

Покойный не сможет опровергнуть ее заявление. Не говорить же этой барышне, что Сазонов плохо приснился монаху Онуфрию? Такая правда хуже лжи.

Горестный вид Ирины, ее мокрые от слез глаза свидетельствуют об особом отношении к подопечному. Не то, чтобы она его оплакивает, но...

— Виктор Петрович пригласил вас в гости?

— Да.

— В таком случае вы опоздали, — отрезала социальная работница. — Надо было раньше приехать.

— Я собралась сразу, как только получила приглашение.

— Он вам письмо прислал?

— Позвонил, — солгала Лариса.

— Хм!.. Виктор Петрович с палочкой едва по дому передвигался, а Интернета у него нет. И мобильником он не пользовался.

«Для сотрудницы социальной службы девица слишком любопытна, — отметила про себя Лариса. — Видимо, она привязалась к Сазонову, сроднилась с ним».

— Садитесь, — неожиданно предложила та. — Доски теплые, нагрелись за день. Где вы остановились? В гостинице?

— Угу.

— Вы случайно не Лариса Курбатова?

Гостья опешила.

— Откуда вам известны мои имя и фамилия? Сазонов говорил обо мне?

— Говорил, — в свою очередь, солгала Ирина и окончательно огорошила приезжую: — Он оставил вам все свое имущество.

— Вы шутите?

— Виктор Петрович показывал мне завещание, — продолжала лгать девушка. — Я была его доверенным лицом.

В *телепатический контакт* она не вступала, и это насторожило Ларису. Защитить свое информационное поле от посягательств извне способен не каждый.

— Я понятия не имела, что...

— Как давно вы в городе? — перебила Ирина.

— Второй день.

— А к Сазонову наведались только сегодня?

— Мне тяжело дался перелет. Едва в себя пришла.

— Вы прилетели из Москвы? В Уссурийске так не «акают».

— Верно...

— Покажите паспорт, если не трудно. Он у вас с собой?

— Да, — Лариса достала из сумки документ. — Вот, смотрите.

До нее наконец дошло, что говор Ирины мало чем отличается от столичного.

— Вы тоже нездешняя?

— Я приехала сюда на заработки, — объяснила девушка, возвращая ей паспорт. — За длинным рублем. Но ничего не вышло. Платят мало, бегать надо с утра до вечера, а физически я не очень крепкая. Быстро выдохлась.

«Врет, — подумала Лариса, незаметно приглядываясь к ней. — У этой барышни к Сазонову не простой интерес. Может, она рассчитывала на наследство, а тут такой облом?»

— Я бы хотела побывать в доме. Как это устроить?

— У меня есть ключи, — доверительно сообщила Ирина. — Виктор Петрович дал их мне на непредвиденный случай. Теперь этот дом ваш, вы имеете право тут жить... если другие наследники не объявятся...

ГЛАВА 19

Москва

Беседы Рената с Софьей и администраторшей казино ничего не прояснили. Он решил съездить на кладбище, где похоронены генерал Лукин и два его зятя. Но передумал. Мертвые не скажут ему больше, чем живые. Слежку за собой он чувствовать перестал. Видно, соглядатай занят другими делами.

Лариса не отвечала на звонки и не выходила в скайп. Вокруг нее сгущались тучи. А он далеко и не может прийти ей на помощь. Да она и не зовет.

Брат Онуфрий загадал дочери загадку, которую она должна разгадать самостоятельно. Справедливо ли это?

А может, справедливости не существует и не следует искать черную кошку в темной комнате, если ее там нет? Справедливость — химера. Разве можно быть непредвзятым, когда принимаешь чью-то сторону? Человек же всегда либо «за», либо «против» кого-то.

В данном случае Ренат на стороне Ларисы просто потому, что они — не только единомышленники, но и любовники. Хотя он не понимал до конца, откуда исходит опасность и что следует предпринять, бездействие угнетало его.

— Метод тыка еще никто не отменял...

Бормоча себе под нос эту фразу, Ренат искал в Интернете сведения о бароне Унгерне. Вот, кого пытались застрелить в шатре собственные подчиненные! Однако покушение провалилось, а заговорщики приняли мучительную смерть. Кровавый убийца остался невредимым вопреки законам природы. Не могли же все пятеро боевых офицеров промахнуться?! Выходит, Унгерн обладал даром предугадывать события... и знал, когда и как погибнет. Мало того, его это ничуть не заботило. Он отнесся к смерти как к досадному недоразумению, которое легко исправить.

Ренат перечитал все, что удалось откопать на разных сайтах. Образ «потомка Чингисхана» складывался пестрый и противоречивый. Унгерн объявил себя преемником великого завоевателя и грозил Западу новым крестовым походом. Под буддистскими знаменами! Христианство сочеталось в нем с оккультизмом и мистикой, беззаветная отвага — со звериной жестокостью, а прагматизм — с романтикой. На его знамени, обшитом монгольским орнаментом, красовалась надпись «Съ нами Богъ» и черная свастика.

Будущего генерала в отрочестве выгнали из гимназии за организацию алхимического кружка. А в Морском корпусе он увлекался хиромантией и постоянно рассматривал руки товарищей. Октябрьский переворот определил его дальнейшую судьбу. Он бросился в пучину гражданской войны, как в омут. Барона влекли к себе бескрайние азиатские просторы, тайны тибетских лам и древнее золото некогда могущественной цивилизации Шуби, которая исчезла с лица земли, но не канула в небытие. Связь между людьми и жрецами Шуби продолжала осуществляться через «избранных», к которым причислял себя Унгерн. По преданию, он получил доступ к сокровищам этого народа и даже видел их золотого идола — статую женщины, украшенную самоцветами.

После расстрела барона в приграничных к Монголии и Маньчжурии районах начались лихорадочные поиски дивизионной казны и кладов, спрятанных этим одержимым человеком. Но какое отношение клады имеют к генералу Лукину?

«Неужели, Онуфрий позарился на мифическое золото? — засомневался Ренат. — Не такой он человек, чтобы пускаться во все тяжкие из-за богатства. Тем более заключать сделку с Дьяволом. Какие же грехи он тогда замаливает?»

Ренат нашел на карте Уссурийск, и отметил, что оттуда до границы с Китаем рукой подать. Может, Унгерн и там оставил свой кровавый след?

Стоило ему подумать о Ларисе, как перед глазами мелькали зеркала, отражая причудливые размытые лица. Ничего конкретного в голову не приходило. Ренат еще раз просмотрел все сообщения о Золотой Бабе. Грубое имя дали всесильной богине, которая на самом деле выглядит потрясающе. Иначе и быть не может. Он попытался представить ее — сияющую, ослепительную и страшную. Богиня оставалась недосягаемой, неуловимой. Ее тонкое лицо покрывала вуаль вечности, а руки были протянуты в стороны, словно крылья.

На запрос о Золотой Бабе Гугл выдал ссылку на онлайн-игру с одноименным названием. Ренат заинтересовался...

* * *

Уссурийск

— Показать вам дом? — предложила Ирина.

— Спасибо, я сама.

— Не побоитесь? Вдруг, там еще бродит дух хозяина?

Лариса отказалась от ее помощи, взяла ключи и переспросила:

— Вы про завещание — серьезно?

— Серьезней не бывает. Ладно, я пойду...

Девушка спустилась с крыльца и зашагала к калитке, а Лариса осторожно сняла бумажку с печатью и открыла дверь. В прихожей пахло горелым. Она, не разуваясь, заглянула в кухню и сразу поняла, что Сазонов умер здесь, за столом.

Запах гари усилился. Лариса поняла, откуда он исходит. Стена напротив стола была покрыта черными пятнами странной формы. Это что, сажа? Гостья подошла поближе и дотронулась до самого крупного пятна. Палец остался чистым.

— Что тут произошло? — прошептала она, оглядываясь по сторонам.

В мойке стоял подсвечник с огарком свечи, на подставке сушились чистые тарелки, негромко гудел холодильник, который никто не выключил. Лариса внимательно разглядывала кухню, когда в окно кто-то постучал. Она вздрогнула от неожиданности и пожалела, что не взяла с собой «профессора».

— Спокойно... спокойно... вдох... выдох...

В саду гулял ветер, и ветка дикой яблони била по стеклу. Только и всего! Лариса беззвучно рассмеялась. Можно подумать, чья-то рука начертала на кухонной стене черные загогулины. Но нет! Загогулины были *выжжены*.

— Огненные знаки! — догадалась она.

Что-то подобное видели рядовые Сазонов и Курбатов на стене комнаты, где расстался с жизнью генерал Лукин. Лариса не могла сосредоточиться и затребовать из прошлого картину случившегося. Сознание застилал огонь.

— Значит, нужна вода...

Лариса нашла в шкафчике глубокую миску, набрала в нее воды из крана и опустила туда пальцы. Пламя перед ее внутренним взором вспыхнуло пуще прежнего, но постепенно начало стихать. Огонь вступил в схватку с водой и проиграл. Все вокруг заполнили плотные клубы пара. Это была магия, перед которой бессильны обычные методы мысленного контакта. Вместо картины происшедшего — огонь, вместо огня — белый пар. А что возникнет вместо пара? Дым? Обморок? Транс?

Вдох... выдох... Вдох... выдох...

Вернер учил своих последователей никогда не сдаваться. Лариса смотрела на поверхность воды, словно в самое древнее на земле зеркало. По водяной глади пробежала легкая рябь. Она *увидела* укоризненное лицо Ильи Шувалова и жест, зовущий ее за собой.

— Куда мне идти? — спросила она.

Из окна за ней кто-то наблюдал, и это была не яблоня. Лариса не оборачивалась. Зачем? Сейчас не важно, кто стоит под окном. Важно понять, что хочет донести до нее Илья. Рассказать об убийце? Попросить помощи? Признаться в любви?

Они с Ильей были бы красивой парой. Лариса всегда мечтала о таком мужчине — умном, благородном, самоотверженном. Готовым на все ради своей возлюбленной. Она мечтала о рыцаре, который вызывает на поединок саму судьбу.

— Я когда-то была твоей девушкой?

Отражение Ильи дрогнуло и пропало. По воде пошли круги, словно кто-то бросил в середину камешек. На глаза Ларисы навернулись слезы.

— Ты не узнал меня? Теперь я выгляжу по-другому? Но это ничего не значит, поверь...

Вода в миске забурлила, покраснела. Кровь, много крови пролито... Из-за чего?

Илья привел ее в свой психомантеум с какой-то целью. Он хотел что-то показать ей. А она вызывала дух генерала Лукина... который так и не явился.

— Я дала маху! Прости. Я не догадалась, что нужно делать. Ты мне не объяснил... Не успел?.. Или не сразу понял, кто мы друг другу?

Илья больше не появлялся. Вода перестала бурлить и приобрела обычную прозрачность. Опять стала зеркалом.

— Ты меня ждешь? — покрываясь мурашками, молвила Лариса. — Где мы можем встретиться?

В воде отразилась комната, самовар с блестящими боками, диван, тяжелые гардины на окнах. И фотография барона Унгерна на дощатой стене.

— В твоем доме? — догадалась Лариса. — Но... ты же мертв! Тебя убили. Кто это сделал, Илья? Ты знаешь. Ты сам впустил свою смерть, открыл ей двери, провел в гостиную. Ты не опасался этого человека, доверял ему. Кто он?

Водная гладь оставалась безучастной. Будто бы Илья уже все сказал.

— Это... барон? — поразилась она. — Как же так?.. Он ведь давно расстрелян... около ста лет назад. Он... подослал к тебе убийцу? Спустя столько времени?

В душе у Ларисы творилось нечто невообразимое. Ее сердце часто и больно билось, тело сотрясала нервная дрожь. Она дернулась, опрокинула миску, и вода вылилась на стол.

Почему в психомантеуме ей не явился генерал Лукин? Ответ на этот вопрос прояснит многое, если не всё.

— Почему... почему... — бормотала она, собирая тряпкой воду.

Не мешало бы еще понять, за какие заслуги Сазонов завещал ей свое имущество? Он знал ее как дочь бывшего сослуживца, и только. Они ни разу не встречались при жизни. Отец сказал, что когда-то давно послал ему фото Ларисы в младенчестве с написанной на обороте датой рождения. Похвалился своим счастьем. После чего переписка прекратилась.

Через окно за ней наблюдали чужие глаза, ловили каждое ее движение. Но не ее мысли. А думала наследница о том, что завтра — похороны Сазонова, где ей необходимо присутствовать. После печальной церемонии она непременно отправится искать дом Шувалова...

ГЛАВА 20

Москва

Компьютерная игра «Золотая Баба» состояла из нескольких уровней. Сюжет был довольно тривиальный. В конце девятнадцатого века специальная экспедиция изучает Южное Приморье, проводит раскопки и натыкается на загадочные предметы, похожие на зеркала. На первом уровне идет борьба за овладение главными находками. Ученым противостоят местные шаманы-мракобесы, а в тайге появляются охотники, которые тоже мешают пришельцам осуществлять свою миссию.

На следующем уровне начинается гражданская война, и в игру вступает барон Унгерн со своими подручными колдунами, ламами, хиромантами и прочими приспешниками. С помощью магии он пытается получить доступ к Золотой Бабе. Красные командиры, монгольские князьки и японские разведчики не дремлют и следят за Унгерном. Древнее золото оказывает гипнотическое действие на всех, кто принимает участие в его поисках.

— Ах, вот, вы где, господин барон! — обрадовался Ренат и потер руки. — Ну-с, поглядим, кто кого...

Вопреки ожиданиям, с Унгерном ему схлестнуться не удалось: он забуксовал, заработал кучу штрафных очков, разозлился и вышел из игры.

Персонажи показались ему заурядными и слегка комичными, зато ситуации — чрезмерно запутанными и мистическими. Роковые предсказания, тайные ритуалы, духи предков, которые либо помогали, либо вредили игрокам, — все это раздражало Рената. Он не мог сидеть за компьютером часами и нажимать на клавиши. Рисованный Унгерн в 3D-формате выглядел наркоманом, с головы до ног увешанным амулетами и талисманами. Его оккультная свита выглядела не менее смешно.

— Это отстой! — заключил Ренат.

На последнем игровом уровне предлагалось перенести действия из виртуального пространства в реальное, где игроки встретятся лицом к лицу и завершат главную интригу. Кто сумеет договориться с главным Оракулом, тому и достанется Золотая Баба.

— Отстой, — убежденно повторил Ренат. — Развлечение для младших школьников.

Он вышел в скайп, но Ларисы на связи не было. Не отвечала она и на телефонные звонки.

— Куда ты опять пропала? — занервничал он. — Носи с собой сотовый!

Ренат был уверен, что она его услышит. Эта первая долгая разлука показала, как ему дорога Лариса. Не любовь, не страсть соединила их, хотя им не было чуждо ни первое, ни второе. Они не просто любовники — они по-настоящему близки друг другу. Потерять Ларису теперь, когда он нашел ее, было бы слишком больно.

Ренат вскочил и зашагал по залу для медитаций. Он давно не жег сандаловые угли в курильнице, но запах въелся в мебель и стены. Здесь все пропиталось сандалом. Этот приторный аромат напомнил Ренату знакомство с Ларисой в клубе.

— Ты же не бросишь меня? — обронил он в пустоту, которая казалась ему пустыней. — Без тебя я снова буду одинок среди множества женщин. Я понял, что мне нужна только ты!

Их отношения были не похожи на то, что они переживали до того. Лариса неспроста появилась в его судьбе.

Ренату как будто не хватало воздуха, он открыл окно и высунулся наружу. Из Кузьминского парка тянуло свежестью и палой листвой. Август уже носил в себе осень, ее первые приметы проступали желтизной в кронах деревьев, как едва заметная седина проступает в волосах зрелого человека.

Ренат глубоко дышал. Чертова игра засела у него в уме. Уссурийские охотники, комиссары, белогвардейцы, колдуны, ламы и японские разведчики — все смешалось в его воспаленном мозгу...

* * *

Уссурийск

Ирина шарахнулась от темной тени, попятилась, налетела спиной на ствол яблони и обмякла. Проезжающая мимо машина на миг осветила фарами фигуру девушки, которую она приняла за призрак.

— Катя?! Что ты здесь делаешь?

— Как ты меня напугала! — взвизгнула подруга. — Идиотка! Ты нарочно подкралась?

— Я не подкрадывалась... я...

Катя не дослушала, бросилась прочь и выскочила за калитку. Ириша побежала следом.

— Да постой же ты!.. Не бойся!..

Катя летела впереди, сверкая пятками. На повороте подруга догнала ее и схватила за руку.

— Зачем ты заглядывала в окна Сазонова?

— Пусти, — огрызнулась Катя. — Вцепилась, словно клещами!

— Говори, не то я тебя сдам в полицию...

— Совсем рехнулась? Я ничего не сделала. Просто смотрела! Это преступление? — Катя дернулась, не смогла вырваться и захныкала. — Дура ты, Ирка... Чего пристала? Я шла мимо, увидела свет в окнах, решила выяснить, кто в доме шарится... Сазонов-то умер, а окна светятся...

— И ты подумала, что это я?

— А кто еще? Ключи у тебя есть...

— Они были у меня, — покачала головой Ириша. — Но я их отдала.

— Кому?

— Наследнице Виктора Петровича. Она приехала навестить его, но в живых не застала.

— Может, это воровка? Ты у нее документы проверила?

— Конечно. Это Лариса Курбатова, как в завещании написано.

— Все равно, не надо было ключи отдавать. Кто тебя просил?

— Ой, Катюха, жадность до добра не доводит.

— При чем тут жадность?

— Значит, ты хотела меня на чистую воду вывести? — догадалась Ириша. — Вот оно как! А я тебе верила...

— Дура ты, Ирка, — повторила подруга, не оставляя попыток вырваться. — Речь идет о золоте, а ты клювом щелкаешь! Надо было сначала самим все перерыть!

— С металлоискателем?

— Хоть бы и так... Золото на дороге не валяется. Не могла старикана окрутить и выведать у него, где клад?

— Не могла. Он больной был, нервный. И вообще, откуда у него золото?

— Ты мне зубы не заговаривай, — процедила Катя. — Как сама-то в саду очутилась? Следила за законной наследницей?

— У меня на душе кошки скребут, — призналась Ирина. — Кто эта Курбатова Виктору Петровичу?.. Никто!

— А всё ей досталось!

— Да пусть подавится. Мне человека жалко. Жил бобылем... и умер в одиночестве. Даже меня рядом не было! Я попрощаться с ним пришла... прощения попросить.

— За что?

— Не знаю. Есть моя вина, я чувствую...

Кате стало зябко. Ветер забрался ей под футболку, кожа покрылась мурашками.

— Как же ты с ним прощаться собралась, если он в морге?

— Говорят, дух покойника несколько дней не покидает своего жилища. Поэтому зеркала тканью завешивают. Чтобы мертвый в них не отразился...

— А то, что будет?

— Нехорошо это, — дрожащим шепотом ответила Ирина. — Нельзя.

— Ты зеркала в доме завесила?

— В том-то и дело, что нет. Забыла! Из головы вылетело. Меня долго допрашивали, потом я документы бегала оформлять. Виктор Петрович загодя деньги оставил на такой случай. Я ему пообещала, что все сделаю, как положено.

— Наследница-то аккурат к похоронам пожаловала, — съязвила Катя. — Почуяла добычу и прискакала. Ни стыда, ни совести! Приберет чужое добро к рукам, а нам с тобой — шиш!

Ирина промолчала. Ее коробило от Катиной правоты.

— Почему одним надо всё зубами выгрызать, а другим манна с небес падает? — не унималась та. — Сколько ты возилась с Сазоновым, и он тебе ничего не оставил. Ничегошеньки!

— Прекрати.

— Нам с тобой никто не подарит, Ир. Понимаешь? Эта Курбатова не заслужила наследства.

— Что ты в окно видела? — невпопад спросила Ирина. — Что эта фифа там делает?

— Бродит по комнате. Фотографии достала...

— Которые Сазонов в коробке хранил? Он любил фотографии перебирать. Сядет, бывало, и смотрит, смотрит...

— Странно, что он за всю жизнь не женился. Не говорил, почему один куковал?

— Я его об этом не спрашивала.

— Типа тебе не интересно, — усмехнулась Катя. — Ты же у нас правильная, воспитанная. В душу не лезешь, любопытства не проявляешь. А что за фотки у Сазонова?

— Обыкновенные, черно-белые... цветных совсем мало. Армейские еще, потом с работы... Охотничьи трофеи засняты, пикники в лесу. Ничего особенного.

— Он тебе показывал?

— Иногда. От скуки.

— Неужели, Сазонов никаких намеков на золото не делал? Ни разочка не проболтался? В бреду, к примеру... или во сне?

— Какие намеки, Кать? Он же себе не враг!

— Может, мы с тобой про золото придумали? Воображение у нас богатое.

— Это точно...

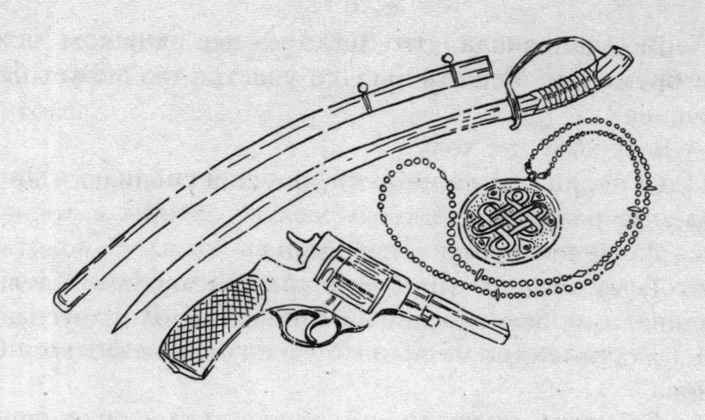

ГЛАВА 21

Ларису сморил сон. Она внезапно провалилась в гулкую черноту и... очнулась в доме Ильи.

— Ты живой? — обрадовалась она.

Молодой человек привлек ее к себе и поцеловал в губы. Блаженство растеклось по ее венам и вскружило голову.

— Мне нужна только ты! — прошептал он, прижимая ее к своему сердцу. Лариса ощущала, как оно бьется в унисон с ее пульсом. — Я так долго искал тебя, дорогая... Теперь нас ничто не разлучит...

«У меня уже есть мужчина, Ренат, — спохватилась Лариса. — У меня уже есть...»

— Оракул указал на тебя, — нашептывал ей на ушко Илья. — Он не ошибается.

— Покажи мне свой психомантеум, — попросила она. — Ты обещал.

— Не сегодня. Как-нибудь в другой раз...

От Ильи после бритья пахло французским мылом, его белая рубашка была расстегнута и открывала мускулистую грудь в завитках русых волос. Он весь был крепкий, ладно сложенный, с военной выправкой.

— Я боюсь за тебя. Ты больше не вернешься в полк?

— Мне не суждено погибнуть в бою, — улыбнулся офицер. — Мою участь должна решить ты.

Лариса заплакала. Это легло на нее слишком тяжелым бременем. Решать чью-то участь: что может быть страшнее?

— Я не хочу, не хочу...

Илья подхватил ее на руки, понес в спальню и начал медленно раздевать. Сквозь желтые шторы в комнату лился солнечный дым. Тело Ларисы казалось золотым, золотой мужчина осыпал ее жаркими ласками. Золото придавало любви гибельный привкус. Золото отражалось в зеркалах, скользило по стенам солнечными пятнами...

Любовники разжали объятия, когда совершенно обессилели. Голова молодой женщины лежала на плече Ильи. Лариса не узнавала в этой обнаженной барышне себя. Если это не она... то кто?

— У меня для тебя подарок, — сказал офицер, доставая из-под смятой подушки изумительной красоты флакон. — Это контрабанда. Китайцы расплатились со мной за агентурные сведения.

— Духами?

— Духи тебе, остальное — мне. Оружие, наркотики, амулеты для барона. Он помешан на всяких азиатских штучках.

— А ты?

— Я — нет.

— Ты помогаешь китайцам?

— Я помогаю врагам красных. Китайцы, японцы, монголы — мне все равно кто, лишь бы они были против этой оголтелой орды. Думаешь, я в восторге от Унгерна? Он зверь, кровожадный хищник... но этот зверь беспощадно рвет комиссаров. Значит, мы с ним заодно. Пока что! Скоро наши пути разойдутся...

Илья опять потянулся к ней губами, и она утонула в нем, растворилась в его любви. Страсть пожирает здравый смысл, толкает на безрассудство. Лариса никогда не теряла голову от мужчин. Но *эта* женщина, — так похожая на нее, — отдавалась своему возлюбленному с горестным отчаянием. Будто в последний раз!..

Как перед вечной разлукой!.. Их тела сплетались, словно две лианы, растущие из одного корня. И казалось, что разделить их невозможно.

Илья не хотел отпускать ее. Она лежала на боку, облитая золотым светом. Рядом дышал ее бог, прекрасный и неумолимый. Он губит ее! Губит себя! А она не в силах остановить его...

«Я сейчас расплачусь, — хихикнул Вернер. — Ты меня разжалобила!»

Лариса вздрогнула от его голоса, очнулась и... уперлась взглядом в бревенчатую стену. На стене висели часы, которых не было в спальне Ильи Шувалова. Кто-то остановил эти часы. Ясно, кто — смерть.

Она окончательно проснулась от мысли, что находится в доме Сазонова. Восхитительный сон оставил после себя тоскливое сожаление. За этим сном тянулся мощный энергетический след...

Она пошла по следу и очутилась перед зеркалом. Вот, что смутило ее в жилище покойника. Зеркала! Никто не удосужился занавесить их!

В мутной глубине, ограниченной овальной рамкой, мелькнула тень...

* * *

Москва — Песчаное

Приняв душ, Ренат напился чаю с пирожными, отметив, что вкус эклеров потерял свою прелесть. Начинка густовата, тесто отдавало горечью.

— Возможно, они не совсем свежие, — с этими словами он взял с собой термос и отправился в дорогу.

Мысли о Ларисе лишили его аппетита. Он крутил руль, глядя на запруженную транспортом ленту шоссе. От августовской жары плавился асфальт. «Хендей» Рената мчался наперегонки с грузовиками и маршрутными такси, которыми кишела трасса на Калугу. В салоне работал кондиционер. За окнами проносились березовые рощи, поля, речушки и дачные поселки.

Ренат приоткрыл бардачок и достал оттуда ключи от генеральского дома. Софья дала ему на раздумья неделю. «Позвоните мне, когда примете решение», — сказала она. Он пообещал не злоупотреблять ее терпением.

«Что ты надеешься там раскопать? — посмеивался над ним внутренний оппонент. — Зачем тебе понадобились ключи, если и без них можно попасть на недостроенную дачу? Ты уже побывал везде, где хотел! И каков результат? Шишка на голове и больше ничего?»

Ушибленный затылок неприятно заныл. Ренат помассировал его, проклиная свою неосторожность. Как он мог прошляпить нападение?

«Кто-то подкрался незамеченным, а ты и ухом не повел, — сказал бы ему Вернер. — Почему не включилось ясновидение? Ты попал впросак, дружище. Чему я тебя учил? Всегда быть начеку!»

— Магия, — оправдывался Ренат, словно Вернер его слышал. — Я пока не разобрался, с чем имею дело. Но обязательно разберусь!

«Бог в помощь, — пробормотал гуру. — Хотя лучше бы тебе обратиться к женщине».

— Софья? Вы на нее намекаете? Лукины — та еще семейка! Три ведьмы себе на уме. А я, между прочим, один.

Вернер не ответил. У него была отвратительная манера недоговаривать. Бросит подсказку, и молчок.

— Женщина? Хм...

Ренат вспомнил удар локтем в нос напавшему на него человеку. У того наверняка распухло лицо, а Софья при встрече выглядела невредимой. Впрочем, ей не по годам следить за незваными гостями и бить их по голове. Разве что ее дочь способна на такое? Девушки нынче бывают о-го-го! Сто очков вперед дадут иным инфантильным мужикам.

Себя Ренат таковым не считал. В недостроенном доме он схватился не с девушкой. Что-что, а женщину от мужчины он способен отличить не глядя. Даже в магическом дурмане. Но кто наслал на него этот дурман?

К обеду Ренат добрался до Песчаного и остановился у магазина. В компании двух выпивох он увидел Игоря, у которого снял комнату.

— Привет! — обрадовался тот. — Я уж думал, ты не вернешься.

— Садись, подброшу до дома.

Игорь уселся на переднее сиденье, дыша перегаром и табачным дымом. В руках он держал бутылку пива и с наслаждением прикладывался к горлышку.

— Душа горит? — посочувствовал Ренат.

— Утром со своей мегерой поругался. Она пригрозила меня выгнать! Бешеная, тварюка...

За этим последовала заковыристая нецензурная брань. Ренат терпеливо слушал, разворачиваясь на пятачке у магазина. Выпустив пар, Игорь обнажил в улыбке редкие зубы.

— Она бы мне пиво нипочем не продала. Пришлось друзей просить, чтобы взяли. Ничего, придет вечером домой, я ей покажу...

Следующая порция брани оказалась короче и значительно проще. Запал Игоря исчерпался, а сам он приуныл.

— Ну че, встречался с ведьмой?

— С Софьей-то? Ага, — кивнул Ренат. — Культурная дамочка оказалась. Разговаривала вежливо, ключи дала.

Он показал Игорю связку чисто символических ключей и, держа за брелок, побренчал ими.

— Ну, ты попал, чувак, — огорчился тот. — Теперь ты у нее на крючке. Берегись! Теперь тебе хана! Как пить дать.

— Не дождешься.

— Дурья твоя башка, — забыв о пиве, причитал Игорь. — Коготок увяз, всей птичке пропасть. Она на тебя черным глазом зыркала? Губами беззвучно шевелила?

— Мы беседовали.

— Жалко мне тебя, братан. Умрешь в расцвете сил...

— Я заговоренный, — смеялся Ренат. — Меня голыми руками не возьмешь.

Игорь окончательно скис. Он допил пиво, вытер ладонью рот и горестно вздохнул:

— Это я виноват. Не надо было телефон ведьмы давать. Теперь каюк тебе...

— Хватит меня хоронить. Лучше скажи, у кого-нибудь из твоих корешей нос распух?

— Во, даешь! Откуда ты узнал? — ахнул Игорь. — У Петьки, соседа, всю рожу перекосило. Я вчера к нему опохмеляться ходил, а он... без слез не взглянешь. Нос как картошка и красный, губа тоже разбита. Будто ему ногой по фейсу заехали.

— А кто заехал?

— Петька не признается. Говорит, ночью вышел проветриться, спьяну в драку полез, ему, мол, и накостыляли. Он вообще-то мужик смирный, когда трезвый. Но если бухой, лучше под руку не попадаться. Враз с катушек слетает.

— Познакомишь меня с Петькой?

— Это еще зачем? — опешил Игорь.

— Поговорить хочу. О вреде алкоголя.

— С ним двух слов не свяжешь. Он нынче в запое, сутками не просыхает.

— Значит, в другой раз.

Ренат то и дело поглядывал в зеркало заднего вида — нет ли за ним «хвоста». Сегодня преследователь отдыхает. Можно не напрягаться.

— Как насчет рыбалки, Игореха? — улыбнулся он. — Погода, кажется, наладилась. У тебя лодка в порядке?

— Не обижайся, братан, но я с тобой в одну лодку не сяду. Ведьма нас обоих утопит, и концы в воду...

ГЛАВА 22

Уссурийск

Мушкетер получил вызов на Никольскую улицу и помчался по адресу. Дом 23 произвел на него удручающее впечатление. Добротно построен, по-хозяйски, но выглядит мрачновато. Одичавший сад зарос травой, маленький двор неухожен. На печной трубе сидит огромный черный ворон. Впрочем, в частном секторе попадаются дома и похуже.

Лариса ждала машину у калитки. Она была одета в темное платье ниже колен. На лице — солнцезащитные очки. Завидев знакомый синий «опель», она улыбнулась и взмахнула рукой. Водитель посигналил в знак приветствия.

— Тут живет ваш родственник?

— Жил, — обронила она, усаживаясь. — К сожалению, я успела лишь на похороны.

— Не повезло...

— Ему или мне? — усмехнулась пассажирка.

— Ну и юмор у вас, — пробормотал парень и прибавил газу. — Выходит, зря вы такой путь проделали, из Москвы на край света летели.

— Зря ничего не бывает.

Мушкетер рулил, продолжая болтать. Он сообщил о своем неудачном визите на базу отдыха «Семеновка».

— Я самозванца Шувалова искал, но мне дали от ворот поворот. Скользкий тип этот охранник. Вызверился на меня без всякой причины. Темная история! Куда я вас тогда отвел, убейте, не помню. Вроде грунтовка там одна пролегает, заблудиться невозможно. Со мной такое впервые, клянусь!

Ларисе не хотелось ни с кем обсуждать свою ночевку в доме Ильи. Вероятно, уже выяснилось, что человек, который оказал ей гостеприимство, мертв. Его убили! И она — не только важный свидетель, но и главный подозреваемый.

— Включи радио, — попросила она. — Если можно, городские новости.

— Пожалуйста...

Мушкетер выполнил ее просьбу, изнывая от любопытства. Странная женщина эта Лариса, себе на уме. Лишнего слова не вытянешь. Новости ей понадобились!

Она еще в гостинице внимательно просмотрела местные новостные сайты и не обнаружила упоминания об убийстве Ильи Шувалова. Личность хозяина дома установить проще простого. Может, тело до сих пор не нашли?

Любовное свидание с самозванцем, которое она видела во сне, взбудоражило Ларису. Тот сказал, что она будет решать его участь. Сон был *очень похож на жизнь*. Неужели, они встречались раньше? Но где, когда?

— Куда едем? — напомнил о себе Мушкетер.

— На кладбище...

Она вспомнила незанавешенные зеркала в комнатах Сазонова, которые таили в себе смутные образы. Тусклые искры вспыхивали в них, из серебристого тумана проступала размытая фигура. Лариса не рассмотрела ее отчетливо, скорее догадалась, что это мужчина. По прикидке, Сазонов скончался примерно в то же время, что и Шувалов. Пока она сидела в психомантеуме и пыталась вызвать дух генерала Лукина, произошло непоправимое. Противоречивые и тревожные мысли теснились в ее голове.

— Приехали, — оторвал ее от раздумий водитель.

Машина остановилась у ворот кладбища, за которым виднелись могилы и маленькая часовня. Земля дышала теплом, между памятников зеленели деревья и кусты. Лариса расплатилась и вышла, оглядываясь по сторонам.

— Вас подождать? — предложил Мушкетер.

Он чувствовал ответственность за эту женщину. Приезжая не знает ни города, ни людей. А ему совсем не трудно опекать ее. Даже приятно.

— Нет, спасибо. Лучше заберешь меня, когда церемония закончится. Я позвоню...

Лариса зашагала по аллее к небольшой группе людей, среди которых она заметила девушку, передавшую ей ключи от дома. Гроб уже опустили в яму и начали засыпать.

— Это вы? — вытирая слезы, спросила Ирина. — Пришли все-таки? Я думала, вас не будет.

— Вы же не назвали время похорон и телефона не оставили.

— В самом деле... У меня совершенно вылетело из головы. Извините.

Работники ритуальной службы привычно орудовали лопатами. Лариса смотрела, как растет земляной холмик, и думала, что отец был прав. Сазонову оставалось жить совсем немного. Но почему он завещал свое имущество ей?

Ирина думала о том же, ее слезы выражали не сожаление по умершему, а нечто иное.

«Она не рассчитывала на наследство, — сообразила Лариса. — Ее интерес далеко не меркантильный. Ей было нужно от Сазонова что-то другое...»

Ирина исподтишка косилась на новую знакомую, которая свалилась как снег на голову, и придумывала повод сойтись с ней поближе...

* * *

Поселок Песчаное под Калугой

Игорь курил за столом во дворе, перебрасываясь с гостем сердитыми фразами.

— С тобой теперь вообще рядом находиться опасно. Съезжай от нас, братан, Христом Богом прошу!

— Паникер ты, Игореха.

— Лучше быть трусом, чем трупом.

— И много тут у вас трупов за последний год? — расхохотался Ренат.

Игорь бросил окурок в консервную банку, которая служила ему пепельницей, и развел руками.

— Ты хочешь быть первым?

— Значит, не так страшен черт, как его малюют. Идем, посмотрим мои будущие владения. Одному мне боязно, а с тобой в самый раз.

— Ты что, правда сговорился с ведьмой? — Игорь нервно раскурил очередную сигарету, пуская дым в лицо собеседнику. — Покупаешь у нее этот притон нечисти?

— Ну и выражения у тебя, мил человек. *Притон нечисти!* Обыкновенный недострой. Придумал страшилку и пугаешь обывателей. Не на того напал!

— Иди один, — насупился Игорь. — В этой худой затее я тебе не помощник.

— Даже за деньги?

Ренату было интересно, насколько силен страх собеседника перед неведомой угрозой. Он достал из кармана пару купюр и положил на стол. В глазах Игоря блеснула алчность. Сколько водки можно выпить на эту сумму втихаря от жены! Он облизнулся и выдавил:

— Не искушай меня, чувак...

— Идешь со мной или нет? — с этими словами Ренат

прибавил еще одну купюру к тем, что лежали на столе. — Решайся.

— Прямо сейчас, что ли?

— А чего время тянуть? Пошли, пока светло.

Он покосился в сторону генеральской дачи, а Игорь суеверно перекрестился и на всякий случай сплюнул через плечо. Рядом с ним стояла тарелка с яблоками. Он взял одно и принялся яростно, с хрустом жевать.

Ренат встал и молча направился к калитке. Игорь выбросил недоеденное яблоко и поплелся следом.

— Эх, была не была... Двум смертям не бывать, а одной не миновать...

— Уважаю народный фольклор, — усмехнулся постоялец. — Давай, шевели копытами, абориген! Не съест тебя ведьма, она в Москве осталась.

— Ей на машине ехать не надо, — бубнил ему в спину Игорь. — Она на метле прилетит.

Они шагали по залитой заходящим солнцем улице. «Абориген» едва поспевал за Ренатом. Прохладный ветер с реки обдувал горячие головы искателей приключений. Перед недостроенным домом Игорь остановился и забормотал молитву.

— Хватит дурака валять! Вперед! — Ренат подтолкнул своего спутника к крыльцу, но тот продолжал боязливо топтаться на месте.

— Зачем я тебе нужен? Иди сам, если ты такой смелый...

— Ладно, стой здесь. Вдруг что случится, беги на подмогу. Я тебе крикну.

— Что... с-случится?.. — побледнел Игорь. — Ты же... я предупреждал...

— Там внутри все прогнило: доски, ступеньки, — объяснил постоялец. — Провалиться можно, ногу подвернуть. Усек?

Он толком не понимал, зачем притащил с собой этого испуганного мужичонку. Для подстраховки? Но какой из Игоря помощник? Еще ничего не произошло, а он дрожит как осиновый лист. Того и гляди, обделается.

Ренат похлопал спутника по плечу.

— Не дрейфь, брат. Я ведьму видел, вот как тебя — нос к носу, — и ничего, цел и невредим.

«Абориген» мотал головой и что-то мычал. Его решимость испарилась, он был готов задать стрекача в любой момент.

— Не вздумай смыться и бросить меня тут на съедение чертям! — пригрозил постоялец.

Шутка не удалась. Игорь дрогнул и попятился.

— М-может... вернемся?..

— Я пошел. А ты остаешься на шухере.

Ренат достал из кармана ключи от дома, подбросил на ладони, словно выполняя некий ритуал, но воспользовался уже проверенным способом: забрался на кучу мусора и оттуда скользнул в окно.

Комнату наискось перерезали багровые лучи заката. Место, где умер генерал Лукин, темным пятном выделялось на грязном полу. Зеленая краска на стене как будто выцвела. Впрочем, в прошлый раз Ренат побывал тут во тьме с фонариком. Вечерний свет изменил картину до неузнаваемости.

Ренат стоял, воображая себя хозяином, который что-то достает из тайника на даче. Что это могло быть? Деньги? Вряд ли... Золото? Сомнительно...

На чердаке мирно похрапывает прораб. Генерал уверен, что он в безопасности. Прораб пьян в стельку, солдаты ушли в поселок на танцульки.

Ренат мысленно представил, как достает сверток и кладет на деревянный стол... Он настолько поглощен своим делом, что не чувствует постороннего присутствия. Двое стройбатовцев за окном — вне зоны его внимания. Оно приковано к свертку, вернее, к его содержимому...

Генерал садится, чиркает спичкой, подносит огонь к фитильку свечи. Почему бы ему просто не зажечь свет? Ведь под потолком висит лампочка. Но нет! Электричество не годится для того, чем он собирается заняться...

Пламя свечи разгорается. Генерал держит что-то в руке и подносит к огненному язычку. *Что именно он держит?..*

Ослепительная вспышка ударяет ему в лицо! Голова откидывается назад, потом клонится вниз... свечу задувает сквозняк...

ГЛАВА 23

Уссурийск

На поминках в кафе Ирина подсела к наследнице.

— Такая жара на улице. Я плохо переношу солнце. Спасибо, что подвезли меня с кладбища.

— Это не я, это таксист.

— Очень милый молодой человек. У вас есть его телефон?

— Нет, — солгала Лариса. В ее планы не входило знакомить Ирину с Мушкетером. Ведь тот мог разболтать о Шувалове. Меньше всего Ларисе хотелось, чтобы о ней пошли дурные слухи и докатились до правоохранительных органов.

— Жаль, что я не взяла у него визитку, — сокрушалась девушка. — И номер машины не запомнила.

Лариса молча жевала тошнотворный сладковатый рис с изюмом и незаметно рассматривала присутствующих. За столом сидели соседи Сазонова, бывшие коллеги, охотники, с которыми он промышлял зверя. Вот и вся публика. У людей обычные мысли, обычное поведение. Никто не убивается по покойнику, не рыдает. Пришли отдать последний долг, но без надрыва.

Ирина, пожалуй, единственная пустила на церемонии слезу. Теперь и она успокоилась, выпила глоток водки и спросила:

— Вы переедете к Сазонову? Или вернетесь в гостиницу?

— Не знаю, — вдохнула Лариса. — А как надо?

— Я бы на вашем месте осталась жить в гостинице. Вам не было жутковато в доме?

— Немного.

— Гроб там не стоял. Тело сразу доставили в морг, потом в ритуальную фирму, откуда и хоронили. Виктор Петрович просил его не отпевать. Я выполнила волю покойного.

Лариса смотрела на Ирину, и сквозь девичьи черты проступал облик... генерала Лукина. В психомантеуме она старалась вызывать его дух, но тот не откликнулся. Зато сейчас происходит нечто странное.

— У Сазонова были женщины? — в замешательстве спросила она. — Я имею в виду любовные отношения. Он встречался с кем-нибудь?

— Я не исповедник. В мои обязанности входит покупать немощным людям продукты и лекарства, иногда помогать по хозяйству.

— Разве он не делился с вами...

Лариса осеклась, наткнувшись на острый, как бритва, взгляд социальной работницы.

— Ненавижу сплетни, — отрезала та. — Если люди со мной делятся чем-то личным, это должно остаться между нами.

— Да, конечно. Простите.

— Вас удивляет, что человек умер в полном одиночестве?

— Такое бывает, но...

— Вы, к примеру, унаследовали имущество Виктора Петровича, а сами ничего о нем не знаете. Вы ему кто? Седьмая вода на киселе?

— Угадали, — кивнула Лариса. — Вы должны были видеть мое фото в коробке со снимками. Сазонов наверняка показывал вам фотографии. Ему было не с кем словом переброситься. А вы — приятная собеседница. Даже такой бирюк, как он, нуждался в общении.

Ирина выглядела озадаченной. Виктор Петрович действительно показывал ей фотографии, и она вспомнила маленькую девочку с погремушкой, которая улыбалась в объектив беззубым ртом. На обратной стороне была надпись.

— Да... кажется, что-то припоминаю...

Люди за столом пили водку, закусывали и громко переговаривались. Скорбь сменилась хмельным весельем. Женщина в черном платке, сидящая напротив Ларисы, раскраснелась и откровенно кокетничала с бывшим железнодорожником. Поминки затянулись. Еды и питья было вдоволь: Ирина не поскупилась, чтобы потом не краснеть и не выслушивать обидных упреков.

— Вы отлично обо всем позаботились, — с признательностью молвила Лариса. — Спасибо вам.

— Не стоит. Я сделала это ради Виктора Петровича.

— Пожалуй, мне лучше переехать из гостиницы в его дом. Как вы думаете, он был бы доволен?

— Вам виднее, — пожала плечами девушка. — Вы его родня, а я всего лишь работница.

— Приходите ко мне в гости, когда захотите. Я буду рада.

Ирина не приняла приглашения, но и не отказалась.

— Сколько вы еще здесь пробудете? Неделю, две?

— Как получится. Хочу посмотреть город, съездить на озеро лотосов. Составите мне компанию?

Лариса словно сама шла в сети, которые девушка толком еще не расставила. Наследница была готова к сближению, это насторожило и обрадовало Ирину. Они едва знакомы. Хотя больше в городе у приезжей никого нет.

— У меня мало свободного времени, — притворно замялась она.

— Уделите мне пару выходных, а я вам за это поворожу на жениха.

Ирина поморщилась и скептически заметила:

— Вы что, гадаете?.. Это сейчас в тренде. Телешоу экстрасенсов насмотрелись? На кастинг не ходили, случайно?

— Ходила, — засмеялась Лариса. — Но меня забраковали. Не сумела произвести фурор. Там таких, как я, не счесть.

Ей удалось развеселить девушку и усыпить ее бдительность. Они перешептывались, как давние подружки.

— Слушай, давай на «ты»? Хочешь проверить мои способности?

— Хочу! — опрометчиво ляпнула Ирина, о чем тут же пожалела.

— У тебя уже есть парень. Симпатяга и умница. Работает э-э... с компьютерами. Он айтишник! Души в тебе не чает...

Улыбка сползла с губ социальной работницы. Она изо всех сил пыталась не подать виду, что Лариса попала в точку.

— Что, мимо?

— Ага, — сердито бросила девушка. — Вы... ты все придумала!

— Бывает. Ладно, попробую еще раз. Генерал Лукин тебе кто?

Ирина дернулась и опрокинула стакан с томатным соком. На скатерти образовалось красное пятно.

— Ой... какая я неловкая...

* * *

Поселок Песчаное под Калугой

Ренат ощутил запах гари и услышал шаги. Поскрипывали старые половицы, эхо поднималось в мансарду и возвращалось оттуда глухими стонами. Словно мертвый хозяин проклинал свою злую судьбу.

В гостиной деревянного дома царил вечерний сумрак, разрезанный на сектора багровыми полосами заката. Ренат не сразу заметил угрюмую фигуру в причудливой одежде.

— Кто здесь?

Он обернулся и заметил еще три фигуры, которые молча двигались к нему с разных сторон. Это, несомненно, был человек с длинными волосами и в пестрой хламиде.

— Я тебя не боюсь! — крикнул Ренат, ощущая предательскую дрожь в коленках.

Все четверо продолжали приближаться.

— Давай поговорим, — предложил Ренат. — Я тебе не враг. Просто хочу купить этот участок вместе с домом. Вдове нужны деньги на лечение. Я готов хорошо заплатить. Какая тебе разница, кому принадлежит дача?

Пространство вокруг него сужалось. Четверо неизвестных остановились на расстоянии вытянутой руки и тяжело уставились на визитера. Он чувствовал их перекрестные взгляды, которые взяли его на мушку.

Лица четырех прятались в тени головных уборов, собранных из разноцветных бусин, полосок меха и кожаных ленточек.

— Клевый у тебя прикид, — оценил Ренат. — Я бы тоже такой поносил.

Обращаясь к одному, он был уверен, что остальные отлично его слышат и понимают.

— Долго будем молчать?

Он мог побиться об заклад, что эти четверо смахивают на Игореху, который остался на шухере.

— Вот, значит, какой фокус ты умеешь показывать? — хмыкнул Ренат. — Молодец. Хвалю за креативный подход. В чем прикол, приятель? В зеркалах? Идея не нова, но ты сумел оригинально ее использовать. Как ты замаскировал зеркала?

Четверка угрожающе зарычала. Иначе, как рыком, эти утробные звуки не назовешь. Четыре пары рук прятались в длиннющих широченных рукавах, похожих на крылья. Казалось, они сейчас взмахнут рукавами и поднимутся в воздух, под черные от сырости балки.

— Зачем тебе этот цирк?

Ренат начинал понимать, что никаким цирком тут и не пахнет. И вокруг него вовсе не переодетый Игорь отражается в зеркалах. Вероятно, он лицезреет четверку, которая когда-то испугала до смерти бравого вояку Лукина.

— Выпусти меня... — донеслось до его ушей. — Выпусти, или погибнешь...

— Выпустить?.. Откуда?

— Выпусти!!! — восемь рук принялись бесшумно колотить в невидимую преграду, отделяющую Рената от грозной четверки. — Выпусти!!!

— Эй, эй! Полегче... Я тебя не запирал, не мне и выпускать.

Он мысленно прикидывал, сумеет ли проскользнуть между жуткими фигурами и выскочить через окно наружу. Позвать на помощь Игоря не приходило ему на ум. Ведь «Игорь» окружал его с четырех сторон. Как ему это удалось?

— А ты не промах, Игореха, — бравировал Ренат, ища путь к спасению. — Я тебя недооценил...

ГЛАВА 24

Москва

В спальне было душно, но генеральша запрещала открывать окна. Она дремала почти до обеда, потом попросила чаю. Софья поставила на прикроватную тумбочку чашку и шоколадные конфеты.

— Тебе лучше? Хочешь сесть?

Мать кивнула. У нее был изможденный вид, но глаза блестели. Софья подложила ей под спину подушки и подала чай.

— С мятой, как ты любишь.

— Нам надо поговорить, — тяжело дыша, молвила генеральша. — Насчет дачи...

— Покупатель еще не звонил. Надеюсь, на сей раз сделка не сорвется.

— Ты... предупредила его?

— О чем, ма? Не хватало спугнуть человека, который готов выложить за участок кругленькую сумму. Всем соломку не подстелешь. Пусть сам разбирается с чертовщиной, которая там творится! Может, при нем всё успокоится.

Генеральша поднесла чашку ко рту и сделала глоток. Ее рука дрожала, и чай едва не пролился. Софья бросилась на подмогу, но мать недовольно отстранила ее.

— Я давно мечтаю избавиться от проклятого дома! — вырвалось у дочери. — Он принес нам столько смертей!

— Это я виновата. Если бы не мое любопытство... Я была молода и глупа!.. Теперь все мы расплачиваемся за мою ошибку.

— Папа тоже хорош. Ему не следовало...

— Тсс! — оборвала ее генеральша. — Ни слова о том, что случилось!

— Стены имеют уши? — горько усмехнулась Софья. — Ты это хочешь сказать?

— Мне необходимо повидать внучку...

— Она не оставила адреса. Уехала и забыла о своей семье. О нас с тобой! Ей все до лампочки.

— Не стоит ее осуждать. Девочка напугана.

Генеральша протянула дочери недопитый чай и откинулась на подушки. Ее силы быстро иссякли. Щеки побледнели, глаза потухли.

— Прими лекарство, ма, — всполошилась Софья. — Вот, возьми...

Генеральша сунула под язык таблетку и опустила веки. Ее руки в синеватых прожилках лежали поверх тонкого одеяла, грудь с шумом вздымалась.

— Я должна поговорить с внучкой, перед тем... перед тем, как...

— У меня нет связи с ней! — со слезами в голосе заявила Софья. — Она вычеркнула нас из своей жизни!

— Этого не может быть. Ты не понимаешь...

— С тех пор как у нее появился этот прощелыга, она словно с цепи сорвалась. Я не сумела ее воспитать! Каждый день были скандалы, крики... Ты помнишь?

— Она сделала то, что посчитала правильным.

— Мы слишком избаловали ее. Вседозволенность к хорошему не приводит. Детей надо растить в строгости. Я никудышная мать...

Софья села на край постели и расплакалась. Слезы текли по ее лицу, прокладывая темные от туши дорожки.

— Слезами горю не поможешь, — вздохнула генеральша. — Если бы вернуть всё назад, я бы ни за что не прикоснулась к проклятому ящику! Гори он синим пламенем!

— Ты никогда не рассказывала, как это началось. Может, пришло время сознаться?

— Я не преступница...

— За что же мы наказаны?

— За невежество! За любопытство! За корысть, в конце концов!.. Но только не за злой умысел... Я и подумать не могла, чем для меня обернется работа в музее. В тот вечер я задержалась дольше обычного: приводила в порядок бумаги, описывала экспонаты из запасника. Было уже темно, когда в дверь постучался незнакомый мужчина...

* * *

Уссурийск

Поминки — не самое подходящее место для выяснения отношений.

— Выйдем, — предложила Лариса и встала из-за стола. Ирина молча последовала за ней.

— Я удовлетворю твое любопытство, — на ходу бросила наследница. — Но у меня есть условие. Откровенность в обмен на откровенность.

Возле кафе зеленели ползучие туи и молодые лиственницы. На террасе курила полная официантка, стряхивая пепел в блюдце. Она покосилась на двух барышень в трауре и отошла подальше.

— Зачем ты приехала сюда? — спросила Ирина.

— А ты? Сазонов не случайно стал твоим подопечным. Верно? Он вздорный, придирчивый инвалид, от которого разбегались другие сотрудницы. Но ты проявила незаурядное терпение и любовь к ближнему.

— Я действительно жалела Виктора Петровича...

— Ой ли?

— Не делай из меня монстра! — взвилась Ирина, у которой сдавали нервы. — Скажи еще, что я меркантильная стерва, мечтавшая обобрать старика! Это не так.

— Разве ты не обыскивала его дом, когда...

— Нет! Нет!

— Ладно, допустим, ты полюбила его, как отца родного.

— Нет, — угрюмо повторила девушка.

— Твой отец рано умер...

— Я не искала ему замену! — вспыхнула Ирина, в ужасе от осведомленности наследницы. Она что, изучала ее родословную?

— Ты боишься за своего жениха. Его может постигнуть та же участь.

— Чушь! Не верь сплетням, подруга!

— Я тебе не подруга, — покачала головой Лариса. — Но могу ею стать, если ты мне посодействуешь.

— В чем? Я ничего не искала у Сазонова, и у него ничего не пропало.

— Кто это может подтвердить?

— Те, кто работал там до меня. Полиция всех опросила, можешь проверить. Деньги, которые Виктор Петрович оставил на похороны, я потратила исключительно по его распоряжению. Часть отложила на памятник... но теперь это твоя забота.

— Значит, ты вне подозрений?

— Чего ты добиваешься? — сердито прищурилась Ирина. — Хочешь опорочить меня перед людьми? Зачем? Тебе и так всё досталось. Бери, пользуйся! Живи в кайфе... если получится.

— Постараюсь. А как насчет генерала Лукина?

— Впервые слышу о таком...

— Когда-то, будучи солдатом-срочником, Виктор Петрович служил в стройбате. Он сохранил армейские фотографии, несколько черно-белых снимков, которые ты наверняка видела.

— Возможно. Ну и что? — пожала плечами девушка. — Какое мне дело до этого?

— Солдаты строили дачу генералу...

— Ну и что? — напряженно повторила Ирина. — К чему ты клонишь?

В поминальное кафе входили и выходили люди. Кто-то разговаривал на террасе, какая-то женщина плакала на плече у своего мужа. В зале одновременно устраивали несколько поминок за разными столами.

— Сазонов начинал жить в Уссурийске на широкую ногу, а закончил отшельником. Почему? Из-за дурного характера?

— Не знаю.

— Ты сама напросилась помощницей к нему? — допытывалась Лариса.

— По распределению...

— Это легко выяснить!

— Пошла ты...

Ирина обиженно отвернулась, вместо того чтобы уйти и прекратить неприятный разговор.

— Ясно, проехали, — улыбнулась Лариса. — Хочешь молчать, молчи. Тебе же хуже.

— Ты мне угрожаешь?

— Предупреждаю. Не играй с огнем. Кстати, кто выжег знаки на стене в кухне Сазонова?

— Знаки? — разыграла удивление Ирина. — Я думала, это пятна сажи. Виктор Петрович порой вел себя странно из-за болезни. Он мог учудить что-нибудь, а потом и не вспомнить.

— А перед смертью его странности обострились?

— Полиция и медики пришли именно к такому выводу.

— Разумеется, — кивнула Лариса. — Как же иначе?

Она замолчала, ожидая реакции девушки. Та уже проглотила наживку и не успокоится. Интересно, что она предпримет?

— Виктор Петрович не был мне совершенно чужим человеком, — заволновалась Ирина. — За то время, пока я о нем заботилась, мы привязались друг к другу.

Я буду скучать по нему. Можно мне иногда приходить в гости? Теперь дом твой, но...

Она словно споткнулась о неведомую преграду и замолчала.

— Ты согласна дружить со мной?

— Это лучше, чем быть врагами.

— Бесспорно, — улыбнулась Лариса. — Нам с тобой нечего делить. Раз ты не рассчитывала на имущество покойного, ты на меня не в обиде.

— Не рассчитывала! Клянусь!

Клятва Ирины прозвучала фальшиво, как и все ее реплики. Упоминание о генерале Лукине засело в кудрявой головке девушки. Надо дать этому укорениться и вызреть. «Она в лепешку расшибется, лишь бы выведать, что мне известно», — подумала Лариса, изучая симпатичный профиль собеседницы. Чуть вздернутый носик, капризные губы, упрямый подбородок. Хороша собой, молода, умна... а подалась в социальную службу.

— Твой жених в курсе, чем ты занимаешься?

— Моя личная жизнь тебя не касается, — огрызнулась Ирина.

— Фу, как грубо...

— Я на улице росла, меня курочка снесла!

— Кого ты пытаешься обмануть? — парировала Лариса. — Не утруждайся напрасно. Побереги силы, они тебе скоро понадобятся.

— А ты, похоже, шпионишь за мной?

— С какой стати?

— Очень хотелось бы знать...

ГЛАВА 25

Поселок Песчаное под Калугой

Ренат опомнился уже во дворе, в зарослях малины. Он плюхнулся на землю и перевел дыхание. Голова кружилась, в ушах звенело. Он силился понять, что с ним произошло в доме. На сей раз на него никто не нападал, но жуткая четверка в облике Игоря была настроена весьма агрессивно.

Ренат выбрал единственно верный способ — бегство. За пределами дома он почувствовал себя в безопасности.

— Значит, хитрый фокус сработал. Я испугался...

Трава на участке была по колено. Никто ее не косил, никто не привязывал тут пастись коз, которых в поселке было немало. Внезапно раздался шорох, и Ренат весь подобрался, приготовился дать отпор. Из зарослей показалась вытянутая физиономия Игоря.

— Эй, ты где?.. Живой?..

— А ты, типа, не знаешь! — разозлился Ренат. — Ну, артист! Циркач! Клоун! Не подозревал, что ты такой способный!

— Чё случилось-то?

Игорь топтался на месте, не решаясь подойти к разгневанному постояльцу. Тот пышет жаром: возьмет и надает по шее.

— Я тебя на шухере зачем оставил?

— Стоять... — промямлил Игорь. — Я и стоял...

— Голоса слышал?

— Не-а... Какие голоса? Я тебя под окошком ждал, как договорились. Вдруг вижу, ты из другого окна сиганул!.. Доску ногой выбил и выскочил, словно ошпаренный. Что... *видел его?*

— Кого «его»? — пыхтел от возмущения Ренат. — Ты дурачком не прикидывайся! Не на того напал! «Он» — это и был ты! Думаешь, у меня мозги от страху отшибло? Я крепкий орешек, заруби себе на носу!

— Значит, видел...

Игорь попятился и исчез в густом малиннике. Ренат вскочил, метнулся следом, догнал и схватил его за шиворот.

— Куда намылился? Сначала покажешь, как все это устроено, потом отпущу... может быть. Только не зли меня! Руки и без того чешутся!

— Ты спятил, братуха... спятил...

У Игоря зубы стучали от ужаса. Он рванулся было бежать, тенниска затрещала, но Ренат сделал подсечку и повалил его на землю.

— Я же сказал, сначала покажешь адское устройство! Скрытые зеркала или что там еще!

— Спятил... спятил... — повторял Игорь, лежа и осеняя себя крестным знамением. — Тебе к батюшке надо... к отцу Алексею... Он отчитает!.. Три дня и три ночи читать будет...

— За деньги небось?

— Ты денег-то не жалей... В дурке тоже платить придется...

Ренат стукнул лежачего ногой в бок, и тот завопил от боли.

— Кто из нас спятил, мы еще посмотрим! Кому понадобилось покупателей пугать? Признавайся!

— Я тебя предупреждал, а ты не слушал. Сам виноват... Теперь тебе один отец Алексей поможет! К нему ехать надо...

— Это вы бизнес такой себе организовали? Молодцы!.. Ума вам не занимать. Хорошо устроились. Свежий воздух, рыбалка, цирковые фокусы. Выгодный коммерческий проект! Кто всему этому голова?

— Ты о чем, брат?.. — заскулил Игорь, глядя снизу вверх на постояльца. — Я с нечистым якшаться не подписывался... Ты сам меня сюда притащил!.. Я не хотел!..

Между тем Ренат почти остыл. Игорь был прав. Он отказывался сопровождать его на генеральскую дачу. Может, это часть игры?

— Пошли домой... Вставай...

— Домой нельзя! Поехали к батюшке...

Ренат хотел возразить и... покачнулся. У него мутилось сознание. Фигура лежащего на траве человека расплывалась, лицо казалось белым пятном.

— *Я выполнил ваше поручение, господин барон...* — прозвучало где-то рядом. — *Вот то, что вы просили...*

— *А хозяин?*

— *Его пришлось убить...*

Ренат слышал чужой разговор сквозь пелену дыма. Какие-то фигуры двигались в сумраке вокруг костра.

— *Тебя кто-нибудь видел?*

— *В доме была женщина. Я ее не сразу заметил. Она появилась, когда я собрался уходить. Словно из-под земли выросла... Ее одежда показалась мне странной. Я спрятался за портьерой и стоял, не дыша. При виде покойника женщина вскрикнула и упала в обморок. Я успел скрыться, пока она лежала в беспамятстве.*

— *Ты оставил ее в живых?* — холодно осведомился барон.

— *Я не поднимаю руку на женщин. Я охотник, а не живодер.*

— Мне не нужны свидетели. Вернись и прибери за собой.

— Нет.

Барон молниеносно взмахнул саблей, и голова собеседника покатилась по земле. Мужской голос тихо произнес ругательство. Кто-то подбежал к истекающему кровью телу.

— Вы мясник, Унгерн!

— А вы — кисейная барышня, поручик. Из-за таких слюнтяев мы теряем империю.

— Вы забываетесь...

— Схватить его! — приказал барон. — *Завтра на рассвете я устрою показательную казнь. Никто не смеет мне перечить! Слышите?.. Никто!*

Он зашагал к шатру, ни на кого не глядя, раздувая ноздри от бешенства. В одной руке он держал доставленный убитым охотником кожаный мешочек, в другой — окровавленную саблю. С лезвия падали в траву тяжелые капли...

«Что у него в мешочке?» — подумал Ренат...

* * *

Уссурийск

После поминок Ирина и Лариса расстались настороженно. Каждая преследовала собственную цель. Ирина надеялась разузнать о наследнице побольше, а та рассчитывала спровоцировать сотрудницу социальной службы на конкретные действия.

Мушкетер приехал по вызову на своем подержанном «опеле» и подвез новую знакомую к древней каменной черепахе.

— Символ вечности, — объяснил он, играя роль гида. — Эти изваяния украшали могилы правителей Чжурчженьского царства. На места захоронений приезжают делегации из Японии и Китая. Хотя краеведы утверждают, что императоры чжурчженей были белыми людьми. У них черты белой расы. Наш Дальний Восток в древности не был безлюдным, как полагали раньше. Я часто вожу туристов, слушаю их разговоры, вот и поднаторел в истории.

Лариса промолчала. Вырезанная из камня черепаха казалась безмятежной и незыблемой, как само мироздание. Вокруг нее росли деревья, зеленела трава. За забором сновали иномарки.

— Мы кого-то ждем?

— Господина Засекина, — ответила Лариса. — Он обещал встретиться со мной здесь, у черепахи. Мы живем в одной гостинице. Засекин — ученый и писатель, который знает все тайны этого города.

— Всех тайн не знает никто, — глубокомысленно изрек Мушкетер.

— Ты читал его книги?

— Засекин... Засекин... что-то слышал о нем, но книг не читал. О чем пишет?

— Об аномальных явлениях. Модная нынче тема.

— Точно! Аномалий у нас не счесть. Взять хоть наше с вами приключение...

— Вон он идет!..

Лариса увидела фигуру «профессора» и неподдельно обрадовалась. Вспоминать убийство Ильи было страшно. Она-то думала, что Мушкетер выбросил ту ночь из головы, ан нет. Хоть в новостях так и не сообщили о трупе, Ларису не покидало беспокойство. Не могло же кошмарное событие ей присниться?..

Смерть Ильи накладывалась на любовную ностальгию, которая поселилась в ее душе. Казалось, они знакомы давным-давно. Лариса ощущала на своих губах его поцелуи, а ее тело как будто помнило нежные и сильные руки любовника...

— Здравствуйте, Ларочка, — расплылся в улыбке Засекин. — Я в вашем распоряжении. Командуйте мной, как вам будет угодно.

Он был в джинсах и летней рубашке навыпуск. Очки, борода, светлая бейсболка. Мушкетер смерил ученого оценивающим взглядом и одобрительно кивнул. Пожалуй, такой докопается до какой-нибудь сенсации. У него на лбу написано — дотошный интеллектуал.

— Я ваш извозчик, — представился молодой человек, пожимая узкую ладонь «профессора».

— Аркадий, — поклонился Засекин. — Правда, я предпочитаю пешие прогулки, но...

— Сегодня сделаем исключение, — сказала Лариса. — Поедемте на улицу, где раньше располагались дома терпимости. Я заглянула на ваш сайт «Аномалия», там много интересного.

— Вы о борделях, которые содержали японские гейши? Впрочем, это я их мягко называю. Японские «мамки» поселили девиц легкого поведения поближе к солдатским казармам, и те охотно посещали доступных красоток. Пока военное начальство не взбунтовалось и не заставило городскую власть перевести бордели на окраину.

— Я слышал, по соседству с ними оказалось кладбище, — включился в разговор таксист. — И клиенты повально жаловались, что их избивают... покойники! А девиц нечистая сила выбрасывала из окон. По-вашему, это правда?

— Некоторые ночные бабочки вообще бесследно исчезали, — подтвердил Засекин. — Бордели закрывались один за другим, и вскоре их не осталось. Я покажу вам место, где они стояли.

Лариса с «профессором» отправились смотреть на жилые дома, построенные в окрестностях бывшего кладбища. Мушкетер остался в машине. Он припарковал «опель» в тени старого дерева и задремал.

— После революции погост сровняли с землей, — объяснял своей спутнице Аркадий. — Так что мы с вами ходим в буквальном смысле по костям. Я беседовал с жителями этих домов. Они рассказывали, что иногда по ночам слышат в квартирах крики и топот, вещи падают без всякой причины, а в зеркалах отражаются чужие лица.

— В зеркалах?

— Вас это удивляет, Ларочка?

Она вспомнила психомантеум, который показывал ей Илья, и поспешила сменить тему. Почему ей захотелось прийти именно сюда? Какое ей дело до японских борделей и бывших кладбищ?

Картины из жизни продажных девиц возникали в сознании Ларисы, подобно кадрам немого кино. Она отбрасывала их, чтобы сосредоточиться на мысли, которая ускользала.

— Зеркала в древности выполняли иные функции, нежели сейчас, — тем временем разглагольствовал Аркадий, поддерживая ее под руку. — Осторожно, бордюр... К сожалению, тайные свойства зеркал до сих пор не изучены. Я занимаюсь этим, но без особого успеха...

Они вернулись к машине, когда начало смеркаться. Водителю надоело сидеть, и он бродил кругами, разминая затекшие мышцы.

— Ну как, видели призраков?

— Видели, видели, молодой человек, — добродушно усмехнулся Засекин. — Особенно нам понравилась японская гейша с набеленным лицом и в красном кимоно, расшитом драконами. Зрелище было потрясающее! Жаль, что вы с нами не пошли.

— А вы знаете, где раньше стоял дом Шувалова? — ни с того, ни с сего брякнул Мушкетер.

Лариса вздрогнула, но закрыть парню рот было невозможно.

— Конечно, знаю, молодой человек, — ответил ученый. — Я посвятил этому вопросу не один день. Если хотите, я покажу вам дорогу...

ГЛАВА 26

Ирина сушила в ванной комнате волосы феном. Вопросы наследницы о генерале Лукине не шли у нее из головы. Что той известно? Подобрав влажные еще пряди заколкой, она прошла в гостиную. Катя сидела на диване и грызла кедровые орешки.

— Ты как?

— Нормально, — вздохнула Ирина, усаживаясь рядом. — Наплакалась, наслушалась на поминках фальшивых речей... в общем, все прошло пристойно. Виктор Петрович в гробу был на себя не похож. Бедный... мог бы еще пожить лет десять.

— Если бы мог, то пожил бы. А эта приезжая? Небось, ни слезинки не проронила?

— Чего ей плакать по чужому человеку?

— Ну, тебе он тоже не родной...

— Хватит язвить, Катя! — не выдержала подруга. — Неужели, не видишь, что мне и так тошно?

— Вижу, потому и пытаюсь тебя расшевелить. Лучше злиться, чем хлюпать.

— Я не хлюпаю. А тебе нисколечко не жалко человека? — вдохнула Ирина.

— Вот еще! — фыркнула Синицына. — На всех жалелки не напасешься. Саму бы кто пожалел. Бьюсь как рыба об лед, а толку-то? И никому до меня нет дела... даже тебе, подружка.

Катя вела себя вызывающе, словно провоцировала Ирину на скандал. Но та не поддавалась. Похороны Сазонова и мрачное застолье произвели на нее неприятное впечатление. А загадочные намеки Ларисы крепко засели в голове.

— Темная лошадка... — обмолвилась она.

— Кто? Я?! — взвилась Катя. Ее глаза сверкали негодованием, к нижней губе прилипла скорлупа от орешка. Казалось, еще одно слово, и она набросится на подругу, как дикая кошка.

— Успокойся! Не ты! Наследница Сазонова. Она показалась мне подозрительной. Похоже, эта фифа неспроста прикатила.

Катя притихла. Если речь идет о приезжей, которая незаслуженно захапала имущество покойного, то нечего поднимать бучу.

— Мне за тебя обидно! — пробурчала она, снова принимаясь за орешки. — Сазонов — неблагодарный тип! Мог бы тебе все отписать. А он...

— Не начинай.

Катя насупилась и включила телевизор. Лучше она будет смотреть сериал и держать язык за зубами.

Ирина чувствовала себя не в своей тарелке. В комнате монотонно бубнил телевизор, и кроме беспокойства просачивалось что-то еще: враждебное, опасное. «Где-то я промахнулась, чего-то не учла», — осознала девушка.

Катя уставилась на экран, демонстрируя напускное безразличие. На самом деле ей не все равно, что происходит.

— Ты ничего не хочешь мне сказать?

— Нет, — ответила Катя, сплевывая ореховую скорлупу. — А ты?

— Не нравится мне эта Лариса. Как к ней подступиться? Ума не приложу.

— Зачем она тебе? Сазонова больше нет, наследство уплыло бесповоротно. Тебя оставили с носом, подруга! Поздно спохватилась.

— Не в этом суть...

— Ты неизлечимая альтруистка? — прищурилась Катя. — Или прикидываешься?

Она нарочно уводила разговор в сторону от скользкой темы, отвлекала Ирину от насущного.

— Сазонов предвидел свою смерть, он готовился к ней. И приезд Ларисы тому подтверждение. Знаешь, Катюха, она не нуждается в деньгах... Ей необходимо другое!

— Что?

— Не пойму. Только не зря она все вынюхивает, высматривает... будто ищейка.

— Думаешь, она приехала за сокровищами?

— Не болтай ерунду, — с досадой поморщилась Ирина. — Тебе мерещится золото, которого нет. Держи карман шире!

Катя повернулась к ней с решительным видом и выпалила:

— Я достала одну вещь. Взяла у знакомого парня напрокат на неделю. Вот, гляди...

Она встала, отряхнула ладони и вытащила из закутка между шкафом и стеной длинную палку с круглым приспособлением на конце.

— Металлоискатель? — ахнула Ирина. — Ну, ты даешь! Зачем он тебе?

— Ночью пойдем к Сазонову на участок, проверим всё.

— Ты с ума сошла? А если нас засекут?

— Кто? — нахмурилась Катя. — Наследница покойного? Ты же сама сказала, что она поселилась в гостинице.

— Иди без меня. Я не хочу неприятностей. Достаточно того, что я уже пережила.

— Без тебя не пойду. Меня жуть берет, между прочим! Вдруг, призрак Сазонова охраняет клад? Я в обморок упаду от ужаса и... и попадусь в лапы полиции. Ты этого хочешь?

— Я тоже боюсь призраков, — вздрогнула Ирина.

— Вдвоем не так страшно. Будем молитву читать, если что.

— Балда ты, Катюха! Какая молитва? Не смеши меня...

— Ты пойдешь или нет?

— Не знаю. Я подумаю.

Ирине казалось, что они в квартире не одни. Девушка не могла отделаться от ощущения чужого присутствия. Через окно в комнату лился желтый свет луны, на душе лежала тяжесть.

— Что с тобой? — заметила ее состояние Катя. — Чего ты дрожишь?

— Зеркало... — прошептала Ирина и закрыла лицо руками.

В простенке стояло высокое трюмо, перед которым подруги любили крутиться. Катя повернулась, взглянула и испуганно вскрикнула...

* * *

Поселок Песчаное под Калугой

В голубоватом сумраке комнаты гудели комары, которые пробрались сквозь тюль и кружили над кроватью. Ренат лежал без сна и думал о своем видении: мешочек, переданный барону Унгерну каким-то охотником, возбудил его любопытство. В мешочке находился небольшой предмет, но что именно, было непонятно. Из-за этого мешочка охотник убил человека. Сам же он погиб от руки барона, потому что отказался прикончить неизвестную женщину.

Ренату пришла мысль, что женщину звали... Лариса! Он выругался и повернулся на бок, чтобы луна не светила в лицо. Унгерн никак не пересекался во времени с Ларисой. Никак! Или все-таки пересекался?

Кто-то поскребся в дверь, и раздался робкий голос хозяина:

— Это я, Игорь. Можно войти?

— Чего тебе не спится? — проворчал постоялец. — Ладно, входи!

Хозяин дома успел залить стресс водкой, от него несло табаком и алкоголем. Нервно почесываясь, он примостился в ногах кровати и приподнял майку.

— Гляди, что ты сделал...

На ребрах Игоря расплылся кровоподтек. Он ожидал от обидчика извинений, которых не последовало.

— Я требую... са... сатифакции...

— Сатисфакции, — равнодушно поправил его Ренат. — Ну, так вызывай меня на поединок. Я готов. Будем биться на ножах или стреляться?

— Ты нанес мне телесную травму и должен компенсировать ущерб. Я ни в чем не виноват! Я тебя пальцем не тронул. Купи бухла, и мы в расчете.

— Какого дьявола ты вздумал меня пугать, Игореха? Я в страхе мог башку тебе свернуть. Уразумел? Больше таких трюков не устраивай.

— Я сам испугался, брат. Стою, где ты велел, жду... вдруг слышу, доски трещат и кто-то ломанулся из дома через окно. У меня душа в пятки! Я на полусогнутых доковылял до малинника, глядь... а там ты!

— Врешь, — беззлобно молвил Ренат. — Я в твои басни не верю. Где ты такой офигенный прикид достал? Парик, кожаные ленты, хламида! В поселковом клубе?

— Я отродясь в клубе не бывал...

— А с зеркалами вы знатно придумали. Кто у вас в поселке такой головастый? Отец Алексей?

— Какие зеркала? — отпирался Игорь. — Нет в генеральском доме никаких зеркал. Вот те крест! Если бы были, я бы знал.

— Я тебе, дружище, заплачу вдвое против того, что дал. Только признайся, для чего весь этот маскарад?

Игорь всплеснул руками и придвинулся поближе к постояльцу, обдавая его смрадным дыханием.

— Это нечистый тебя попутал... Теперь ты у него во власти! Он к тебе в душу забрался и спрятался там...

— Больно «нечистый» на тебя был похож, — заметил Ренат. — Просто одно лицо! Как ты так быстро переоделся, Игореха?

— Тренировался долго, — смирился со своей участью хозяин дома.

— Ага-а! Сознался-таки!

Поникший вид Игоря не разжалобил Рената, он решил «дожимать» собеседника до конца. Его смущала пустота в голове хозяина дома, словно все мышление этого выпившего мужика ограничивалось бутылкой и сварливой женой.

— Я в полицию заявлю на вас, шутников. Пусть участковый разберется, есть в генеральском доме зеркала или нет, а заодно и проведет с вами профилактическую работу.

— Иди, заявляй, — покорно кивнул Игорь. — Но участковый туда нипочем не сунется. Он не дурак, чтобы беду на себя накликать...

ГЛАВА 27

Уссурийск

— Сюда мы тогда по ошибке свернули, — сообщил пассажирам Мушкетер. — Эта грунтовка ведет на базу отдыха «Семеновка». Я проверял.

— Где-то здесь притормозите, — попросил Засекин, внимательно глядя в окно. — Я точно не укажу место... надо искать.

Лариса сидела ни жива ни мертва. Она понимала, что речь идет не о самозванце, которого убили практически в ее присутствии, а о настоящем графе Шувалове. Но легче ей от этого не стало.

Водитель припарковал «опель» на обочине, вышел и подал руку Ларисе.

Засекин выскочил из машины и устремился вперед. Его бейсболка мелькала в кустарнике как надежный ориентир.

— Куда это он? — едва поспевала за ним Лариса.

— От дома Шувалова сохранились остатки фундамента, — на ходу объяснил таксист. — Строение было деревянным, но на каменной основе. Дом известен тем, что служил явкой людям Унгерна. Барон присылал сюда своих шпионов, а Шувалов делился с ними тайными сведениями. Когда его убили, дом пришел в упадок. Никто не хотел там селиться.

— Почему?

— Поговаривали, что Шувалов устроил в доме тусовку для мертвецов. Он тосковал по своей невесте, которая рано скончалась, и увлекся спиритизмом...

Засекин неожиданно остановился на небольшой прогалине, и Лариса с Мушкетером чуть не налетели на него.

— То был не совсем спиритизм, — заметил ученый, раздвигая руками молодую поросль. — Чтобы продолжать общаться с усопшей возлюбленной, Шувалов соорудил зеркальное устройство... наподобие греческого Оракула Мертвых. В начале прошлого века многие аристократы увлекались оккультными практиками, и граф Шувалов был одним из них. Вероятно, в этом они сошлись с Унгерном, который был помешан на колдовстве, хиромантии, шаманизме и прочих подобных вещах.

— Кажется, тут что-то есть! — воскликнул Мушкетер, опустившись на корточки и указывая пальцем на выступающие из земли камни. — Я нашел! Нашел!

У Ларисы в ушах звучал голос Ильи, который угощал ее завтраком. Блестел начищенный самовар, дымился чай в фарфоровых чашках, и на стене висела фотография барона Унгерна...

— Отчего же умерла невеста графа?

— Понятия не имею, — отозвался таксист.

Засекин присел рядом с ним, разглядывая остатки фундамента. Это были те самые камни, которые он изучал со своим прибором.

— Девушку сгубило зеркало, — торжественно изрек он. — Она слишком много времени проводила за ним, и результат не заставил себя ждать. По крайней мере, так гласит легенда. Это было какое-то особенное зеркало...

Лариса побледнела и покачнулась. Мужчины, увлеченные фундаментом, не обратили внимания на свою спутницу. Только когда она начала оседать на землю, «профессор» спохватился и подставил руки.

— Барышне плохо, — заключил он, прижимая ее к себе. — Наверное перегрелась на солнце. У вас есть аптечка в машине?

— Да, — растерялся Мушкетер.

— Тащите сюда нашатырь! Быстро!

Когда водитель вернулся с пузырьком нашатырного спирта, Лариса уже пришла в себя. Засекин уложил ее на траву и обмахивал своей бейсболкой, как веером.

— Слава богу, обошлось...

— Дайте ей понюхать на всякий случай, — сказал Мушкетер, протягивая нашатырь.

— Уже не нужно. Ей лучше. Видите, она порозовела? — Засекин выпрямился, нахлобучил бейсболку и оглянулся по сторонам. — Тут аномальная зона, понимаете, молодой человек? Может всякое случиться. И дурнота в том числе.

Мушкетер зачем-то открутил пробку, поднес пузырек к лицу и поморщился:

— Фу-у! Ну и гадость...

— Вам тоже нехорошо? — оживился «профессор». — Это геопатогенное влияние. Я возьму свой прибор и приеду сюда еще раз, сделаю новые замеры. Я изобрел устройство для изучения аномалий. Оформил патент и получил несколько выгодных предложений из-за рубежа. К сожалению, нет пророка в своем отечестве!

— Значит, мы тогда неспроста заблудились.

— Подобные зоны изменяют не только человеческое сознание, но в первую очередь пространство и время...

Лариса лежала, глядя на мужчин снизу вверх и слушая их болтовню. Они представляли забавное зрелище: патлатый безалаберный Мушкетер и рафинированный ученый, который пытался втолковать таксисту сложную теорию аномалий.

— Дом Шувалова стоял на месте древнего святилища, — продолжал Засекин, указывая пальцем на землю. — Судя по всему, там, в глубине, существует разветвленная сеть туннелей. Быть может, в подземелье и находится источник воздействия. Но до него нам не добраться.

— Что вы говорите? — покрываясь потом, пробормотал таксист. — А куда же подевался дом самозванца? Провалился сквозь землю? Похоже на то...

Засекин настолько увлекся своей теорией, что пропустил мимо ушей его реплику. Зато Лариса обратила на нее внимание. Ей было не до шуток.

— Аркадий, помогите мне подняться, — попросила она, пресекая дальнейшее развитие опасной темы. — Я хочу воды. В машине есть минералка...

— Я сбегаю? — предложил обескураженный Мушкетер.

— Пожалуй, я уже сама могу идти.

Лариса встала, опираясь на руку Засекина, который взирал на нее с нескрываемым обожанием. «Да он влюбился!» — подумала она, пытаясь сохранить равновесие. Тело было ватным, непослушным. В голове шумело.

— Надо возвращаться! — взволнованно проговорил ученый. — Это не обсуждается! Ларочке необходим покой. Едемте, молодой человек!..

* * *

После полуночи девушки прокрались во двор Сазонова. На улице стояла гнетущая тишина. Даже собаки не лаяли.

— Зря я с тобой пошла, — ворчала Ирина. — Вечно ты меня в какую-нибудь авантюру втянешь.

— Я сиднем сидеть не собираюсь! Под лежачий камень вода не течет...

— Ты умеешь пользоваться этой штукой?

Катя прочитала в Интернете инструкцию по пользованию металлоискателем, но на практике оказалось не все гладко.

— Может, он поломанный? — злилась она. — Не фурычит ни фига!

— Успокойся. Раз уж мы здесь, давай клад искать.

Дом темной громадой выделялся на фоне облитых луной деревьев. Света в окнах не было. Крупные звезды мерцали сквозь кроны старых яблонь.

— Интересно, она там? — Катя повернулась в сторону угрюмого жилища. — Дрыхнет небось в чужой кровати! Люди ничего не боятся. Ни бога, ни черта, ни призрака...

— Имеешь в виду наследницу?

— Кого же еще?

Металлоискатель наконец заработал. Что-то в нем щелкнуло, запустилось, и Катя, дрожа от возбуждения, взялась за дело.

— Тяжелый, блин... Рука отваливается!

— Терпи, — прошептала Ирина. — Это была твоя инициатива. Прочесывай метр за метром.

— Сама попробуй! — окрысилась Катя. — Я не лошадь, между прочим.

— Надо было раньше думать. А теперь работай! Будешь ныть, во второй раз пойдешь одна!

Металлоискатель издавал звуки, бередящие душу. Катя искала золото, а Ирина думала о Сазонове. Неужели он жил бобылем, потому что боялся открыть женщине свою тайну? Мог ли он умереть из-за клада?

Ирина несколько раз ходила на Илюшкину сопку, где по преданию хранилась статуя Золотой Бабы. Входы в каменоломни были замурованы, но сопка стала сакральным местом влюбленных, которые норовили заняться там сексом. Якобы, богиня освящала их союз своей милостью.

— Бред...

— Что-что? — остановилась Катя, прислушиваясь к металлоискателю. — Ты уловила?

Ирина раздраженно мотнула головой. Поиски клада показались ей верхом глупости. Зря она позволила подруге притащить себя сюда.

— Здесь ничего нет. Разве на какую-нибудь железяку наткнемся. Выкопаем, а это — снаряд времен гражданской войны! Он возьмет и — бух! — взорвется. От нас с тобой клочья останутся.

— Не каркай. В городе боев не было. Я в твоей книжке читала, «Потомок Чингисхана».

— А если автор ошибся?

Ирине надоело бродить по саду следом за Катей и прислушиваться к писку прибора. Она очень устала. Провались пропадом этот клад вместе со слухами и пустыми бреднями!

— Твой Сазонов был чудаком... но в уме ему не откажешь.

— Тебе-то откуда знать?

— С твоих слов, Ир! — возмутилась Катя. — Ты мне все уши о нем прожужжала!

— Дура, потому и жужжала...

— Не кисни, подружка! Найдем золото, разбогатеем, махнем на Канары, купим себе шикарную виллу. Заживем, как белые люди!

— А ты, Катька, еще больше дура, чем я, — вздохнула Ирина. — Мы с тобой обе чокнутые.

— Я замуж хочу. Только не за местного дебила.

— Тебе плейбоя подавай? Жиголо с Канарских островов? Боюсь, останешься ты у разбитого корыта...

— Тсс-с! — Катя приложила палец к губам и застыла на месте. — Слышишь?

Ирина напряглась, но ничего, кроме шума листвы, не расслышала. Катя поставила металлоискатель на землю, спряталась за ближайший ствол и поманила подругу рукой. Та краем глаза заметила мелькнувшую в саду тень.

— Кто это?

— Призрак Сазонова... Значит, мы на правильном пути, — прошептала Катя. — Он свое золото стережет.

— Да брось ты...

— Мамой клянусь! Это он!

В доме внезапно зажегся свет, и девушки испуганно переглянулись. Мужская тень пересекла сад...

ГЛАВА 28

Москва

Ренат вернулся из дачного поселка в отвратительном расположении духа. Легальное посещение дома и встреча с зеркальной «четверкой» ничего не прояснили, скорее добавили загадок. Как он ни старался мысленно перенестись в момент смерти генерала Лукина, ослепительная вспышка мешала рассмотреть полную картину происшедшего. Телепатический контакт с генералом отсутствовал. Кто-то словно обрезал все концы, оборвал все ниточки.

Игорь настаивал на поездке к отцу Алексею.

«Батюшка изгонит беса, который в тебя вселился, — заладил он. — И ты поймешь, что меня там не было! Я стоял возле дома, пока ты не выскочил наружу. Вот те крест!»

Он размашисто крестился, чем жутко бесил Рената. Ему надоели лживые заверения и не свойственные лентяю и пьянице Игорю религиозные порывы. Все это выглядело бы комично, если бы не реальный страх, пережитый Ренатом в зловещей комнате. Его самолюбие было задето. Он не продвинулся ни на шаг в расследовании обстоятельств гибели генерала, тогда как Лариса ждала от него реальных результатов. Навыки, полученные в эзотерическом клубе Вернера, не помогли ему выяснить подробности, которых так не доставало. Он бился лбом о стену и получал шишки вместо информации.

Вечером они с Ларисой наконец-то созвонились. Время в Уссурийске опережало московское на семь часов. Ренат поздно поужинал, а Лариса только проснулась.

— Как дела? — устало осведомилась она. — Паршиво?

— Зачем задавать вопрос, если ответ тебе известен?

— Я провела ужасную ночь в доме Сазонова. В саду кто-то бродил, я не выдержала и вышла на крыльцо. Мне показалось, то были две девицы с металлоискателем. Потом выяснилось, что у меня появился ухажер. Аркадий Засекин, ученый, исследующий здешние чудеса. Он не мог уснуть, думал обо мне и... решил проверить своим прибором геомагнитное поле вокруг моего жилища. Представляешь?

— Твое жилище?

— Сазонов оставил мне свое имущество. Ты забыл?

— Почему ты не в отеле? — рассердился Ренат. — В доме Сазонова может быть опасно. Что там ищут, по-твоему?

— Золото барона Унгерна, полагаю.

— Ты веришь этому Засекину?

— Я даже себе не верю, — призналась Лариса. — Я понимаю, что «проверка поля» лишь предлог для того, чтобы...

— Следить за тобой! — заключил Ренат. — Будь осторожнее!

Он замолчал, обдумывая услышанное. Молчала и она, понимая его правоту. Засекин следил за ней, иначе как бы он узнал, что она ночует не в номере, а в доме Сазонова. Ведь она никому не говорила об этом.

— Со мной происходят странные вещи, — обронила она.

Мобильная связь — не самый подходящий способ для общения на щекотливые темы. Лариса не рискнула поведать обо всех шокирующих фактах по телефону.

— Я боюсь за тебя, — вздохнул Ренат. — Хочешь, я приеду?

Она не поддержала его предложение.

— Ты поговорил с женой покойного Лукина?

— Генеральша больна. Я встретился с ее дочерью, Софьей. Они готовы задорого продать мне дачу. Внучка в бегах, потому что боится за своего жениха. Мужчины в этом чертовом семействе мрут как мухи, а все женщины — ведьмы! — выпалил он. — К ним не подступишься! Их ментальное пространство закрыто наглухо, словно кто-то нарочно понаставил барьеров. Я догадываюсь, кто! Генеральша, которая...

— Не торопись с выводами, — перебила Лариса. — У меня тут тоже полный абзац. Сазонов мертв и ничего мне не расскажет. Я унаследовала не только его дом, но и его проблемы. И это еще не всё... Ой, прости, кто-то пришел!

Она отключилась, а Ренат, как зачарованный, продолжал держать трубку возле уха. Он испытывал незнакомое чувство: готовность на любое безумство ради женщины, которая была далека от его идеала. Что это, если не любовь? Их роман развивался против всяких правил. Должно быть, потому, что у его истоков стоял Вернер. Это у него в клубе они встретились и сблизились. По сути, это он их свел. Для каких-то своих целей...

— Пучеглазый сводник, — проворчал Ренат и бросил трубку на диван. — Что ты задумал в очередной раз?

«Не перекладывай с больной головы на здоровую, — тут же отозвался гуру. — Брат Онуфрий не имеет ко мне отношения. Папаша Ларисы нагрешил в молодости, а я виноват? Нормальный ход!»

Голос Вернера так отчетливо звучал в голове Рената, что он невольно оглянулся. Голос умолк, но осадок остался. В словах Вернера сквозило презрение. По его мнению, Ренат — недотепа и профан, которого обвели вокруг пальца какие-то алкаши из дачного поселка.

— Эльвира! — воскликнул Ренат, представляя себе администраторшу из казино. — Вот, кто мне нужен!

Вернер своим презрением натолкнул его на правильную мысль. Подруга Софьи знает больше, чем говорит. Он почувствовал это, когда они беседовали. Надо выудить у нее правду. Возможно, она сама не подозревает, свидетелем чего являлась.

Ренат решил пустить в ход свое обаяние и опыт обольщения зрелых матрон. Эльвира выложит ему все на блюдечке...

* * *

Уссурийск

— Это вы, Аркадий? — нахмурилась Лариса. — Вам мало, что вы ночью устроили переполох? Дали бы мне хоть выспаться! Вы переходите границы приличий.

Мужчина смущенно топтался на пороге дома, держа в руках сумку с прибором.

— Я слышал, ваш родственник скоропостижно скончался. Позвольте выразить соболезнования.

— Я тронута.

Лариса не приглашала его в дом, а сам он не осмеливался напрашиваться. Его блуждающий взгляд задержался на остатках бумажной ленты с печатью правоохранителей.

— Дверь э-э... была опечатана?

— Да. Но я как наследница имею право...

— Простите! Я не то хотел сказать, — покраснел Засекин. — Я пришел предложить вам свою помощь. Ночью я... испугал вас. Извините, ради бога!.. Мы, ученые, все немного чокнутые, когда дело касается наших исследований. Я обязан был спросить у вас разрешения измерить поле вокруг дома. Чем я могу искупить свою вину?

Лариса выглядела растерянной и беззащитной. Она была в светлых бриджах и открытой футболке. Непослушные локоны обрамляли ее утомленное лицо, на шее блестела золотая цепочка.

— Вы следили за мной? — прямо спросила она. — Вчера вечером, когда я покидала отель?

— Вы мне очень нравитесь! — выпалил «профессор», перекладывая сумку из руки в руку. — Я хотел пригласить вас на кофе к себе в номер, но... не мог отважиться. От волнения у меня жутко разболелась голова. Я вышел на балкон подышать воздухом... Каюсь! Я увидел, как вы выходите из гостиницы... и отправился следом. Я не мог позволить вам одной бродить по темным улицам незнакомого города...

— Вы лжете, Аркадий.

— Разумеется, лгу... Но совсем капельку! Мне стало интересно, куда вы идете...

— Вы сопроводили меня на Никольскую улицу, дождались, пока в окнах погаснет свет, и вернулись обратно?

— За прибором! — заверил ее Засекин, прижимая сумку к груди. — Он здесь, со мной! Я хочу показать вам, как он работает. Вы убедитесь, что мое изобретение стоит внимания...

— Оставьте! Ночью вы действительно вернулись в отель за прибором... Но почему вы не согласовали свой визит со мной? Почему не пришли днем, когда все хорошо видно? А прокрались на участок в темноте, как вор, перелезли через ограду? Что я могла подумать?! Скажите спасибо, что я не вызвала полицию.

— Ах, Ларочка, вы меня раскусили, — спасовал Аркадий. — Не буду отрицать очевидного. Я... робею перед вами. Я не вор! Я... влюблен в вас и потому веду себя глупо. Я действительно хотел обследовать участок, на котором стоит этот дом. Я навел справки и выяснил, что...

Он замолчал, поставил сумку на крыльцо, достал из кармана платок и вытер потные ладони. Деревянные ступени нагрелись от солнца. День обещал быть жарким. Засекин поправил на носу очки, сделал шаг вперед, схватил Ларису за руку и неловко поцеловал ее пальцы.

— Вы с ума сошли!

— Простите... не сдержался. Так вот, в прошлый раз, когда я провожал вас сюда, я вспомнил, что как раз на Никольской улице происходят аномальные явления. Фамилия вашего покойного родственника — Сазонов?

— Да, — подтвердила Лариса.

— Видите, я не ошибся. У меня есть сайт «Аномалия», куда любой желающий может написать о полтергейсте и прочих необъяснимых вещах, которые ему приходилось наблюдать. Одна девушка прислала мне сообщение в личную почту, что иногда она видела в зеркалах чужие лица. Эти зеркала висели в доме номер 23! Девушка присматривала за инвалидом и ненароком заметила странности, которые происходили в его жилище. Именно по этой причине социальные работницы менялись одна за другой. Никто не хотел признаваться, в чем дело, из страха заслужить дурную репутацию. Я тогда же попросил у Сазонова разрешения обследовать его дом, но получил категорический отказ. Прошло время, все это выветрилось из моей памяти, и вдруг... приезжаете вы!

«Опять зеркала!» — вспыхнуло в уме Ларисы, но она смолчала. Пусть Засекин говорит, объясняет ночное происшествие.

— У меня в голове сложились пазлы, — улыбнулся «профессор». — Дом на Никольской улице, вы, Сазонов. Я немедленно бросился к вам на выручку. Не важно, который был час... Я схватил прибор и помчался сюда! Я должен был произвести необходимые измерения без вашего ведома. Чтобы не пугать вас!

— Вам это удалось, — саркастически заметила она. — Я чуть не умерла от страха, когда услышала голоса в саду. Подумала, грабители нагрянули. Включила свет, выглянула и увидела вас! А вы... вместо того чтобы все объяснить, вдруг дали стрекача! Только пятки засверкали. Хм!.. Для вашего возраста вы в отличной форме.

Засекин опустил голову и виновато забубнил:

— На участке был кто-то еще. Я не успел достать прибор, как услышал чьи-то голоса. Кажется, это были женщины... Они так быстро ретировались, что я не догнал их. Я выбежал через калитку, запыхался, но продолжал преследование... пока сердце не зашлось. Потом я позвонил вам, узнал, что вы в порядке, и принес свои извинения.

— Значит, всему виной научный интерес? — усмехнулась Лариса.

— Да, но... Не совсем! Вы самая необыкновенная женщина из всех, кого я встречал... Я сразу почувствовал: вы не такая, как все.

— Сомнительный комплимент, Аркадий.

— Я бы измерил ваше поле... если бы вы позволили.
И взглянул на зеркала в доме.

— Вы невыносимы! — рассмеялась она. — С этого надо было начинать...

ГЛАВА 29

Москва

Казино «Валет» процветало, но хозяин был прижимист и неохотно тратил деньги на интерьер. Сукно на столах было не первой свежести, ковры потерты, крупье с усталыми лицами походили на сонных мух. Но все это не мешало заведению зарабатывать немалые деньги. Скромная обстановка могла обмануть неопытных посетителей, но не Рената.

Он с удовольствием включился в карточную игру. Это был повод отточить свою интуицию. Свидание с Эльвирой он отложил на потом.

— Я сегодня в ударе! — заявил Ренат. — Хочу удвоить ставку!

Крупье был среднего роста, крепко сбит и хорош собой. Он делал свою работу, не догадываясь, что его связь с администраторшей — не тайна для новичка. Новичкам зачастую везет, поэтому крупье не испытывал беспокойства. Но ставки росли, а новичок выигрывал. Крупье заволновался.

— Сделаем перерыв, пожалуй, — сжалился над ним Ренат и подумал: «Беги, парень, докладывай обо мне своей любовнице!» — У вас в баре подают безалкогольные напитки? Я за рулем.

Крупье кивнул и подозвал официанта, а сам поспешно вышел из зала.

Пока бармен готовил для Рената фруктовый коктейль, крупье успел переговорить с Эльвирой, и та с тревогой разглядывала везунчика на экране в своем кабинете. Казино было оборудовано скрытыми видеокамерами. Администраторша узнала мужчину, который недавно расспрашивал ее о Лукиных, и решила поговорить с ним с глазу на глаз.

— Пригласи его сюда, Макс, — велела она крупье. — Скажи, что я лично хочу угостить его шампанским по случаю выигрыша.

— Он за рулем.

— Иди и придумай что-нибудь!

Крупье удалился, а Эльвира плеснула себе коньяку в бокал и выпила. Она начала прикладываться к бутылке все чаще, с тех пор, как сын стремительно скатывался в бездну наркотического безумия. Ему уже не помогали процедуры по очищению крови и дорогие лекарства. Администраторша собиралась отправить его в Индию, в горный ашрам, где таких же, как он, избавляли от кокаиновой зависимости при помощи медитаций и тяжелого физического труда. Этот ашрам был ее последней надеждой. Но пребывание там стоило бешеных денег.

— Это опять я! — лучезарно улыбнулся Ренат, отвлекая женщину от горьких мыслей.

— Вижу. Вы хороший игрок, оказывается.

— Есть дни, когда фортуна благоволит ко мне. Она шепчет мне на ухо: «Иди и сорви джек-пот, парень!» Могу ли я ослушаться?

Эльвира натянуто улыбнулась и указала на кресло напротив себя:

— Присаживайтесь. Научите меня, как заслужить милость фортуны. Мне это очень нужно.

— Нет ничего проще! — Ренат доверительно наклонился вперед и понизил голос. — Вы рассказываете мне свою тайну, а я вам — свою.

— У меня нет тайн.

— Вы заблуждаетесь. Я уверен, что вам известно кое-что важное.

— Хотите выпить? — предложила администраторша. Она выглядела бы безукоризненно, если бы не мешки под глазами и красные пятна на скулах. Костюм от-кутюр сидел на ней как влитой, в ушах сверкали сапфиры, но ни радости, ни счастья она не испытывала. Даже роман с молодым крупье становился ей в тягость. Глядя, как она глотает французский коньяк, Ренат спросил:

— Вам не хватает денег на двоих? И сын, и любовник вам не по карману?

— Как вы смеете?! — вспыхнула Эльвира.

— Вы сами позвали меня на разговор. Разве нет? Кажется, я не напрашивался.

Администраторша растерялась. Этот человек вызывал у нее опасения. Кто он? Шантажист? Жулик? Сумасшедший?

— Вы часто бывали в гостях у своей подруги Софьи? — допытывался он. — Помните ее отца?

— Ну... это было давно. Зачем ворошить прошлое?

— Иногда прошлое догоняет нас и разрушает наш привычный мирок, который мы с таким усердием создавали.

— Я редко видела генерала Лукина, — вздохнула администраторша. Спиртное растеклось в ее крови и приглушило контроль. — Он сутками пропадал на службе, после работы мчался на стройку. Столько сил было потрачено зря! Дача так и не пригодилась...

— Лукины часто ссорились?

— Не знаю. Софья иногда жаловалась, что мать с отцом грызутся как кошка с собакой. Но при мне они ничего такого себе не позволяли. Хотя... однажды я застала у них жуткий семейный скандал. Как-то раз мы с Софьей гуляли и попали под дождь. Она жила ближе, чем я, и мы решили пойти к ней обсохнуть и согреться. Софья открыла дверь своим ключом... Мы вошли в квартиру и услышали вопли ее родителей. Софья сделала мне знак молчать, и мы тихо стояли в прихожей, мокрые и взъерошенные...

— А по какому поводу Лукины скандалили?

— Кажется, генеральша обвиняла мужа в... воровстве. Я понимаю, это звучит дико...

— В воровстве? — переспросил Ренат. — Вы ничего не путаете?

— Вы тоже удивлены? Вот и я была поражена... Даже Софья обомлела! Ее мать кричала на мужа, что тот поплатится, и грозила ему всяческими бедами.

— А что он украл?

— Об этом речь не шла. Генеральша билась в истерике и требовала вернуть украденное. Лукин все отрицал, но жена ему не верила... Они так орали друг на друга, что Софья не выдержала, схватила зонтик и выбежала из квартиры, я за ней. Мы поехали ко мне домой, высушили волосы, напились чаю. Софья замкнулась и молча плакала. Я расстроилась за нее. Мои родители тоже иногда ругались, но не так жестко.

— Софья потом не говорила, что у них пропало?

— Я ее не спрашивала. А она сама больше не заикалась об этом. Думаю, ей было жутко неловко за тот случай. Вскоре ее отец умер, и ссоры, как вы понимаете, прекратились...

Ренат забыл о том, что собирался приударить за Эльвирой. Это не понадобилось. Она и так все выложила. Он почувствовал, что забрезжил свет в конце туннеля. Скандал в «благородном» семействе и есть ключ к разгадке смерти Лукина.

Щелк!.. В его сознании развернулась сцена, которую описывала подруга Софьи, только гораздо шире и подробнее...

В московской квартире, где жили Лукины, пахло ремонтом. Две молодые девушки, вымокшие и дрожащие, топтались в прихожей. У вешалки были свалены в кучу рулоны обоев. А в гостиной разыгрывалась драма между мужем и женой.

— Идиот! — с перекошенным от гнева лицом вопила генеральша. — Как ты мог решиться на кражу?! Совсем мозги пропил?

— Я пью из-за тебя, — процедил обрюзгший мужчина в военной форме. — Ты испортила мне жизнь! Я думал, мы будем счастливы, а ты...

Он махнул рукой и отвернулся от разъяренной супруги.

— Я отдала тебе свою молодость и красоту, старый хрыч! Но ты этого не ценишь!

— Тебя всегда интересовала моя должность и деньги. А я-то, дурак, потерял голову и не замечал очевидного, — парировал он. — Лишь недавно я начал задумываться, что нас связывает, кроме ребенка?

— Тебе наплевать на меня, но подумай хотя бы о дочери. То, что ты сделал, погубит ее будущее!

— Ты завралась, Женя, запуталась в собственных интригах. Мне давно следовало сжечь все твои черные книги и прочую хрень! Будь уверена, я положу этому конец. Каким бы ужасным он ни был.

— Тупой солдафон! — истерически выкрикнула генеральша. — Ты ничего не понимаешь! Кретин...

Она рухнула в кресло, накрытое от пыли целлофаном, и зарыдала. Лукин взял со стола графин, подошел и с холодным бешенством вылил воду ей на голову. Рыдания прекратились. Тщательно завитые локоны женщины обвисли, с них капало. Шелковый домашний халат промок на плечах.

— Ты сдохнешь... — прошептала она, кусая губы. — Сдохнешь...

Сцена, за которой наблюдал Ренат, померкла и рассеялась. Он снова очутился в кабинете Эльвиры. Она продолжала что-то говорить все это время, но он не слышал. Впрочем, самое главное он узнал.

— Вы мне очень помогли, — искренне поблагодарил он администраторшу. — Возьмите мой выигрыш себе. Деньги вам пригодятся. Только не тратьте их на ашрам.

— Откуда вы...

В этот момент какая-то искра прозрения вспыхнула в ее сознании. Эльвира судорожно вздохнула, прижала руки к груди и спросила:

— Что будет с моим сыном? Мне удастся его спасти?

Ренат отрицательно покачал головой...

* * *

Уссурийск

Ирина с Катей за завтраком беспрерывно зевали и обменивались упреками.

— Из-за твоей дурацкой затеи я не выспалась.

— Это все призрак! — оправдывалась Катя. — Если бы он нас не спугнул, мы бы...

— Ты правда такая наивная? Или притворяешься? Какой еще призрак? То был натуральный мужик, из плоти и крови!

— Хахаль наследницы?

— Черт его знает. Я не ожидала, что она поселится в доме Сазонова, — призналась Ириша. — Думала, побоится после покойника.

— Послушай, мы видели, как зажегся свет в окне. Но кто его включил — неизвестно. Может, там полиция засаду устроила?

— Кому это надо? Сазонов был инвалидом на мизерной пенсии, а не шишкой какой-нибудь. О нем уже все забыли.

Катя была поглощена мыслями о кладе. Она одолжила металлоискатель на целую неделю и не собиралась сдаваться. Первая попытка провалилась, но это ни о чем не говорит.

— Я от своего не отступлю...

— Это без меня, — рассердилась Ирина. — Я больше не намерена шастать по ночным улицам. А если бы тот мужик нас догнал?

— Мы бы от него отбились.

— Что ж ты бежала, аж пятки сверкали? Металлоискатель в кустах бросила?

— Не бросила, а спрятала, — возразила Катя. — Он, между прочим, тяжелый, и тащить его неудобно. Надо пойти и забрать.

— Если его не украли. Не жалко чужую вещь?

— В тех кустах черт ногу сломит. Кто туда полезет?

— Учти, я за прибор платить не буду, — предупредила Ирина. — Мне что, деньги девать некуда? Ты брала эту штуковину, ты и разбирайся.

— Спасибо за совет...

На тарелках девушек остывала овсянка, бутерброды с сыром лежали нетронутыми.

— Ты чего не ешь? — хмуро осведомилась Катя, допивая чай.

— Не могу. Аппетита нет. Голова как чугунная. И вообще... зря я с тобой связалась.

— Интересно, что за мужик за нами гнался? Может, он тоже золото ищет?

Ирина потерла виски и застонала. Остаток ночи она провела в полудреме, просыпаясь от одного и того же кошмара. Будто она красится перед зеркалом, и вдруг оттуда тянется чья-то рука, хватает ее за горло и душит...

— Я отпуск взяла... за свой счет. Хочу отдохнуть.

— Вы сговорились с этой столичной фифой, Ларисой, за моей спиной? — возмутилась Катя. — Может, ты ей настучала, что на участке клад зарыт? Вот она своего хахаля и позвала на подмогу?

Ирина не выдержала, молча выскочила из-за стола и вышла из кухни. Катя в сердцах крикнула ей вслед:

— Давай, иди, докладывай ей, что у меня на уме!.. Подруга, называется!.. Отпуск она взяла!.. А мне ни слова!..

Катя злобно убирала посуду, когда из комнаты раздался истошный крик...

ГЛАВА 30

Ученый обошел дом со своим прибором, много говорил, показывал Ларисе стрелку, которая то дергалась, то замирала на месте, и в конце концов выдохся.

— Здесь, несомненно, отмечаются аномалии, — заключил он. — Вы спускались в подвал?

— В доме нет подвала. Только погреб, и тот в сарае для дров.

— Мне необходимо спуститься туда.

— Не сегодня, — охладила его пыл Лариса. — Дом достался мне в наследство, но право собственности пока не оформлено. Да и сорока дней со смерти хозяина еще не минуло. Признаться, мне неловко шарить по всем углам. Здесь еще витает дух покойного.

— Предрассудки! — отмахнулся Засекин. — Дух покойного, как вы изволили выразиться, не имел бы ничего против научных изысканий.

— Я в этом не уверена.

— А что зеркала? Вы видели в них чужие лица?

— Один раз... промелькнуло что-то. Если мне не почудилось. Но с тех пор больше ничего такого не повторялось.

— Вы позволите мне снять показания прибора с каждого зеркала? — взмолился «профессор». — Я попрошу у духа прощения за беспокойство.

Лариса пожала плечами. Засекин выглядел смущенным, влюбленным и одержимым. Должно быть, аномальные явления вызывали у него страстный интерес, который был сильнее чувства мужчины к женщине.

— Как хотите, — сказала она. — Но учтите, после смерти хозяина, зеркала оставались открытыми. Вас может ждать сюрприз.

— Сюрприз — это вы! — просиял он. — Вы читаете мои мысли. Если дух Сазонова все еще в доме, он покажется в зеркале... или даст о себе знать каким-нибудь иным образом.

— Вы не боитесь призраков, Аркадий?

— Я с ними не сталкивался лицом к лицу. Но мечтаю о встрече. В этом городе все аномалии связаны с прошлым. Гораздо более древним прошлым, чем считает ортодоксальная наука. Остатки каменных построек и дорог в приморской тайге до сих пор не исследованы. Не говоря уже о таинственных подземных туннелях, которые ведут в неведомый нам мир! Есть мнение, что исчезнувшая цивилизация добывала золото из недр вулканов и доставляла его наружу секретными путями. Это особое рудное золото необычного состава. Я намерен доказать, что золотые вулканические разработки на Курилах, Сахалине и Камчатке — не фантазия, а реальность. И подземные ходы, которые тянутся туда из Приморья, сохранились по сей день! За что, по-вашему, воевала Япония?

Он говорил с таким пафосом, что рассмешил Ларису.

— Вы надеетесь найти под этим домом подземный ход?

— Не верите? — обиделся Аркадий. — Печально известный дом Шувалова, которым интересовался ваш «извозчик», стоял на перекрестье подземелий. В таком месте возникает портал времени. Не исключено, что такой же портал будет обнаружен и в этом доме. Я не обещаю, но...

— Пойдемте пить кофе!

Лариса перевела разговор в другое русло из-за Шувалова. Воспоминания о злополучном происшествии пугали ее.

Гость охотно согласился подкрепиться и отправился за ней в кухню... вместе с прибором. Он установил аппарат на столе, и пока Лариса готовила нехитрое угощение, занялся измерениями.

— Я вижу след! — через минуту воскликнул Засекин. — Здесь недавно произошел сильнейший энергетический всплеск! Вон те черные отметины на стене... Откуда они?

— За этим столом умер Сазонов. Как раз там, где вы расположились.

«Профессор» замолчал, поправил очки и отодвинулся в сторону...

* * *

Москва

Ренат засел за онлайн-игру «Золотая Баба» и быстро прошел пару уровней. Это далось ему легче, чем в прошлый раз. Он заработал столько условных денег, что смог купить у Археолога карту туннелей, которые вели к сокровищам. Правда, карта оказалась слишком запутанной. Надо было найти местного колдуна, чтобы тот помог разобраться в лабиринте подземелий...

Параллельно Ренат обдумывал разговор с администраторшей казино. Эльвира, не подозревая о том, помогла ему «подключиться» к информационному каналу Лукиных. Она стала промежуточным звеном, которого не хватало. Теперь Ренат ломал голову, как использовать добытые данные.

Между тем в игре он отправился в тайгу и на пути к отдаленному селению попал в плен к бандитам, называющим себя красными партизанами, не сумел договориться с главарем шайки, и тот его прикончил.

По условиям игры «погибший» персонаж воскресал в самом неожиданном месте. Он очнулся в монгольском шатре среди воинов хитрого мелкопоместного князька, который приказал своим людям отобрать у пленника карту.

— Черт! Придется все начинать заново, — выругался Ренат.

«Взялся играть — играй! — поддал ему жару Вернер. — Нечего думать об одном, а делать другое! Если ты в компьютерном варианте дал маху, то в жизни тем паче останешься с носом!»

— Умеете вы поддержать, Вернер.

«Ты не спрашиваешь моих советов, а я не навязываюсь, — заметил гуру. — Я просто наблюдаю».

— «Золотая Баба» — ваших рук дело?

Сухой смех Вернера рассыпался по комнате. Ренат оглянулся, хотя эта перепалка осуществлялась исключительно в его сознании, и сплюнул с досады.

Пожалуй, единственный способ сделать шаг вперед, это встретиться с вдовой Лукина с глазу на глаз. Но как? Из квартиры генеральша не выходит, а Софья знает его в лицо и ни за что не допустит к матери. Все же он набрал ее номер.

— Это Ренат. Я беру вашу дачу в Песчаном. Вы покажете мне документы на участок? Я должен быть уверен, что они в порядке.

— Берете? — опешила женщина.

— Мне нравится вид на реку с холма. Остальное не важно. Я даже торговаться не буду. Заплачу, сколько сказали.

— Ну...

— Да или нет? — наседал «покупатель». — Я тороплюсь, потому что завтра еду в командировку.

— Вернетесь в Москву, тогда и поговорим, — нерешительно молвила она.

— Зачем же откладывать? Пока я буду в отъезде, мой нотариус подготовит все, что нужно для сделки. Или вы передумали продавать?

— Нет-нет... но...

— Вы посредник, а я хочу увидеть собственника, то есть вашу матушку. Надеюсь, она в здравом уме и памяти? Устройте нам свидание... желательно сегодня. Без этого не обойтись.

Софья не ожидала столь быстрого результата и не подготовилась.

— Сегодня?.. Я подумаю. Мама очень плоха... Вряд ли она сможет...

— Простите, но я настаиваю на личной встрече с собственником, — отрезал Ренат. — Вернее, с собственницей. Это мое обязательное условие.

— Хорошо... раз вы настаиваете...

Софья лихорадочно искала предлог отказать настырному покупателю, но ничего подходящего не шло ей на ум.

— Когда мне можно подъехать? — ковал железо тот. — Назначьте время. У меня день расписан по часам. Каждая минута на счету.

Он не давал ей опомниться, собраться с мыслями. И Софье ничего не оставалось, как уступить.

— Тогда... сегодня после обеда, в пять... Если мама будет себя нормально чувствовать... Ей нельзя волноваться.

— Взять с собой врача? — предложил Ренат.

— Это лишнее. У нас свой врач, мама к нему привыкла.

— Что ж, до встречи...

В трубке раздались гудки, а Софья все еще прижимала ее к уху. Неужели, дом наконец продастся?

— С кем ты говорила? — спросила генеральша. Что-что, а слух у нее был отменный.

Софья подошла к матери и поправила подушку у нее под головой.

— Нашелся покупатель на дачу. Он хочет тебя видеть.

— Не нравится мне твоя затея, дочка. Он был в доме?

— Вероятно, да. Я давала ему ключи.

— Причеши меня, — потребовала пожилая дама. — И подай нарядную блузку. У нас давно не было гостей...

ГЛАВА 31

Ренат собирался действовать по обстоятельствам. Ему еще не приходилось общаться с ведьмами. Это будет первый опыт.

Софья встретила его с надменным выражением лица и провела в гостиную. Она была одета по-домашнему, в темную тунику и лосины. Генеральша восседала на диване в окружении подушек. Ее больные ноги укрывал плед.

— Мама мерзнет даже летом, — объяснила Софья, указывая гостю на кресло. — Присаживайтесь. Она согласилась уделить вам не больше пятнадцати минут.

— Этого вполне достаточно, — улыбнулся Ренат. Он почувствовал, что сразу пришелся пожилой даме по душе.

— Евгения Павловна, — милостиво кивнула она головой.

Подкрашенные в синеву седые волосы, узкое лицо с прямым носом, небольшой рот. В молодости она отличалась редкостной красотой, чем и покорила будущего генерала Лукина. После его смерти она больше не выходила замуж. Репутация «черной вдовы» и шлейф зловещих слухов отпугивали претендентов на ее руку и сердце, если таковые появлялись.

Ренат сделал ей искренний комплимент, от которого генеральша расцвела. Зато ее дочь сердито нахмурилась.

— Могли бы мы поговорить наедине? — неожиданно заявил гость.

— Ни в коем случае! — всполошилась Софья. — Вы хотели убедиться, что собственница недвижимости жива и в своем уме? Так вот, она перед вами. Бумаги я приготовила.

Папка с документами лежала на столе, но Ренат не взглянул в ту сторону. Его вниманием завладела генеральша. Было в этой женщине нечто притягательное, несмотря на ее почтенный возраст.

— Выйди, Софьюшка, — твердо молвила она. — Молодой человек хочет говорить со мной, а не с тобой.

Дочь вспыхнула, но не стала возражать и вышла за дверь, оставив в комнате запах своих духов с фруктовой примесью. «Будет подслушивать, — подумал Ренат. — Что ж, тем лучше!»

— У меня к вам один вопрос, Евгения Павловна, — сказал он, наклоняясь вперед. — Что украл ваш супруг перед смертью?

Софья за дверью тихо ахнула. Но ее мать и глазом не моргнула. Генеральша обладала недюжинным характером, хотя тело ее старело и слабело.

— Это не относится к продаже дачи, — заявила она, сохраняя полное присутствие духа. — Но я отвечу. Мой муж не был вором. У него помутился рассудок... и он совершил ошибку, за которую дорого заплатили мы все.

Должно быть, она решилась на исповедь, чувствуя приближение конца. Кому она могла открыться? Часто люди облегчают душу перед незнакомым человеком, которого они видят в первый и последний раз. По какой-то неведомой причине Ренат внушил генеральше доверие. Он не только был готов выслушать ее, но и мог понять, отчего она страдает.

— Я знала, что муж умрет. Это было неотвратимо...

— И вы ничего не сделали?

— Я пыталась. Задолго до того дня, когда обнаружилась пропажа, я начала проводить ритуалы... которые, впрочем, оказались бесполезны против силы заклятия. Я читала специальные книги, пробовала то одно, то другое. Моя дочь подрастала, и я хотела оградить ее от ужасных последствий...

— Ее муж тоже должен был умереть?

— Да. Представляете, каково мне было осознавать это? Я своими руками разрушила счастье ребенка... Я плохая мать, никчемная жена. Мы с Лукиным часто ссорились, дело едва не доходило до потасовок. Во мне бушевала фурия, которая искала выхода... и не находила. Я словно зверь в клетке билась о прутья, ломая когти и зубы. Отчаяние и страх терзали меня...

Из-за двери раздался шум, словно что-то мягкое сползло на пол.

— Почему вы не признались мужу во всем? — спросил Ренат, прекрасно понимая, что останавливало эту женщину.

— Лукин бы решил, что я тронулась умом. Он и так что-то заподозрил. Он следил за мной, когда не был занят на службе... Когда мы переехали в Москву, обстановка еще больше накалилась. Здесь в квартире нам было тесно втроем. Я не имею в виду жилплощадь... Чтобы избежать семейных скандалов, муж купил землю под Калугой и начал строить дачу. Он думал таким способом разрядить обстановку, отвлечься.

— Генерал часто пропадал на стройке?

— Он искал отдушину. Вы бы на его месте наверняка сбежали от такой ведьмы, как я... У мужа был крутой нрав, но страсть, которую я ему внушала, спасала наш брак.

— А вы — ведьма? — улыбнулся Ренат.

— Смотря как судить. Есть во мне нечто темное, мутное, неподконтрольное. Если бы не это, ничего ужасного бы не случилось... Я никого не виню в том, что произошло!.. Только себя.

Софья за дверью совершенно затихла. Ренат опасался, что она в обмороке. Но прерывать генеральшу было нельзя. Потом он окажет помощь ее дочери, если та к концу разговора сама не очухается.

— Что же все-таки послужило яблоком раздора между вами и мужем?

— Этого я вам не скажу. Хоть режьте! Однажды я навлекла беду на головы своих близких... и теперь не знаю, как все обернется. Опасность продолжает существовать. Трое мужчин уже заплатили жизнью за мою опрометчивость! На очереди — четвертый...

— Вы на меня намекаете?

— Я не прощу себе, если... если...

Генеральша откинулась на подушки и тяжело задышала. Ее грудь судорожно вздымалась под блузкой, щеки побледнели. Она с трудом приподняла руку и указала дрожащим пальцем на стол.

— Лекарство... подайте лекарство...

* * *

Уссурийск

Катя бросилась на крик и увидела лежащую на полу подругу. Рядом валялась разбитая коробочка румян и кисточка. Видимо, Ирина красилась перед зеркалом и...

— Что с тобой?

Девушка пощупала ее пульс и с облегчением вздохнула. Ирина дышала, сердце ее билось. От прикосновения Кати она дернулась и открыла глаза.

— Что случилось? Чего ты кричала?

— Там... там...

— Где? — Катя повернулась и взглянула на зеркало, у которого они чистили перышки.

— Там... кто-то был...

— Тебе почудилось. А может, ты видела призрак Сазонова?.. Он рассердился, что мы приходили ночью искать золото, и решил отбить у нас охоту.

Ирина приподнялась, села и задумалась. Она вспомнила, что лицо в зеркале и правда походило на Сазонова. Тот же овал, щетина, нос с горбинкой. Только на голове — странный убор. Перья, бусины, кусочки меха...

— Помоги мне встать.

Катя подала ей руку, и девушка поднялась на ноги. Она с недоумением смотрела на разбросанные по полу румяна.

— У меня ужасно кружится голова...

Ирина покачнулась, но Катя ее поддержала и повела в комнату.

— Идем, тебе нужно прилечь. Ты просто перенервничала на похоронах, не выспалась. Отдохнешь, и все образуется. Держись за меня.

— Катюха... ты ничего от меня не скрываешь?

— Что я могу скрывать?

Катя заботливо уложила подругу на диван и взглянула на часы. Она опаздывает на работу!

— Мне пора бежать. Сиди дома, отсыпайся, ешь и никуда не выходи. Не хватало, чтобы ты на улице свалилась. Запрут в больницу, я тебе передачи носить не буду.

Ирина схватила ее за руку и повторила:

— Ты ничего от меня не скрываешь?

— Да что с тобой? — нахмурилась Катя. — То глюки, то навязчивые идеи. Может, тебе врача вызвать?

— Не надо... Я, наверное, переутомилась.

— Поэтому из квартиры ни ногой. Поняла?

Катя поспешно собрала волосы в хвост, накрасила губы и выпорхнула за дверь. Ирина осталась лежать, ощущая, как дрожит в теле каждая клеточка и на коже выступает холодный пот...

ГЛАВА 32

Засекин настоял, чтобы Лариса вернулась в отель. В доме Сазонова, по его мнению, долго находиться было нельзя.

— Эксперимент не удался, к сожалению, — оправдывался ученый. — Я зря отнял у вас время. Мой прибор зарегистрировал различные отклонения, но не выявил их причину. Я не нашел источника неприятностей.

— Не огорчайтесь, Аркадий. У вас есть еще шанс реабилитироваться.

Он отправился в номер отсыпаться, а Лариса переоделась в льняные брюки, блузку с короткими рукавами и позвонила Сане Мушкину.

Когда «опель» Мушкетера притормозил у гостиницы, она уже ждала на улице.

— Отлично выглядите, — одобрил он ее наряд. — Панаму взяли? Вам опять станет дурно.

— Не каркай! Скоро сумерки, — Лариса уселась в машину и надела шляпу из соломки, купленную вчера на лотке. — Поехали! Отвезешь меня к тому повороту, где мы заблудились.

— Зачем?

— Хочу погулять по памятным местам, — улыбнулась она. — Не бойся, тебя я с собой не возьму.

— Я и не боюсь! Но вас одну не отпущу.

Лариса не стала спорить.

— Где ученый? Почему вы не взяли его с собой?

Пассажирка промолчала и сделала вид, что дремлет. Поля шляпы закрывали от таксиста ее лицо. Тот хмыкнул и прибавил газу.

— Засекин вас клеит, как пить дать.

Лариса проигнорировала его смелое замечание. За окнами автомобиля мелькали разморенные зноем городские улицы.

— Он вам нравится? — не унимался парень. — Думаю, «профессор» страшный зануда и педант. Носится со своим прибором как одержимый. Знаю я таких! Они съезжаются на свои скучные конференции и несут всякую околесицу. Уши вянут слушать!.. Если честно, я сам интересуюсь аномальными явлениями. Но в переделах разумного. От бредовых теорий много вреда! Журналисты раздувают сенсации из пустячных фактов...

Лариса размышляла о своем на фоне его болтовни. Опять нигде в новостях она не нашла упоминания о трупе молодого человека с ножом в груди. Это и радовало, и пугало ее. Та страшная ночь в доме Ильи запечатлелась в ее сознании в мельчайших деталях. Неужели тело до сих пор не обнаружили? Пусть самозванец живет уединенно, но...

— Кажется, это здесь! — донеслось до нее.

«Опель» съехал на обочину и остановился в тени деревьев. От земли шел горячий воздух. Пахло пылью и сухой травой. От этого запаха в носу Ларисы защекотало, а на глаза навернулись слезы.

— Сиди в машине и жди меня, — приказала она Мушкетеру. — Я хочу прогуляться одна.

Тот сердито уставился на нее и дернул подбородком.

— Не вздумай меня преследовать! Ты всего лишь извозчик.

— Ладно, я понял, — обиделся он. — Мое дело баранку крутить.

— Правильно понял.

Лариса поправила шляпу и зашагала по проселку прочь от машины. Под ногами хрустел гравий, солнце медленно клонилось к закату. Гравий закончился, и потянулись две колеи с глубокими промоинами, полными стоячей воды. По бокам в посадках белел туман...

Дом вынырнул из зарослей, словно мираж. Лариса остановилась, подняла голову и ахнула. Она узнала деревянные ставни, крыльцо и печные трубы на крыше. Это был тот самый дом, куда Мушкетер привел ее на ночлег!

Ничто не указывало на смерть хозяина. Ставни открыты, на двери нет бумажки с печатью. Лариса не рискнула войти в дверь и решила обогнуть дом. Она почти не удивилась, застав то самое окно, через которое она сбежала, распахнутым настежь. Словно она только что покинула комнату. Ветер трепал занавески, герань на подоконнике перевернулась, и земля высыпалась из горшка. По спине гостьи прокатился озноб.

— Есть тут кто-нибудь? — громко спросила она. — Эй, хозяин!

За окном стояла тишина. Лариса представила столовую, где они с Ильей завтракали, и его мертвое тело на диване. При мысли, что труп до сих пор там, ее передернуло. Она заставила себя вернуться назад, поднялась на крыльцо и потянула за ручку двери. Та отворилась без малейшего скрипа, словно петли были недавно смазаны.

— Можно войти?

В доме отозвалось слабое эхо. Запах дерева, свечного воска и домотканых половиков казался знакомым. Лариса двигалась вперед, не чувствуя под собой ног. Неужели тление еще не тронуло покойника? Как врач, она не спутала бы этот «аромат» ни с каким другим.

На пороге столовой она остановилась и обвела ее взглядом: печь в изразцах, пузатый самовар на столе, блюдо с пирожками, брусничное варенье, чашки... фотография Унгерна на стене...

— Ой! — Лариса попятилась, заметив краем глаза мужские ноги, обутые в сапоги.

Чуда не произошло. Мертвый хозяин все так же сидел на диване, из его груди все так же торчал охотничий нож... а пятно крови ярко алело на белой рубашке.

К горлу женщины подкатила тошнота. Она подумала, что кровь давно должна засохнуть, а трупу в такую жару положено разлагаться. Но в столовой пахло лишь воском, вареной брусникой и сдобой. Через открытое окно из сада доносился птичий гомон, часть земли из перевернутого горшка чернела на полу. Герань не успела увянуть.

— Не может быть, — выдавила Лариса. — Это... умопомрачение...

Она приблизилась к столу и осторожно потрогала пирожок. Он не зачерствел! Лариса готова была поклясться, что тело Ильи еще не поддалось окоченению. Хотя по медицинским канонам...

«Логика — обманщица! — сказал бы Вернер. — Иногда вода течет вверх, а солнце всходит ночью!»

— Что происходит? — прошептала она, холодея.

«Психомантеум!» — вспыхнуло в ее сознании. Не задумываясь ни секунды, Лариса отправилась в странную комнату. Темные занавеси слегка колыхались, зеркала тускло мерцали во мраке. Казалось, она минуту назад встала с кресла, которое еще хранило ее тепло...

Убийца был где-то совсем рядом. Она ощущала его дыхание, его крадущиеся шаги. Он прикончил Илью, потому что... потому...

Лариса опустилась в кресло и зажмурилась. Когда она приподняла веки, ничего не изменилось. По правую руку от нее стоял столик со свечами. Она нащупала спички и зажгла фитилек. Язычки пламени окружили ее со всех сторон, отражаясь в серебристой амальгаме зеркал. Илья незримо присутствовал рядом. Его не упокоенный дух взывал к возмездию?..

Лариса вспомнила его невесту. Не психомантеум ли отнял у нее жизнь? Эти темные искры в мерцающих зеркалах, этот шорох портьер, свечной дым по капле высосали ее кровь, выпили ее силу.

«Нет... — прозвучало в ее ушах. — Нет!.. Нет...»

— Что же тогда? Оракул Мертвых питается флюидами живых. По-иному не бывает.

«Она часто приходила сюда... — ответил невидимка. — Но не Оракул убил ее...»

Жуткая догадка осенила Ларису. Она хотела вскочить, только тело не слушалось...

* * *

Москва

К генеральше пришлось вызывать «скорую», медики засуетились возле больной. Прогноз был неутешительный.

Заплаканная Софья догнала Рената на лестнице.

— Подождите! Куда же вы?

— Не хочу мешать докторам. Простите, если я невольно расстроил вашу маму.

— Невольно?! По-моему, вы специально довели ее до приступа! Я все слышала... я... — Она задохнулась от возмущения. — Решили под шумок ре... ретироваться?.. Это вы во всем виноваты! Зачем я пустила вас к матери? Чертова дача продолжает нас убивать...

Софья изливала свой гнев не по адресу. В ее глазах метался страх. Сболтнув лишнего, она прикусила язык.

— Вы ведь не за этим побежали за мной, — мягко промолвил Ренат.

— Кто вы?

— Тот, кто может избавить вас от проклятия. Вы похоронили отца и двух мужей. Неужели, вас это не мучит?

— Вы не имеете права упрекать меня... — поникла Софья. — Я жертва!.. Я сама... страдаю...

— Наверное, так и есть.

— Вы обманули меня. Вы не собирались покупать наш дом. Вы все придумали, чтобы... Какая же я дура!.. Я сама свела вас с матерью...

Она покачнулась и схватилась за перила лестницы. Ренат молча наблюдал за ее тихой истерикой. Генеральша вот-вот испустит дух, а проблема никуда не денется. Расхлебывать эту кашу придется дочери и внучке.

— Софья, теперь вся тяжесть ответственности ляжет на ваши плечи. Поймите, я вам не враг, а союзник. Вы что-то знаете?

Она зарыдала в голос, мотая головой. Ренат достал из кармана платок и подал ей. Этажом выше хлопнула дверь квартиры, кто-то вызвал лифт. Софья зажала рот ладонью, чтобы соседи не слышали ее рыданий.

— Вам не на кого рассчитывать, кроме меня.

— Почему я должна вам верить? — глотая слезы, выдавила она. — Зачем вы прикинулись покупателем? Зачем лгали?

— Как иначе я мог к вам подступиться?

— Что вам нужно на самом деле? Что вы выведываете, вынюхиваете?

— В вашей семье происходят ужасные вещи. Ваша мать умирает, на своей судьбе вы поставили крест... но у вас еще есть дочь. Как сложится ее жизнь, если вы...

— Замолчите! — выкрикнула Софья. — Не смейте!.. Это вас не касается... Мы сами как-нибудь разберемся!

Ренат сделал шаг вперед, взял ее за руку и сказал:

— Сейчас или никогда. Решайтесь!.. Вы догнали меня не для того, чтобы обвинить во лжи. Вы подсознательно ищете выход из тупика... Не скрою, я преследую собственный интерес. Однако это не исключает взаимной пользы.

— Какой? Что вам до нашей семьи?

— Откройте мне ваш секрет, Софья. Возможно, в этом — ваше спасение...

ГЛАВА 33

Уссурийск

Саня Мушкин получил прозвище Мушкетер не только из-за созвучной фамилии и внешнего сходства с отважным гасконцем. Его любовь к приключениям преобладала над остальными свойствами характера. Человек он был любознательный, увлекающийся и импульсивный. Мог ли он усидеть в машине, пока пассажирка бродила по зарослям в поисках загадочного дома?

Саня голову дал бы на отсечение, что у них с самозванцем вспыхнули взаимные чувства. Как тот смотрел на нежданную гостью! Какое у него было лицо!

— Он просто *обалдел*, — пробормотал таксист, закрывая машину. — Видно, не ровно дышит к женскому полу. А эта москвичка очень даже ничего. Романтическая встреча, луна, прекрасная незнакомка, ночлег под одной крышей... Они запали друг на друга! Верняк!

Поведение Ларисы подтверждало его смелые догадки. Стала бы она тащиться сюда без веской причины? Поскольку сам Мушкетер вдоль и поперек обследовал «чертово место», как он окрестил этот глухой проселок, и не обнаружил никакого жилого дома, его разбирало любопытство: что получится у приезжей.

Вдруг, ей больше повезет? Фортуна благоволит к влюбленным.

Саня дал ей отойти подальше, и, насвистывая нехитрый мотивчик, двинулся следом. Солнце садилось быстрее, чем он рассчитывал. Не успел Мушкетер оглянуться, как наступили сумерки. Помня прошлый неудачный опыт, он возил с собой навигатор. Заблудиться еще раз было бы верхом глупости.

Засекин не зря указал на «чертово место» как на то, где раньше стоял настоящий дом Шувалова. Видно, самозванец придумал себе легенду на исторической основе. Разводняк должен быть качественным, чтобы в него поверили. С этими мыслями таксист углублялся в лесопосадку, но женщина как сквозь землю провалилась.

Между тем почти стемнело, а фонарик он забыл в машине. Наткнувшись на острый сук, парень взвыл от боли. Если Лариса была бы поблизости, то он выдал бы себя с головой. Но ее — не было! Как и дома, который она разыскивала.

Мушкетер остановился и ощупал поврежденное предплечье. Глубокая царапина кровоточила. Вокруг — ни души. И теперь придется брести наобум в темноте. Знать бы еще, куда попадешь...

— Лариса! — позвал он, забыв о том, что намеревался проследить за ней. — Лариса!.. Ау!.. Эй!.. Лариса-а-ааа!

Ни ответа, ни привета. Парень кричал до хрипоты, но женщина не отзывалась. Он разразился бранью, проклиная и пассажирку, и самозванца, и свое любопытство. Какое ему, в конце концов, дело до чужих чувств? Зачем он всюду сует нос? Взбрело кому-то в голову назваться Шуваловым... на здоровье. Хоть папой римским!

— Лариса-а-аа! — кричал Мушкетер. — Эге-гей!.. Лариса-аа-ааа!

«Опять те же грабли, — отчаялся он. — Опять мы заблудились. Вернее, я! Может, они с Шуваловым целуются-милуются и пьют мартини, а я один в лесу. Как выбраться?»

Он оставил в машине не только фонарь, но и телефон. Чтобы тот ненароком не выдал его. Как будто нельзя было поставить гаджет на беззвучный режим.

— Кретин! Дебил! Во, влип...

У него возникло ощущение *дежавю*. Если бы не боль в предплечье, он бы подумал, что ему все почудилось. Поездка, Лариса, слежка... Какого беса он поплелся за ней? Пусть бы искала своего Шувалова хоть до второго пришествия.

— Больше я на этот крючок не клюну, — ворчал Мушкетер. — С меня довольно... Лариса-а-а... — тоскливо протянул он, и лесное эхо с удвоенной тоской подхватило его призыв. — Лариса-а-аа... Ау!..

* * *

— Вы? — удивился Засекин. — В такой час?.. Нет, не сплю... Выйти?.. Вы шутите... Да нет, чего мне бояться?.. Вообще-то я уже отдыхаю у себя в номере... Может, вы ко мне подниметесь?.. Я позвоню дежурной, и вас пропустят... Нет?.. Тогда отложим на завтра...

Голос в трубке настаивал на немедленной встрече. Ученый отнекивался, но все-таки сдался. Он не умел отказывать женщинам.

— Ладно, сейчас соберусь... В сквере?.. У киоска?.. Нельзя ли где-нибудь поближе?.. Хорошо... я понял...

Спустя десять минут Засекин шагал в сторону сквера. Нагретый за день асфальт щедро отдавал свое тепло. Синеватые фонари соперничали с лунным светом. Дома отбрасывали на мостовую черные тени. Компания молодежи распивала пиво в беседке. От нее отделился качок в шортах и майке с логотипом футбольного клуба.

— Эй, чувак, закурить есть?

— Что?.. — попятился «профессор».

— Не дрейфь, очкарик, — захохотал качок. — Я тебя бить не буду. Курить хочу! Сигареты есть?

Засекин с ужасом выдавил:

— Я не курю...

— Ну и мудак! Вали отсюда, пока я добрый!

Компания дружно заулюлюкала, а ученый чуть ли не бегом свернул в темную аллею сквера. В позднее время ходить на свидания — опасно для здоровья. Впрочем, он благополучно добрался до киоска, где днем продавали мороженое, соки и воду. Тут его обещала ждать настойчивая барышня.

Засекин остановился, озираясь по сторонам. У него в голове был сумбур, сердце учащенно билось. Не от предвкушения встречи, а от пережитого страха. Иметь дело с полтергейстом куда приятнее, чем с городскими хулиганами.

— Спасибо, что пришли, Аркадий...

Он чуть не подпрыгнул и неловко обернулся, чувствуя себя посмешищем. Барышня наверняка слышала оскорбления в его адрес. Но не подала виду.

— Вы выполнили мою просьбу?

— Да, — промямлил Засекин. — К сожалению, результат нулевой. Зачем вы вызвали меня из отеля? Я бы вам позвонил, как договаривались.

— Предпочитаю беседовать с глазу на глаз. Значит, вы ничего не обнаружили?

— Дом Сазонова чист... Вернее, там присутствуют следы негативной энергетики... но источника я не выявил.

— Только следы? — разозлилась барышня. — А куда же подевался источник?

— Этого я не знаю...

— Вашему изобретению можно доверять? Это не липа? Деньги вы с меня взяли, а в итоге — пшик!

— Я не давал вам никаких гарантий, — оправдывался ученый. — Вы сами требовали обследовать дом и участок с помощью моего прибора. Я сделал все что мог.

— Неужели, там ничего нет?

— Что вы имеете в виду? Скажите конкретно. Прибор зафиксировал аномалии, но...

— Попробуйте меня обмануть, Засекин! Мало вам не покажется.

— Вы мне угрожаете? — оторопел он. — С какой стати? Я вам верну деньги, но больше мне не звоните!

— Ладно, проехали. Я вам заплачу еще, если вы повторите эксперимент... но в другом месте.

— Нет уж, увольте, милая, — обиделся «профессор». — Я не потерплю такого тона.

— Извините, я погорячилась. Поймите, для меня это вопрос жизни и смерти.

— Всё так серьезно? — Засекин пристально уставился на собеседницу. — Ночью, когда я хотел обследовать участок возле дома Сазонова, там околачивались две подозрительные девицы. Они бросились бежать, я пустился вдогонку. Мне показалось, одна из них чем-то смахивала на вас...

— Вам показалось! — отрезала девушка.

— Вы используете меня втемную? Это нечестно. Я имею право знать, что именно вас интересует. Я ведь рискую... своей репутацией.

— Вы получили деньги за работу.

— Я готов их вернуть, — вспылил Засекин. — Меня не устраивает такое положение вещей. К чему эта конспирация? Чего вы боитесь?

— Лучше оставайтесь в неведении, для вашего же блага.

— Значит, вы обо мне заботитесь?

— Ваш прибор — моя последняя надежда.

Они стояли друг напротив друга в темноте, полной ночных шорохов. Барышня была в джинсовом костюме, делающим ее похожей на подростка. Рядом с ней «профессор» выглядел дедушкой. Он почувствовал этот разительный контраст и смутился. У него могла бы быть такая дочь, а он посвятил жизнь сомнительным теориям. Время упущено безвозвратно.

— Послушайте, я рад оказать вам услугу, — пробормотал он. — Дайте мне наводку. Какой-то намек. Может, я подскажу вам иной способ разрешить проблему?

— Насколько у вас близкие отношения с новой хозяйкой? Она пустит вас еще раз в дом?

— Лариса — милейшее создание. Она мне глубоко симпатична. Не знаю, насколько я интересен ей как мужчина, но… как ученый я ей еще пригожусь.

— Это было бы хорошо.

Барышня задумалась, глядя на одинокий фонарь в конце аллеи. Она любила гулять в позднее время суток; пустынные улицы и аллеи парка не пугали ее. Она не боялась мрака.

— Вы согласны обследовать квартиру, которую я вам укажу?

— Если ее не придется взламывать, — улыбнулся Засекин. — Я не преступник, а законопослушный гражданин.

— Вам не придется нарушать закон, — барышня протянула ему два ключа на брелоке. — Днем жильцы будут на работе, а вы в это время проверите каждый уголок. Пол, стены, мебель… впрочем, вам виднее.

— Что происходит в этой квартире?

— Обратите особое внимание на зеркала. В них отражаются чужие лица… Ваш прибор реагирует на призраков?

— Должен. Я сконструировал его таким образом, чтобы…

В кустах за его спиной затрещали ветки. Он обернулся и заметил какое-то движение в темноте, сопровождаемое шумом листьев и сопением.

— За нами следят! — воскликнул он. — Вон, оттуда! Вы что-нибудь видите?

Засекин сгоряча сунулся было в заросли, но передумал. Возраст у него не тот, чтобы бегать по кустам за шпионами. Сердце пошаливает, одышка. Он вернулся к киоску и… никого там не застал. Его собеседница исчезла…

ГЛАВА 34

Москва

Софья говорила торопливо, сбивчиво, перескакивая с одного на другое. Она очень волновалась. В квартире на руках врачей умирала ее мать, а она... вместо того, чтобы быть рядом с ней, стоит на лестнице с почти незнакомым человеком, аферистом, который обманом проник к ним в дом и довел больную женщину до сердечного приступа.

«Что я делаю? — с ужасом думала Софья, не в силах остановиться. — Я предаю свою семью! Но у меня нет иного выхода. Всё зашло слишком далеко!.. Мне протягивают руку помощи, и я рискну принять эту помощь, от кого бы она ни исходила. Пусть я совершаю роковую ошибку... хуже уже не будет».

— Мама долго держала в секрете эту беду. Она верила, что сможет справиться. Не тут-то было...

— Я слышал, она ведьма, — сказал Ренат. — Это так?

— Ее незаслуженно считают ведьмой! Даже отец так считал. Они часто скандалили на этой почве. Отец был военным, на руководящей должности... Сами понимаете, чего ему стоили дурацкие слухи, распускаемые о маме!.. Она не виновата. Ей пришлось заниматься колдовством, чтобы... избавить нас от кошмара, который свалился на ее голову...

— Причина ваших несчастий — в старом деревянном ящике?

— Глупо звучит, да? Тем не менее мама призналась, что именно ящик круто изменил ее судьбу. Она работала в музее Уссурийска и однажды задержалась там дольше обычного. Разбирала бумаги, возилась с экспонатами из запасника, когда в дверь кто-то постучался. Это был мужчина...

Ренат слушал, и перед ним возникали отрывочные картины, иллюстрирующие историю Софьи. Полутемное помещение, молодая дама, человек в грязной одежде, обмен тихими репликами...

— Пришел водопроводчик, который ремонтировал трубы в соседнем доме. Он объяснил, что обнаружил в подвале среди хлама старинный деревянный ящичек с клеймом на дне. Тот отлично сохранился, и рабочий решил отнести находку в музей.

— Он открывал крышку? — спросил Ренат.

— Нет. Крышка была на замке, и водопроводчик сказал, что не хотел ее ломать.

— Я бы не поверил. Рабочий нашел в подвале ящичек и не заглянул внутрь? А вдруг, там золото или драгоценности, припрятанные на черный день бывшими жильцами? Я бы непременно полюбопытствовал.

— Мама тогда не придала этому значения... а потом было поздно...

Ренат мысленно «увидел» человека в комбинезоне, сидящего на корточках. Свет фонаря падал на его лицо, обросшее щетиной. Всё остальное тонуло во мраке. Внезапно фонарь погас, а человек испуганно вскрикнул и выругался. Что-то звякнуло. Очевидно, водопроводчик выронил инструмент, которым пытался вскрыть крышку ящика.

— Когда рабочий ушел, мама открыла ящичек, — прошептала Софья, словно кто-то мог ее подслушивать. — Замок проржавел и легко поддался... С того момента начались неприятности. У мамы в голове звучали чужие голоса, а в зеркалах отражались чужие лица...

— Что было в ящичке?

Она не успела ответить. Наверху открылась дверь, и мужской голос позвал ее.

— Это врач... Мама! — простонала Софья и побежала по лестнице.

Ренат понял, что послужило «яблоком раздора» между генералом и его женой. Ящичек, принесенный водопроводчиком в музей! Искушение оказалось слишком велико, и молодая сотрудница не выдержала. Вместо того чтобы оставить находку в запаснике и показать коллегам, она решила присвоить ящичек себе.

Ренат поднял голову и посмотрел в лестничный пролет. Пылинки танцевали в солнечных лучах, падающих из окон. Софья скрылась в квартире, где доживала последние минуты ее мать, которая не успела рассказать главного: что она узрела под крышкой. И теперь уже не расскажет. Смерть сомкнет ей уста.

«Генеральша должна была поделиться этим с дочерью и внучкой, — подумал он. — Я бы на ее месте предупредил их об опасности. Что еще она может сделать для них, уходя?»

В его сознании замелькали картинки прошлого несчастной семьи...

Покойный Лукин следил за женой, но та тщательно скрывала ящичек от всех. Вернее, его содержимое. Только после переезда в Москву генералу удалось добраться до основного колдовского атрибута!.. Во время ремонта он случайно наткнулся на тайник. Как это произошло? Очевидно, он выносил в кладовую строительные отходы, которые могли еще пригодиться, наводил там порядок и... ящичек каким-то образом попался ему на глаза. Лукин решил вопрос кардинально: реквизировал подозрительный предмет и увез на дачу в Песчаном.

Генеральша обнаружила пропажу и запаниковала. Она заглядывала в ящичек в надежде, что у нее помрачение рассудка, которое вот-вот рассеется. Убедившись в обратном, женщина пришла в отчаяние. Тогда и произошла безобразная ссора между супругами, свидетельницами которой стали Софья и Эльвира.

Лукин не сознался в краже, считая свой поступок единственно правильным. Желая предупредить возможный визит жены на дачу, отправился туда, чтобы...

— Перепрятать похищенное! — вырвалось у Рената. Его слова подхватило эхо и унесло вверх. — Что же это было, черт возьми?..

* * *

У парадного стояла карета «скорой помощи». Ренат объехал ее и свернул за угол соседнего дома. Следом за ним со двора выехала забрызганная грязью легковушка.

— А вот и ты, приятель! Мог бы, между прочим, машину помыть. Не стыдно таким замарахой по столичным улицам кататься?

Появление серого «рено» подбодрило Рената. Слежка возобновилась, значит, все идет своим чередом. Он крутил руль и поглядывал в зеркало, не отстал ли преследователь. Пусть сидит на хвосте как можно дольше.

Ренат чувствовал себя участником онлайн-игры «Золотая Баба», где часто имели место гонки с преследованием. Азарт захватил его. Он представил себе молодого человека, который наблюдал за ним возле монастыря, сопровождал в аэропорт и в Песчаное, в казино и в кафе, а сегодня поджидал во дворе дома, где проживали генеральша и ее дочь. Это был парень спортивной наружности; ума ему не занимать, но филер из него никакой. Он давно выдал себя и даже не заметил, что рассекречен. Его машина уступала в скорости внедорожнику Рената, но тот был готов поиграть в поддавки!

Он резко свернул налево, уводя «рено» с загруженной трассы на тихую городскую улочку. Петляя по переулкам, он старался не отрываться от преследователя, и когда тот потерял бдительность, юркнул в проходной двор, дал газу и обогнал соперника.

Водитель «рено» спохватился, с опозданием сообразил, что потерял объект из виду, повернул наугад, заглядывая во дворы, и вскоре... наткнулся на исчезнувший джип. Тот стоял на приколе в тени старого клена. За тонированными стеклами было не видно, есть кто-то внутри или нет.

«Рено» припарковался неподалеку, и водитель продолжил наблюдение. Из джипа никто не выходил. Преследователь, — парень в джинсах и оливковой тенниске, — не выдержал, приоткрыл дверцу, пригнулся и через минуту оказался рядом с кабиной «хендая». За рулем никого, в салоне тоже пусто.

Парень поправил темные очки и осмотрелся. На пыльной траве валялся спущенный детский мяч, уныло поскрипывали качели. Вокруг — ни души. Лавочки, где обычно обмениваются сплетнями пенсионерки, свободны; ни одной мамаши с ребенком не видать. Только воробьи, чирикая, порхают с ветки на ветку. А в кустах дрыхнет упитанная дворняга, которая и ухом не ведет.

Водитель «рено» постоял, растерянно глядя на двери подъездов. За любой из них мог скрыться хозяин джипа. Ждать, пока тот выйдет? На это можно потратить кучу времени. Парень что-то проворчал себе под нос и вернулся к машине. Он оставил дверцу открытой, и в салон налетели мухи.

— Кыш!.. Кыш!.. — отмахивался молодой человек, усаживаясь за руль. Не успел он включить зажигание, как что-то твердое и холодное уперлось ему в затылок.

— Сиди смирно, — приказал мужской голос. — Не то твои мозги вылетят наружу. Это ужасно неприятно.

— В-вы кто?

На лобовом стекле автомобиля играли солнечные зайчики. Парень уставился на них, боясь повернуть голову. Вдруг, незнакомец выстрелит?

— Какого черта ты за мной следишь? — процедил тот.

— Я... я... не слежу...

— Тебя зовут Денис, верно? Денис Ченцов. Твои документы лежат в бардачке. Я проверил.

— Н-ну...

Молодой человек взял себя в руки, но не спешил отвечать на вопросы. Ему было выгодно прикидываться испуганным, изображать жертву. Ренат заметил его хитрость.

— Меня тебе не удастся обмануть. Не тот случай.

— Что вам нужно? — поежился Денис. — Вы грабитель?

— Не валяй дурака! Ты отлично знаешь, с кем имеешь дело: давно пробил по базе мои номера. Сразу после монастыря. Ты думал, все шито-крыто?

— Я не понимаю, о чем вы...

Он продолжал ломать комедию, что не на шутку разозлило Рената.

— Мне некогда с тобой панькаться, Ченцов. Пристрелю, и дело с концом. У меня нервы шалят. Я за себя не отвечаю.

— Вы не убийца. Вы... дизайнер. Бывший...

— А ты — хакер! Занимаешься типа компьютерными играми, а сам за отдельную плату работаешь на бизнес. Ты — шпион!

— Я классный специалист, — возразил парень. — Кто вам рассказал обо мне?

— Не важно. Тебя нанимают для взлома информационной базы конкурентов. Твоя деятельность приносит неплохой доход. Чего тебе не хватает? Какого черта ты следил за братом Онуфрием?

— Из любопытства. Присматриваю себе обитель, чтобы удалиться на покой, когда меня всё достанет.

— Онуфрий во время армейской службы строил дачу генералу Лукину и этим привлек твое внимание. Я угадал?

Денис не ожидал такого поворота и перестал контролировать свои мысли. Это позволило Ренату уловить то, что парень хотел скрыть. *Тот невольно вспомнил заброшенную генеральскую дачу, засыпанный мусором пол и... короткую схватку в темноте комнаты.*

— Так вот, кто огрел меня тогда по затылку! — вырвалось у Рената. — Как твой нос, кстати? Зажил? Прости, если я перестарался и превысил необходимую оборону.

Программист машинально коснулся носа, чем рассмешил своего обидчика.

— Я вижу, вы умеете взламывать мозги... — опешил он. — Это почище, чем залезть в чужую базу. Хотя похоже.

— Кто на что учился. Так зачем ты напал на меня в Песчаном?

— Я испугался. И решил действовать на опережение.

— Что ты делал ночью в чужом доме?

— Зашел... справить нужду, — солгал парень, изо всех сил сопротивляясь воле Рената. — Я допоздна ловил рыбу, потом...

— Не ври. Генеральский дом в поселке обходят стороной. Ты не мог не знать об этом.

Денис относился к категории людей, которые поддаются ментальному воздействию. У него развязался язык, и он ничего не мог поделать. Твердый предмет, которой упирался в его затылок, был похож на ствол. Парень не верил, что собеседник выстрелит, но ему было не по себе. В жизни всякое случается.

— Я знал... — медленно произнес он. — Я хотел поглядеть на... стену...

— Закрашенную зеленой краской?

— Да. Я думал, ночью там никого не будет... Я наткнулся на вас в темноте и принял за... за...

— Как ты вышел на меня? Через Онуфрия?

— У него есть дочь... Лариса. Она навещает его в обители...

— Мне это известно. Зачем тебе Лариса?

— Я... она...

— Не мямли!.. Я теряю терпение! — прикрикнул Ренат.

— Это касается компьютерной игры...

— «Золотая Баба», что ли?

— Вы догадались?.. Генеральский дом в Песчаном входит в сюжет... Его необходимо реально посетить, чтобы...

ГЛАВА 35

Уссурийск

В психомантеуме время остановилось. Лариса до боли в глазах всматривалась в мерцающее зеркало, отраженное в других зеркалах. На тумбочке, оплывая, догорали свечи. Пахло растопленным воском и пылью, набившейся в драпировки.

Лариса утонула в глубоком кресле, растворилась в тишине комнаты. Она забыла о мертвом самозванце с ножом в груди, о Мушкетере, который ждал ее в машине на проселочной дороге... обо всем, кроме этих зловещих зеркал и ярких свечных огней.

Когда из серебристого марева выступила длинная, тонкая фигурка девушки, у Ларисы по телу прокатился ледяной холод, тут же сменившийся жаром. Щеки ее пылали, сердце учащенно забилось.

— Кто ты? — обратилась она к девушке.

Та молча покачала головой, увенчанной прической из кос. Эти косы, платье до пят и горделивая осанка показались Ларисе знакомыми.

— Кто ты? — с дрожью в голосе повторила она.

Ответ прозвучал в ее уме раньше, чем шевельнулись уста призрака.

— Не может быть, — прошептала Лариса, вцепившись в подлокотники кресла. — Это невозможно!..

— Наконец мы с тобой встретились...

Лариса оцепенела. Глаза призрака светились из-под ресниц, словно две крошечные луны, закрытые перистыми облаками.

— Ты... невеста Ильи Шувалова?

— Я была ею... пока мы не расстались... — молвил призрак. — Смерть разлучила нас...

— Из-за чего ты погибла?.. Зеркало выпило твою жизнь?

— Я слишком много смотрела в него... говорила с ним... Ради Ильи!.. Он просил меня...

— Он погиб по той же причине?

— Его убил связной барона Унгерна... Илья был обречен...

— Связной барона? — поразилась Лариса. — Ты ничего не путаешь?

— За кого ты меня принимаешь? — печально улыбнулся призрак. — Я говорю правду...

— Илья... его тело все еще находится в гостиной. Как это возможно?.. Прошло столько лет, а он...

— Он заплатил жизнью за мою ошибку...

— Какую ошибку ты сделала? — Лариса привстала, опасаясь, что девушка исчезнет и не успеет рассказать ей главного. — В чем был твой просчет?

— Зеркало!.. Оно...

Внезапный сквозняк всколыхнул драпировки и задул свечи. Психомантеум погрузился в кромешную тьму. Лариса, вне себя от ужаса, пыталась нащупать спички, но вместо тумбочки наткнулась на что-то шершавое и вскрикнула. Ладонь пронзила острая боль...

Мужской голос окликнул ее. «Убийца!» — запаниковала Лариса и, сломя голову, бросилась наутек. Что-то било ее по щекам, кто-то цеплялся за ее одежду. Она вырывалась и бежала дальше. Убийца догонял ее. Она слышала сзади шум его шагов, краем глаза замечала отблески света. Этот свет неумолимо приближался. Нога

Ларисы куда-то провалилась, подвернулась, она потеряла равновесие и покатилась вниз...

«Лестница! — догадалась она, продолжая падать. — Я оступилась и лечу вниз! Мне конец!»

Словно в подтверждение ее мысли свет померк, падение прекратилось, и наступила глухая тишина...

* * *

Мушкетер осторожно спускался по склону, держась за ветки молодых лиственниц. Луч фонаря, которым он освещал себе путь, замер и скользнул слегка вправо.

— Блин!.. Что за черт?

Парень наклонился над бесформенной грудой, при ближайшем рассмотрении оказавшейся... телом женщины.

— Лариса! Это вы?..

Тело не подавало признаков жизни, и таксист, преодолевая страх, дотронулся до него. Неужели, труп? Этого только не хватало. Мушкетер попятился, уперся спиной в тонкий ствол дерева и провел рукой по лицу.

Женщина лежала неподвижно, к ее одежде прилипли сухие листья, травинки и хвоя. Молодой человек опустил фонарь и глубоко вздохнул. Вот, угораздило! Второй раз он попадает в неприятности с этой москвичкой. И опять на проклятом проселке.

— Что за хрень...

Он подавил желание оставить все как есть, выбраться отсюда, сесть в машину и уехать.

— Подло бросить женщину умирать, если она еще жива...

С этими словами Мушкетер шагнул вперед, опустился на корточки и пощупал пульс на руке Ларисы. Ее сердце билось, и у него отлегло от души.

Он бродил по лесопосадке, услышал хруст веток и поспешил на шум в надежде, что это Лариса. Все верно. Она и есть... Кто-то ее преследовал. Но кто?

Таксист поднялся на ноги и посветил фонариком в разные стороны. Склон, поросший молодняком, был пуст, вокруг никого. Парень более внимательно осмотрел бесчувственную Ларису. Кроме ссадин и царапин, ничего серьезного. Падая, она могла удариться обо что-то головой и потеряла сознание. Значит, она искала дом Шувалова, заблудилась и вот... теперь придется тащить ее на себе.

Мушкетер уложил ее поудобнее и похлопал по щекам.

— Лариса... Лариса... вы меня слышите?

Ее веки дрогнули и приоткрылись.

— Это я, Саня Мушкин! Я привез вас сюда... Помните?

— М-мушкин?..

— Я таксист, — объяснял он. — Ваш личный извозчик.

— А-а...

— У вас что-нибудь болит?

— Голова...

Сколько времени прошло с тех пор, как она отправилась на поиски загадочного дома, Мушкетер точно не знал. Если судить по часам, не так уж и много. А если по ощущениям... чуть ли не сутки. Лариса ушла, он остался в машине... не усидел и двинулся следом за ней. Любопытство до добра не доводит, как говорит его мама. Она права.

— Руки-ноги у вас, кажется, целы, — заявил он. — Встать сможете? Я помогу.

Ему не сразу удалось поднять Ларису. Но со второй попытки она вцепилась в него и удержалась на ногах.

— Голова кружится...

— Как вы здесь очутились?

— За мной гнались...

— Кто? — спросил Мушкетер. — Самозванец?

— Не знаю...

— Я долго ждал вас в машине, заволновался и пошел искать. Но вы как сквозь землю провалились. Я бродил по лесу, звал вас... но вы не откликались.

— Я ничего не слышала...

— Вы нашли дом?

— Убийца... — пробормотала Лариса. — Он был там... он...

— Где?

— В доме! — Она осеклась и прикусила язык. Упоминать о трупе не в ее интересах. Что сказала его невеста? Кажется... его убил связной Унгерна! Но это же бред...

— Вы были в доме самозванца?

Лариса поняла, что проболталась, и молча потрогала голову. Она сильно ударилась, когда падала. Под волосами образовалась болезненная на ощупь припухлость.

— Мне почудилось, что... в общем, не обращай внимания. Голова болит... Наверное, у меня сотрясение мозга.

— Вам в больницу надо, — всполошился таксист. — Идемте к машине. Правда, это далеко... Держитесь за меня, крепче.

— Заедем по дороге в аптеку, купим обезболивающее.

— В аптеку, — проворчал Мушкетер. — Нам бы до проселка доковылять...

* * *

Девушка, с которой Засекин встречался в сквере, была сотрудницей социальной службы. Она дала ему ключи от квартиры, чтобы он обследовал ее с помощью своего прибора.

В десять утра ученый открыл чужую дверь и оказался в типовой прихожей с подержанной мебелью. Недорогие съемные квартиры похожи одна на другую. Унылые обои, обшарпанные углы, видавшие виды вещи и въевшийся в стены запах кухни. Даже яркие абажуры и цветы в горшках не скрашивали это временное пристанище. Ничего менее загадочного невозможно себе представить.

Впрочем, большинство паранормальных явлений, наблюдаемых в Уссурийске, связаны с далеким прошлым. Эта пятиэтажка может быть построена на месте бывшего погоста, тюрьмы или упрятанных в глубине земли туннелей.

Засекин обошел комнаты, заглянул в каждое зеркало, но ничего не увидел, кроме собственного лица. Звонок сотового застал его за настройкой прибора.

— Вы на месте, Аркадий? — осведомился женский голос.

— Да. Я еще не приступил к делу, но...

— Поторопитесь.

— А что, жильцы могут вернуться? — испугался он. — Вы заверили меня в обратном. Я понадеялся...

— Всякое может случиться, — перебил голос. — Лучше не испытывать судьбу.

— Не нравится мне это слово... «судьба»! Какая-то роковая предопределенность! Словно человек сам себе не хозяин.

— Вы все-таки поторопитесь, Аркадий. Как вы будете объясняться, если вас застукают?

— Вы гарантировали мне безопасность.

— Разве в этом мире существуют абсолютные гарантии? Никто ни от чего не застрахован. Ни вы, ни я, ни все прочие.

— Тогда я умываю руки, — запаниковал «профессор». — Зачем мне конфликт с законом? Я...

— Боюсь, во второй раз я не смогу дать вам ключи.

— Что же мне делать, если вдруг...

— Выпутывайтесь, как знаете, — холодно молвил голос. — Только не вздумайте сваливать все на меня. Вы же мужчина, в конце концов.

— Да, да. Хорошо, я понял...

Засекин нажал на кнопку отбоя и вытер выступивший на лбу пот. Пора приниматься за работу. Он настроил прибор и подошел к самому большому зеркалу. Показатели были почти в норме. В зеркале отражалась часть убогого интерьера и ничего больше. Ученый разочарованно вздыхал, поправлял очки, потел и нервно поглядывал на часы. Стрелки двигались с удивительной быстротой, подгоняя его. До обеда он обязан управиться.

Прибор хандрил, Засекин злился и не услышал тихого щелчка. Входная дверь, которую он оставил открытой, медленно отворилась...

ГЛАВА 36

Москва

То, что Денис Ченцов принимал за ствол, упершийся ему в затылок, оказалось зажигалкой в виде пистолета.

— Я нашел его в бардачке твоей машины, — со смехом сообщил Ренат, устраиваясь на переднем сиденье. — Ты поверил, что я могу выстрелить?

— Почему бы нет, — нахмурился программист. — Психов хватает. И вы — один из них.

Ренат нажал на курок, и на кончике дула вспыхнул язычок пламени. Это еще больше разозлило Дениса. Его провели, как лоха, и он из охотника превратился в жертву.

— Ты куришь? — как ни в чем не бывало, осведомился обидчик. — Или держишь эту штуковину, чтобы пугать приятелей? Таких же помешанных айтишников, как сам?

— Почему это айтишники — «помешанные»?

Вместо ответа Ренат задал встречный вопрос:

— Игра «Золотая Баба» — твое изобретение?

— Я сделал свою работу, художник — свою. Мы запустили игру в Сеть, вот и всё.

— А сюжет кто придумал? Ты?

— Ну, допустим, я, — заерзал парень. — Что, не понравилось?

— Банальная история. Древнее золото, археологические раскопки, таежные банды, Белая гвардия, барон Унгерн, какой-то граф Шувалов. Кому это сейчас интересно?

Разговор подбирался к опасной черте, за которую Ченцов переходить не собирался.

— Мы создаем игры на любой вкус. Выбор за потребителем. Вот вы почему про «Золотую Бабу» спрашиваете?

— Клад отыскать хочу! Пещеру с золотом чжурчженей. Одно мне непонятно: при чем тут генерал Лукин?

Денис отвел глаза. Правда слишком невероятна, а ложь сейчас не пройдет. Этот бывший дизайнер видит его насквозь.

— Вы играть пробовали? До какого уровня добрались?

— Значит, о Лукине ты говорить не желаешь, — усмехнулся Ренат. — Так я и думал. На кого рассчитаны эти хитрые приемчики? Игра, слежка...

— Я вас не понимаю.

— Брат Онуфрий знает, где клад закопан? Поэтому ты следил за ним? Не проще ли было пойти и спросить?

— Не проще! — огрызнулся программист. — Так он мне и скажет! Я хоть и «помешанный», но не дурак.

— Вижу, ума тебе не занимать. А все-таки, кто сюжет для «Золотой Бабы» придумал?

— Далась вам эта «Баба»... — сопротивлялся Денис.

— Откуда взялась такая тема?

— Один... человек принес. Лично передал флешку с сюжетом. Стремный тип! Голова лысая, как кегля, а глазищи... — парня передернуло, когда он вспомнил тяжелый взгляд незнакомца. — Меня жуть пробрала от него. Он говорил, я слушал... Потом он ушел, а я еще час сидел, как вкопанный, втыкал...

— Его Вернером звали?

— Не помню. Он всё четки зеленые перебирал и посмеивался... У меня его голос до сих пор в ушах звучит!..

Денис взмок от нервного напряжения, у него под мышками расплылись темные пятна. Он выбалтывал то, о чем должен был молчать, и ужасно переживал.

— Кто тебя на брата Онуфрия навел?

— Я сам разузнал...

— Каким образом? Через кого? — наседал Ренат.

— Генерал Лукин... у него осталась семья. Я и подумать не мог, что... что... Глаза программиста непроизвольно закрывались, голова клонилась вперед, словно он погружался в гипнотический сон; язык плохо слушался.

— Тебе что-нибудь известно о свертке, который был спрятан на даче Лукиных? Что в нем хранилось?

— Сверток в сюжете присутствует... но его содержимое... загадка...

— Ты пытаешься раскрыть эту загадку?

— От этого... зависит моя жизнь... — прошептал Денис.

— Поэтому ты следишь за мной? Думаешь, я вытащу для тебя каштан из огня?

— В моей ситуации все средства хороши...

* * *

Софья билась в рыданиях, подруга ее успокаивала. Эльвира приехала тотчас, как только узнала о смерти генеральши.

— Надо готовиться к похоронам. Ты родственникам сообщила?

— У нас нет родственников, — простонала Софья, заливаясь слезами. — Теперь, когда мама ушла... я осталась совершенно одна...

— Как одна? А твоя дочка?

— Я не знаю, где ее искать... Она не отвечает на звонки. Наверное, поменяла симку...

— Вы так сильно поссорились? — посочувствовала Эльвира. — Неужели, она не придет проститься с бабушкой?

— Как я с ней свяжусь? Я даже не знаю, в Москве она или нет.

— А ее подруги? Парень, с которым она встречается? С ними ты можешь связаться?

— У нее нет подруг. И насчет парня... она со мной не делилась. Она ужасно скрытная!.. Лишнего слова не вытянешь...

Софья плакала, не понимая, что ей делать. Прав был человек, который притворялся покупателем. После смерти матери вся ответственность за происходящее свалилась на нее, а она к этому не готова. Дочка не зря сбежала из семьи, где творятся страшные вещи. Она не хочет такой же несчастной судьбы.

В квартире еще стоял запах лекарств. Диван, где лежала генеральша, опустел. На спинке кресла висела шаль, которая ей больше не понадобится. Софью затопило отчаяние.

— Мне выть хочется! — сквозь слезы призналась она. — За что нам эта кара?

— У каждого свой крест. Вот я сына теряю... и ничего поделать не могу. Есть в этом моя вина или только его? Кто рассудит? Личная жизнь тоже не сложилась...

— У тебя хотя бы любовник, а я уже много лет одна.

— Что толку от молодого любовника? — вздохнула Эльвира. — Сегодня он со мной, а завтра... Если честно, то я покупаю его привязанность. Не будь у меня денег, он бы на меня и не взглянул. Я даю ему заработок, он ублажает меня в постели. Где тут большое и чистое чувство?.. Сплошная корысть!

— Все равно, Эля... тебе легче найти себе мужа. По крайней мере, он не умрет через пару лет после свадьбы. Знаешь, как нас с мамой называют?.. Черные вдовы.

— Это предрассудки.

— Если бы! Если бы так!.. Но нет. Над нами тяготеет проклятие... Я будто ощущаю крылья смерти за своей спиной. Только подстерегает она не меня, а моих возлюбленных... После смерти первого мужа я убивалась от горя, но у меня была надежда. После смерти второго мать сказала мне, что...

Софья задохнулась от рыданий, уткнувшись лицом в плечо подруги. Кофточка Эльвиры промокла от ее слез. Она гладила Софью по голове, как ребенка. Слова утешения иссякли. Кто бы ее саму утешил!.. Сын погибает от наркотиков, а она бессильна что-либо изменить.

— Наверное, зря я пошла работать в казино, — вырвалось у администраторши. — Нечистое это место! Хоть и говорят, что деньги не пахнут... но расплата наступает. Игорный бизнес разъедает душу. Чем больше проиграют клиенты, чем богаче становится наше заведение. Это грех!

— Они сами идут играть...

— Наркотики люди тоже сами употребляют. Значит, они во всем виноваты?

— Жизнь полна ловушек. Но никто не учит, как их избегать. Что же будет? Что же с нами будет?

Они плакали, обнявшись, как две сестры. Слезы не принесли облегчения. Эльвира успокоилась первой и сказала:

— Надо твою дочку искать, сообщить ей о смерти бабушки. Это неправильно, если она не придет на похороны.

— Где же ее искать-то? В полицию разве что заявить.

Эльвира не понимала, как подруга может сидеть, сложа руки, и ничего не предпринимать. Дочка неизвестно, где, а ей хоть бы что. Другая мать на ее месте била бы во все колокола.

— Я бы с ума сошла, если бы мой сын исчез. Всех бы на ноги подняла!

— Некого мне поднимать, — всхлипнула Софья. — Одна я на всем белом свете. Друзей нет, мужья на кладбище. Дурная слава впереди меня по дорожке бежит.

— Зато я с тобой.

— Может, это из-за меня твой сын пристрастился к наркотикам?..

— Да ну? При чем тут ты?

Эльвира не раз ловила себя на предательской мысли, что дружба с Софьей приносит ей несчастье. А вдруг, так и есть?

— Что, задумалась?.. Ты думай, Эля, думай. От меня надо держаться подальше. Видишь, даже дочка это поняла и сбежала.

— Не говори ерунду. Твоя мама не была ведьмой, и ты не ведьма.

— А какие они из себя, ведьмы? Ты знаешь? Видела?

Они много лет вместе, и Эльвира ничего особенного в поведении подруги не замечала. Неужели, зловещие слухи имеют под собой почву?

— Честно говоря, я всегда побаивалась твоей матери, — призналась она. — Евгения Павловна хорошо ко мне относилась, только... мне все равно было не по себе в ее присутствии. Поэтому я редко ходила к вам в гости.

— А меня ты не побаиваешься, Эля?

— Тебя?.. Нет.

— Может быть, напрасно? Ты осталась без мужа, сын пошел по кривой дорожке.

— Не я одна такая. Вокруг полно одиноких и несчастных баб.

— Беги от меня прочь, — заплакала Софья. — Мне уже никто не поможет. Я приношу беду. Родная дочь, и та меня покинула.

— Она вернется! Обязательно вернется...

ГЛАВА 37

Уссурийск

Засекин метнулся к окну и спрятался за портьеру. Он не придумал ничего лучшего. Для хозяев квартиры он — взломщик, которого они имеют право сдать в полицию. Любые оправдания будут бесполезны. Он бы на их месте поступил так же.

Плотная ткань пахла пылью, и «профессор» чуть не чихнул. Кто-то невидимый стоял на пороге комнаты, Засекин это чувствовал. Прибор он успел поспешно прикрыть пледом, но эта жалкая уловка вряд ли сработает. Он затаил дыхание и прислушался.

Невидимка сделал несколько шагов, и старый паркет скрипнул. Ученый обмер от страха. Положение, в которое он попал, лишало его аргументов в свою защиту. Что он скажет? Простите, я ошибся дверью?

— Выходите, Аркадий, — прозвучал решительный женский голос. — Я знаю, что вы здесь. За портьерой! Ваш силуэт темнеет на фоне окна.

Засекину ничего не оставалось, как подчиниться. Его сконфуженный вид рассмешил хозяйку.

— Чем обязана вашему э-э... тайному визиту?

Он готов был провалиться сквозь землю, но не обладал такой способностью. Замешательство сковало его уста. «Профессор» не мог вымолвить ни слова под пристальным взглядом девушки.

— Как вы попали в квартиру? — спросила она. — Кто дал вам ключи?

— Я... я...

— Ладно, можете не говорить. Меня интересует другое. Что вы тут ищете?

— Ищу?.. — выдавил красный и потный Засекин. — Нет... В этой квартире — аномальная зона. Я принес прибор... который... ко...

Он замолчал, осознавая всю никчемность своих оправданий. Что бы он сейчас ни сказал, это прозвучит глупо.

— Где ваш прибор? — оживилась девушка. — Покажите мне, как он работает.

«Профессор» нервно поправил очки и отдернул плед. Прибор не произвел на хозяйку квартиры должного впечатления. Она разочарованно пожала плечами.

— Это и есть ваше знаменитое изобретение? Пф-ф...

— Мне сказали, в ваших зеркалах отражаются чужие лица... Я не просил давать мне ключи, я думал... Простите! Я поступил неправильно...

— И что зеркала? — усмехнулась девушка. — Вы кого-нибудь видели в них? Девиц из японских борделей? Самураев? Купца-чернокнижника, похороненного на местном погосте?

— С зеркалами все в порядке, — потупился Засекин. — Прибор ничего подозрительного не зафиксировал. Легкие колебания стрелки указывают на остаточное возбуждение геомагнитного поля.

— Какое облегчение! Меня зовут Катя, — представилась девушка. — До сих пор мы были знакомы заочно. Видно, пришло время для личной встречи. Я читала ваши труды, Аркадий. Можно мне называть вас по имени?

— Ради бога...

— Скажите, кто все-таки дал вам ключи?

— А... чья это квартира? — выпалил Засекин, боясь наговорить лишнего.

— Ничего себе! Вы понятия не имеете, куда попали? Мы проживаем здесь вдвоем с подругой, работаем в социальной службе. Подругу зовут Ирина, а со мной вы только что познакомились.

— Да-да... ужасно неловко вышло...

— Вы, случайно, не обчистили нас? — неожиданно пошла в атаку девушка. — Давайте, выворачивайте карманы! Или я звоню в полицию!

— Я ничего не брал... Можете проверить, — попятился «профессор». — Я здесь исключительно с научной целью...

— Не валяйте дурака! Я вам не верю!

— Я не вор...

— Это мы сейчас выясним! — Катя, грозно сдвинув брови, приблизилась к Засекину. — Кто вас подослал? Признавайтесь!

— Я выполняю просьбу одной барышни... вашей коллеги. Она обратила внимание на странные явления, которые происходят в домах ее подопечных... и сообщила об этом мне. Я веду специальный сайт. Мне пишут много разных людей...

В уме Кати происходил напряженный процесс. Она сопоставляла факты и делала выводы: ошибочные или верные, скоро выяснится.

— Где-то я вас недавно видела, Аркадий. Кажется, вы обследовали участок на Никольской улице... возле дома Сазонова.

— Не отрицаю. Ну и что? Меня часто приглашают для испытания моего прибора. И я обычно не отказываю. Я...

— Что вы искали у Сазонова? Клад?

— Помилуйте, вы о чем?..

— Отвечайте, или будете сидеть в кутузке! Вы взломали чужую квартиру.

— Я не взломал, я...

Ученого пугала сама мысль, что он может оказаться в компании уголовников. Даже на несколько часов. А у этой сердитой девицы есть все основания упечь его за решетку.

Катя метнулась к шкафу и достала с полки потрепанную книгу, которую сунула Засекину под нос.

— Вот! «Потомок Чингисхана»! Тут кое-что написано...

— А... Гажицкий? — пробормотал «профессор», теребя бороду. — Если вы о казне Азиатской дивизии Унгерна, то... дом Сазонова нигде не упоминается в связи с этим. Я бы скорее направил вас к дому Шувалова...

— Адрес! — потребовала девушка.

— Увы. Дома Шувалова в данное время не существует. Остался фундамент, и то... точное место под вопросом. Там могли быть и другие дома...

— Вы мне зубы не заговаривайте! Если известно, что клад был зарыт в доме Шувалова, там бы давно все обшарили.

— Я не имел в виду клад, — растерялся Засекин. — Я лишь сказал, что граф Шувалов мог иметь какое-то отношение к золоту. Он служил под началом Унгерна, потом вышел в отставку, но продолжал пользоваться доверием барона. Однажды графа убили при невыясненных обстоятельствах. Вот, собственно, и всё...

— А чем вас заинтересовал дом Сазонова?

— Там наблюдались аномальные явления, которые я изучаю. Сазонов умер, а его наследница пригласила меня испробовать прибор.

— О золоте речь не шла?

— Нет. Клянусь вам...

* * *

Мушкетер помог Ларисе дойти до машины, усадил ее и включил зажигание. Вокруг царила темнота, полная ночных звуков. Шумел лес, в кустах что-то потрескивало, гудели насекомые.

— Как вы заблудились? — спросил он, подавая пассажирке бутылочку с водой. — Свернули с тропинки?

— Наверное... У меня в голове все путается.

— За вами кто-то гнался?

— Возможно, мне показалось. У страха глаза велики.

— Вы нашли дом самозванца?

Парень уже задавал этот вопрос по дороге, но Лариса не ответила. Она боялась проговориться, боялась выглядеть безумной. Труп с ножом в груди стоял у нее перед глазами, словно напоминание о том, чего не могло быть.

— Я видела какой-то дом... — выдавила она, ощупывая место ушиба. — Впрочем, не могу утверждать... Я сильно ударилась головой, когда падала. Вероятно, об камень или старый пенек. Хорошо, хоть не до крови...

— Вы еще говорили, что... видели убийцу. Я не ослышался?

— Не помню... Едем в город!.. Мне плохо.

Мушкетер начал разворачиваться. Колеса «опеля» проваливались в рытвины, свет фар выхватывал из мрака то дерево, то заросшую кустами обочину.

— Гиблое место, — вырывалось у него. — Второй раз мы тут застряли. Я думал, раньше управимся. Планы строил на вечер.

— Я заплачу тебе за простой.

— Дело не в деньгах, — насупился парень. — Я понять хочу, что за хрень тут происходит? Ой, пардон...

Лариса не чувствовала от усталости ни рук, ни ног. Голова раскалывалась, а в ушах звучали слова призрака, которого она вызывала в психомантеуме: «Илью убил связной барона Унгерна»...

— Зря вы меня с собой не взяли, — заметил таксист. — Вдвоем веселее. А так... вы ушли и пропали, я не знал что делать. Здесь сотовый не берет, хоть тресни. Пришлось бродить по лесу, глотку драть. Ау-уу!.. Эге-ге!.. Я так кричал, что охрип. Вы действительно ничего не слышали?

— Нет.

«Какого Илью убили? — тем временем размышляла Лариса. — *Того?* Или этого? А что, если речь идет об одном и том же человеке?»

Она вдруг осознала, чего ей всегда не хватало в мужчинах. Они были не похожи на Илью Шувалова! Бывший муж, бывший любовник и мизинца его не стоили. Правда, с Ренатом у Ильи больше общего.

— Мы с ним близки по духу...

— Что? — повернулся к ней Мушкетер. — Не понял. Вы о ком?

— Я?.. — очнулась Лариса. — О... Сазонове. Он увлекался историей этого края, я тоже... Мы так и не встретились, не успели поговорить...

— Да, жаль.

Призрак девушки из психомантеума маячил за лобовым стеклом, звал Ларису за собой. Он был таким плотным, что водитель заметил и притормозил:

— Какая-то фигура на проселке... вон, там... видите?

— Где? — Лариса притворилась, что вглядывается в темноту.

— Пропала уже... — с облегчением вздохнул Мушкетер. — Баба какая-то... черт, простите... женщина. Откуда ей тут взяться в эту пору?

— Обман зрения.

«Илья заплатил жизнью за мою ошибку! — прошептал призрак. — Не повтори ее!»

У Ларисы волосы зашевелились на голове от этих слов. О какой ошибке идет речь?

ГЛАВА 38

Москва

Денис Ченцов рассказал Ренату все, что знал. После посещения Вернера он запустил сюжет «Золотой Бабы» в работу, и вскоре игра была готова.

— Первой я показал игру своей девушке. Я всегда так делаю... с тех пор, как мы начали встречаться. Она не геймерша, но иногда дает толковые советы. Мы случайно познакомились на презентации одной компьютерной фирмы.

— Это произвело эффект разорвавшейся бомбы? — догадался Ренат.

— Я был в шоке от ее реакции. Не знал, что и думать. Честно говоря, я не сильно вникал в линию сюжета, а большинство героев считал вымышленными.

— Девушка заявила, что это не совсем так?

— Генерал Лукин... оказался ее дедом. Она пришла в ужас, кричала на меня, потом расплакалась... Я не мог ее успокоить! Она требовала, чтобы я свел ее с человеком, который придумал сюжет игры. Только тот не оставил никаких координат. Расплатился по счету и как в воду канул. Ира мне не поверила, и мы поссорились.

— Вы до сих пор в ссоре?

— Нет, конечно. Вскоре мы помирились, но наши отношения дали трещину. Всё из-за чертовой игры! Ира стала задумчивой, часто плакала. А потом призналась, что над ее семьей тяготеет злой рок. Так и сказала. Мол, ее бабка и мать — черные вдовы. Стоит им полюбить мужчину, и тот умирает. Генерал Лукин еще немало прожил, а отец Иры скончался от какой-то вирусной инфекции, когда она под стол пешком ходила.

— Твоя девушка знает, из-за чего это происходит?

— Бабка наотрез отказалась посвятить ее в свою тайну, мать встала на сторону генеральши. Они сказали, что оберегают Иру от опасности.

— Оберегают? — усмехнулся Ренат.

— Вот и я считаю, что они просто прячут головы в песок. Дескать, все неприятности в прошлом. А тут... эта игра.

— И ты решил действовать самостоятельно? На свой страх и риск?

— А как бы вы поступили на моем месте? — вскинулся Денис. — Сидели бы и ждали, пока гром грянет? Ира согласилась мне помогать, и мы взялись за дело.

— Вы начали разматывать клубочек с генерала Лукина?

— Это единственная надежная зацепка. Я залез в базу данных, узнал подробности его смерти... и вышел на солдат-срочников, которые в то время строили дачу в Песчаном. Их всех опрашивали по факту внезапной кончины Лукина, и я заинтересовался показаниями. Один из солдат проживал ближе всех...

— Курбатов? То бишь брат Онуфрий?

— Нетрудно догадаться, — процедил программист. — Я проверил адрес и убедился, что Курбатов жив. Остальное — технические моменты. Как вам уже известно, я нашел бывшего солдата в монастыре, что навело меня на размышления. Я начал следить за ним. Просто так, чтобы не сидеть без дела. Это было от случая к случаю.

— Тебе повезло, что я привез дочь Курбатова в обитель и засветил номер своей машины.

— Да. Я прятался в кустах и наблюдал за вами в бинокль... Как вы меня вычислили?

— Нюхом, — улыбнулся Ренат. — У меня тонкое обоняние.

— Шутите? — недоверчиво протянул парень. На его лице отражалась гамма чувств, от недоумения и растерянности до страха и злости. Он отводил глаза, кусал губы. Собеседник вызывал у него двоякое ощущение угрозы и надежды. Как будто они могли стать либо врагами, либо союзниками.

— Ну, допустим, ты меня выследил. И что дальше? Какая тебе с того польза?

— Пока не знаю...

— Где твоя девушка? Могу я с ней поговорить?

— Зачем? — позеленел Денис.

— Из любопытства! Скучно мне, чувак. Ищу приключений на свою голову! — Ренат помолчал, щелкая зажигалкой-пистолетом. — Ты в курсе, что генеральша при смерти? «Скорую» у подъезда видел?

— Ну видел... К тому все шло. А вы...

— Я дом в Песчаном хотел купить, — перебил Ренат. — Но передумал.

— Не сошлись в цене?

— Вид на реку там чудесный, а в доме нечисто.

— Зачем вам этот дом?

— Я же сказал, приключений ищу. Кстати, твоя девушка приглашала тебя на дачу?

— Один раз... после того, как между нами состоялся серьезный разговор. Ира показала мне место, где расстался с жизнью ее дед. Это было... очень стремно.

— Чего ты испугался?

— Видели пятно на стене? Ира сказала, что под ним — черные знаки, которые образовались в момент смерти генерала. Честно говоря, у меня сердце в пятки ушло. Жутко стало... до дрожи в коленках. Стена краской замазана, но все равно...

— Девушка знает, откуда взялись иероглифы?

— Думаю, нет. Я спрашивал... как только мы вышли из комнаты.

— Но ответа не получил, — констатировал Ренат. — Значит, когда ты ударил меня по голове, то было второе посещение дачи?

— Я понял, что дом Лукина неспроста попал в игру. Тут кроется какая-то тайна. Я хотел... обезопасить себя, выяснить подробности. Честно говоря, меня тянуло в Песчаное.

— Тебе грозит смерть? Из-за любви к Ире?

— Она тоже может оказаться «черной вдовой», — кивнул парень. — Я должен размотать этот клубок, во что бы то ни стало.

— Не проще ли вам расстаться в таком случае? У тебя ведь была мысль разорвать ваши отношения?

— Была, — не стал отрицать Денис. — Я не смог!.. Я люблю Иру!

— Любовь сильнее смерти? — усмехнулся Ренат. — Ты не похож на романтика. Компьютерные технологии несовместимы с возвышенными чувствами. По-моему, бесчисленные комбинации цифр убивают романтику на корню.

— Почему? Я не согласен. Ради Иры я готов идти до конца.

— До гробовой доски?

— Вам смешно? — обиделся программист. — Вы, наверное, никогда не любили по-настоящему.

Его слова задели Рената. По сути, он ввязался в это мутное дело исключительно из-за Ларисы. Кажется, они с Ченцовым оба попали в одну и ту же ловушку.

«Я тоже могу умереть! — явственно осознал он, глядя на сердитую физиономию парня. — И по той же причине!»

— Что тебе известно о графе Шувалове?

— Только то, что есть в сюжете, — пробормотал Денис. — Он помогал Унгерну искать сокровища и погиб при загадочных обстоятельствах...

* * *

Ренату пришлось отпустить Ченцова восвояси. Тот выдал не все, что мог, и солгал лишь насчет девушки. Он знал, где Ирина, но агрессивно отрицал это.

Ренат решил не перегибать палку. Пусть парень думает, что обхитрил его.

— Генерал Лукин обокрал свою жену... и поплатился жизнью за свой проступок, — вслух рассуждал он. — Допустим. Зятья генеральши ничего не крали, но все равно умерли. Теперь жених генеральской внучки боится той же участи. Его можно понять...

«Вижу, и ты сдрейфил, — ехидно захихикал Вернер. — По ходу, вы с парнем в одной лодке. Не завидую!»

— Идите к черту, — вспылил Ренат, до боли в пальцах вцепившись в руль.

«Ой-ой, нашел, чем пугать, — издевался гуру. — Смотри на дорогу, не то врежешься в столб раньше времени. И лишишь меня удовольствия от развязки...»

Ренат резко затормозил. Из-под колес полетели искры. Отбойник и фонарный столб за ним были в ужасающей близости!.. Вот, что значит отвлечься на болтовню с Вернером.

Звонок телефона прозвучал громом небесным. Ренат, в испарине, дрожащей рукой дотянулся до сотового.

— Д-да?.. Я слушаю... Кто?.. О, простите, Софья... Не узнал по голосу... Что?.. Соболезную... Приехать к вам?.. Прямо сейчас?.. Ну... Нет, не занят... Хорошо... Да, да... Скоро буду...

Ренат свернул в первый попавшийся двор, припарковался и перевел дух. Что это было? Он чуть не устроил аварию на ровном месте. Еще пару мгновений, и они с генеральшей встретились бы в чистилище...

— Вернер! — выдохнул он. — Это ваши козни?

«Не вали с больной головы на здоровую, — парировал невидимка. — Надо действовать, а не растекаться мыслью по древу. Давай, встряхнись и поезжай к генеральской дочери. Она тебя ждет!»

— Софья... — прошептал Ренат, откинувшись на спинку сиденья. — Что вы не успели мне сказать?..

Через сорок минут он добрался до Свиблова и звонил в квартиру Лукиных. Софья встретила его опухшая от слез, подавленная.

— Входите, — пробормотала она, приглашая его в полутемную гостиную. — Мне нужно кое-что сказать вам...

На журнальном столике теплилась желтая церковная свечка. Дочь генерала в траурном платье выглядела строго и элегантно. Несмотря на горе, былая красота ярче проступила на ее лице. Теперь Софья была больше похожа на мать.

— Искренне вам сочувствую. Если нужна моя помощь, я готов ее оказать, — предложил Ренат.

— Я не для того вызывала вас, чтобы просить о помощи...

— Считаете меня виновным в смерти Евгении Павловны?

— Вы ускорили ее кончину. Но речь не об этом. Тогда на лестнице... меня позвал доктор, и я не успела рассказать вам про ящичек. Он все еще хранится в нашей кладовой. Пустой, но наводящий ужас. Как будто то, что было внутри, продолжает влиять на нас... Вы понимаете? Это психоз какой-то!

— Почему вы его не выбросили?

— Мама запретила даже прикасаться к нему. Но в любом случае... у меня бы рука не поднялась.

— Вам так дорог этот ящичек?

— Дорог?.. Нет! Я бы сказала... он важен. Я чувствую!.. После смерти папы мы будто забыли о ящичке. Потом... один за другим ушли в мир иной мои мужья. Я воспитывала дочь, работала на двух работах, крутилась как белка в колесе. Но мысль о ящичке время от времени тревожила меня. Послушайте, неужели ящичек без содержимого так же опасен?

— Вряд ли, — покачал головой Ренат.

По щекам Софьи катились слезы, она вытирала их платком, который промок насквозь. На столе рядом со свечой лежали салфетки, но женщина не замечала их.

— Вы ведь не покупатель? И никогда им не были? Вы... пришли за ящичком. Правда?.. Вы что-то знаете! *Откуда вы узнали?*

— Это не имеет значения.

Софья не возражала, у нее не осталось сил к сопротивлению. Все, чего ей хотелось — избавиться от вечного страха, обрести наконец покой.

— Моя дочь... сбежала из дома. У нее появился молодой человек, и она... испугалась за его жизнь.

— У нее есть на то основания.

— Разумеется! Но в чем спасение?.. Скажите! Вам известно, что нужно сделать, чтобы...

У Софьи перехватило дыхание, и она замолчала, ловя ртом воздух. Ренат вскочил и подал ей воды. Благо, на столике стояла минералка и два стакана.

Она с трудом сделала глоток, отдышалась и заговорила вновь:

— Что вам известно? — дрожащим голосом повторила она. — Судьба моей дочери в моих руках... а я понятия не имею, как быть. Мамы больше нет, я осталась наедине с этим... кошмаром.

— Куда подевалось содержимое ящичка?

— Не знаю. Клянусь вам!.. После смерти папы мы обыскали всю дачу, сарай, участок...

— Что же вы искали?

— Мама просто велела мне заглядывать везде, куда можно спрятать предмет размером с ящичек. Она ни словом не обмолвилась, что это за предмет. Я должна была позвать ее, если наткнусь на что-нибудь необычное. Но этого не произошло... Предмет испарился!

— Вы видели знаки на стене до того, как их замазали краской?

— Да. Это были черные закорючки, похожие на иероглифы...

— Неужели, все эти годы вас не мучило любопытство? — поразился Ренат. — Вы не приставали к матери с вопросами? Не требовали ответа? Ведь от этого зависит ваше благополучие!

— Вам не понять… Мама сумела внушить мне страх, который испытывала сама. Она считала, что чем меньше я знаю, тем лучше.

— Покажите мне ящичек, Софья...

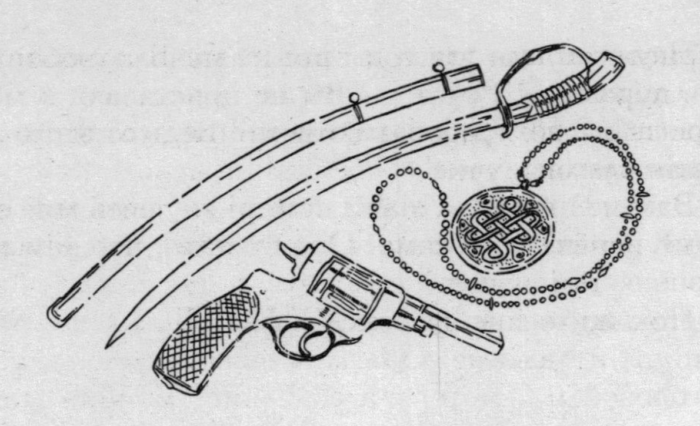

ГЛАВА 39

Уссурийск

Остаток ночи Лариса прометалась в бреду. Ей снился Илья с ножом в груди, психомантеум и девушка в длинных одеждах. Она что-то держала в руках... Лариса так и не разглядела, что...

Барон Унгерн, похожий на азиата, о чем-то шептался с охотником.

— Доставь мне эту штуковину любой ценой... Даже если придется убить всех, кто встанет на твоем пути!

— И хозяина?

— Действуй по обстоятельствам, — нахмурился барон. — Шувалов ждет тебя. Он все подготовил. Нельзя терять ни минуты. Кто знает, что будет завтра?

— Трактом пользоваться опасно. Там бандиты шалят. Атаман Семенов, япошки, китаезы. Смутные времена настали.

— Иди тайгой, тайными тропами. Не мне тебя учить.

Охотник кивнул и вышел из шатра. Унгерн довольно потирал руки. Совсем скоро он получит то, о чем говорил монгольский лама. И тогда...

Лариса открыла глаза и привстала. В комнате было темно, душно.

Сквозь жалюзи пробивались синие лунные полосы. Подушка сбилась, одеяло сползло на пол.

— Это же гостиничный номер! — осенило ее. — Я в Уссурийске, в отеле. Меня привез сюда Мушкетер на своем «опеле». А перед этим... Где я была?

Лариса с ужасом вспомнила дом Шувалова, бегство от убийцы и падение. Она катилась по склону, ударилась головой и... потеряла сознание. Убийца мог догнать ее и прикончить. Почему он не сделал этого? Может, ей все померещилось?..

— Как это нелепо...

Лариса второй раз побывала в доме, где ничего не изменилось с тех пор, как она увидела труп хозяина, испугалась, упала в обморок, пришла в себя и выпрыгнула из окна. Разве такое возможно? Они с Засекиным позже бродили по тем же местам и обнаружили лишь камни фундамента. Таксист тоже искал дом, но не нашел. Получается, что ей одной удается каким-то образом попасть туда.

Лариса встала с кровати, босиком подошла к холодильнику и достала себе воды. Она пила, пока от холода не свело зубы. Это отрезвило ее. Она бросилась к телефону и набрала номер Рената.

— Привет, это я... Разбудила?.. В Москве — день?.. О, черт, точно... Ты можешь меня выслушать?.. Только не перебивай...

Она начала говорить, чуть не проболталась о трупе и прикусила язык.

— Я слушаю, — заволновался Ренат. — Не молчи!.. Где ты пропала?..

— Здесь плохая связь... — выдавила Лариса. — Просто отвратительная. Я перезвоню...

Она нажала на кнопку отбоя и рухнула в кресло. Вряд ли ее телефон прослушивают, но рисковать не следует. Ренат все равно за тридевять земель и не придет ей на помощь. Может вызывать его сюда?

Лариса опять взялась за телефон, передумала и отложила трубку в сторону.

— Сама справлюсь! Это касается меня и... другого мужчины. Ренат ни при чем. Он не обязан распутывать мои узлы.

Она набрала номер Засекина, забыв о приличиях. Тот ответил не сразу.

— Вы спите, Аркадий?..

— Сижу над расшифровкой сигналов. Я вам нужен?

«Речь идет о показаниях прибора, — сообразила Лариса. — Засекин прежде всего ученый. За работой он наверняка не заметил, что уже ночь».

— Зайдите ко мне, пожалуйста...

В трубке повисла тишина. Пауза затягивала. «Профессор», вероятно, посмотрел на часы или в окно.

— К вам? — смущенно кашлянул он. — Неожиданное предложение... Я, право, в затруднении. Понимаете, Ларочка...

— У меня к вам серьезный вопрос!

— Да?.. Ну... Если вы не боитесь, что я вас скомпрометирую...

— Не боюсь.

— Хорошо... раз это так срочно...

— Я вас жду, Аркадий! Поторопитесь.

Лариса поспешно накинула короткий халатик и сунула ноги в тапочки. Она не собиралась соблазнять Засекина, просто другой одежды под рукой не оказалось, а ее ум был всецело занят решением головоломки, которая казалась непостижимой.

Несколько минут тянулись невыносимо долго. Наконец, кто-то тихонько постучался в дверь номера...

* * *

— Ты меня допрашиваешь? — разозлилась Ирина. — С какой стати я должна перед тобой отчитываться, Катюха? Ты сбрендила?

— Я тебе верила, а ты...

— У тебя своя жизнь, у меня — своя. Что хочу, то и делаю.

— Ты дала ключи от квартиры чужому человеку! — выкрикнула Катя. — А если бы он нас обокрал?

— Что у нас красть-то? Полотенца и тарелки? Засекин не вор, а ученый.

— Как ты могла?

— Значит, у меня есть причина, — надулась Ирина. — Не нравится со мной жить, съезжай. Я тебя не держу.

— Нет, ты скажи, зачем тебе понадобился этот мудак в очках?

— Какая разница? Он ничего твоего не украл? Вот и заткнись!

— Не украл, потому что я вернулась домой... за телефоном. Поставила его на зарядку и забыла. А без телефона, как без рук. Нет, ты скажи, что за идиотизм давать ключи постороннему мужику?

Ирина не догадывалась, что Катя следила за ней и подслушала ее разговор с «профессором» в сквере. А подруга не собиралась признаваться.

— Он ученый, балда! У него прибор специальный! Я его попросила обследовать квартиру. У нас полтергейст поселился. Мне страшно, между прочим!..

— Какой такой полтергейст? — недоумевала Катя. — Телика насмотрелась? Следствие ведут экстрасенсы, да?

— Помнишь, я красилась и в обморок упала?

— Когда тебе в зеркале призрак Сазонова привиделся? Это просто глюк был. Из-за стресса, Ир.

— А если нет? Если то... сам Сазонов на меня смотрел? У меня до сих пор поджилки дрожат, как вспомню.

— Поэтому ты Засекина позвала? Чтобы он призрака вычислил и отвадил? Пусть так... Но меня ты могла предупредить? Спросить моего согласия?

— Я знала, что ты не поверишь. Хватит с меня нервотрепки! Я уже и так... на грани срыва.

— Ты обыкновенная истеричка, — безжалостно вымолвила Катя. — Тебе лечиться надо. Колеса пить! Чтобы призраки не мерещились.

— А тебе ни разу... ничего такого не почудилось? Ни в зеркале, ни где-то еще?

Катя призадумалась, замолчала. Вдруг чашка, из которой она пила чай, выскользнула из ее рук, упала на кухонный пол и разбилась.

— Ну вот... это тоже полтергейст, по-твоему? — криво улыбнулась девушка, наклоняясь за тряпкой.

— Ты не ответила. Неужели, тебе никогда не бывает страшно?

— Раньше не бывало, — буркнула Катя.

— А теперь? Ты ничего странного не замечаешь?

— Твоя правда, мелькает что-то в зеркале... я третьего дня видела. Но в обморок не хлопнулась, как ты! Подумаешь, призрак... Не съест же он тебя?

— У Сазонова в доме тоже иногда такое бывало, — содрогнулась Ирина. — Я в зеркала старалась не смотреть. И все равно... хоть краем глаза, да заметишь что-то. Когда Виктор Петрович умер, надо было зеркала завесить, но я не смогла.

— Почему?

— Подойти не решилась. Побоялась. Вдруг, думаю, оттуда на меня кто-то набросится? Схватит и потянет за собой? В бездну!

— Черная рука? — усмехнулась Катя. — В детстве мы в садике нарочно так друг друга пугали?

— Вы, может, и пугали... а мне и без страшилок жути хватало.

— В смысле?

— У меня бабка — ведьма, — выпалила Ирина. — Усекла? Будешь меня донимать, пожалеешь.

— Да ты что? — ахнула Катя. — Выходит, ты... потомственная колдунья? У вас же это... дар передается по женской линии. Я передачу смотрела. Там про одну ведьму рассказывали...

— Всё! Замолчи, ради бога! Иначе я за себя не ручаюсь.

— Слушай, если у тебя самой — дар... зачем ты этого очкарика в квартиру позвала? Я имею в виду Засекина? На кой тебе сдался его дурацкий прибор? Если ты сама...

— Какой «дар»? — разозлилась Ирина. — Что ты несешь? Ведьма — моя бабка, а не я.

— А ты пробовала колдовать?

— Не скажу.

Катю не обескуражило услышанное, наоборот, она загорелась любопытством. В ее глазах вспыхивали бесовские искры.

— Ты даешь, Ир! Может, призрак Сазонова за тобой притащился? Из его зеркала в наше переселился? А?.. Может, ты с ним поговоришь?

— Он же мертвый...

— Ну и что? — ничуть не смутилась Катя. — Зато он точно в курсе насчет клада! Расспроси его! Тебе он не откажет.

— Ты опять про золото? — всплеснула руками подруга. — Это невыносимо! У тебя на уме только деньги.

— Что в этом плохого? Мы с тобой за смешную зарплату горбатимся, когда золото буквально под ногами валяется. Надо дурой быть, чтобы упустить такой шанс! Если бы я умела с мертвыми разговаривать, давно бы все у Сазонова выпытала. Тебя бабка не научила, как это делать?

— Нет.

— Ой, Ирка... что ж ты раньше молчала? Давно пора с Сазоновым поговорить. Вернее, с его этим... фантомом. Ты же сама сказала, что лицо в зеркале походило на Сазонова.

— Мне так показалось. Возможно, я ошиблась. И вообще, забудь о моей бабке. Я нарочно солгала! Хотела, чтобы ты от меня отстала.

Катя пропустила слова подруги мимо ушей.

— Этот твой Засекин злостный аферюга, — заявила она. — Его прибор не работает. Он обследовал наши зеркала и ни черта в них не обнаружил. Никаких призраков!

— Давай сменим квартиру, — предложила Ирина. — Здесь я чувствую себя неуютно.

Катя встретила это в штыки.

— А где тебе будет уютно? Я не собираюсь переезжать с места на место из-за твоей прихоти.

— Тогда оставайся, а я съеду.

— Что случилось, Ир? То меня гонишь, то сама грозишься съехать. Думаешь, это поможет? Вдруг, призрак отправится за тобой? Пока Сазонов был жив, никто в наших зеркалах не мелькал. Слушай... а не ты ли его убила? — брякнула Катя. — Поэтому он тебя и преследует.

— Спасибо. Оказывается, я не просто ведьма, но еще и убийца?

— Ты сама говорила про черные значки на стене... Что это, по-твоему? Магия!.. Сатанинский ритуал!.. Потомок Чингисхана, как написано в книге, запечатывал свои сокровища с помощью колдовства. Верно? Мне ты можешь признаться. Я тебя не выдам. Хочешь, я буду твоей подручной?.. Вдвоем мы обязательно доберемся до клада...

Ирина не выдержала и запустила в подругу блюдцем. Та уклонилась. Блюдце ударилось о стену, посыпались осколки.

— Ты чего? — возмутилась Катя. — Я тебе помощь предлагаю, а ты посуду бьешь? Дура!

Девушки ссорились до полуночи, пока не охрипли. Катя угомонилась первой.

— Пойду, проверю зеркала перед сном, — сообщила она. — Надеюсь, ночь пройдет спокойно...

ГЛАВА 40

Москва

Софья разрешила Ренату забрать ящичек с собой.

— Я верну, — пообещал он. — Помедитирую над ним, и верну.

— Даже не знаю, стоит ли. Мама хранила этот футляр на всякий случай, если то, что в нем лежало, когда-нибудь отыщется. К сожалению, отец унес эту тайну в могилу. А теперь и мама ничего не расскажет. Может, всё к лучшему... Пора поставить крест на этой жуткой истории!.. Выбросить из головы. Забыть!

— Забыть — плохой рецепт.

— А что мне прикажете делать? Жизнь пошла прахом, этого не изменишь. Пусть хоть у дочери судьба сложится. Эльвира настаивает, чтобы я подала в розыск. Но я не хочу! Может, Ириша правильно сделала, уехав подальше отсюда.

— Расстояние имеет значение?

— Надеюсь, да! — вздохнула Софья. — Если бы я могла уберечь дочь от проклятия, я бы ничего не пожалела. Что мне терять?

Ренат думал о Денисе, который полюбил внучку генерала Лукина. Эта встреча несет ему смерть. Но парень не отступается, ищет выход. Понятно, почему девушка не познакомила его с матерью и бабкой. Боится!

«Я бы на ее месте тоже боялся», — заключил Ренат.

Кажется, сейчас Софья ведет себя искренне. Плачет, комкает в руках носовой платок, пьет сердечные капли. Ей не до притворства. Счастье дочери висит на волоске, и волосок этот тоньше с каждым днем.

— Вам известно, из-за чего гибнут мужчины в вашей семье?

— Мама намекала... Это дань, которую берет та штука из ящичка.

— Дань? — удивленно переспросил Ренат.

— Наши мужчины будут умирать, пока кто-то не выйдет на волю. Таково требование.

— Чье требование?

Софья пожала плечами и кивнула головой в сторону ящичка.

— Нам кажется, что предметы бессловесны. Из этого правила бывают исключения.

— О каком предмете идет речь? Об этой деревянной коробке?

— Не совсем. В коробке находилось нечто опасное. Похоже, оно и ставило условия. Кто-то хочет выйти на волю и будет убивать, пока не добьется своего. Иногда я думаю, что мама сама толком не знала, с чем имела дело. Иначе она нашла бы выход. Мы все — заложники той проклятой штуковины, которая хранилась в ящичке. И моя дочь тоже.

Ренат держал ящичек в руках, ощущая то жар, то холод: словно тот реагировал на слова Софьи. Его стенки, днище и крышка были пропитаны враждебными флюидами. Энергетический след содержимого все еще присутствовал, и можно было почувствовать его посыл. «Выпусти меня!» — вот, о чем он взывал.

Того же требовали четыре странных фантома в комнате, где умер генерал Лукин. Это тоже был *след*...

— *Выпусти меня,* — повторил Ренат.

— Вы почувствовали? — вскинулась Софья. — Видите, я говорю правду!

— Я вам верю.

— Мама не смогла выполнить эту просьбу, поэтому ее муж умер. А потом и оба моих. Не дай бог, такая же трагедия ждет Иришу!..

* * *

Денис связывался со своей девушкой один раз в неделю. Не чаще. Она сама установила такое правило.

— Ты меня спалишь! — сказала она, когда Денис позвонил ей внеурочно. — Мы же договорились, что...

— У меня важное дело. Я раскрыт. Понимаешь? Ухажер Ларисы Курбатовой разоблачил меня.

— Как?

— Черт его знает! Он... экстрасенс. Мысли читает. Мне пришлось выложить ему нашу историю. Не сердись, Ир! Я сопротивлялся изо всех сил, клянусь. Но он выуживал у меня слово за словом. Потом он вышел из моей машины, а я еще полчаса сидел, как приклеенный. Словно в трансе.

— Ты с ума сошел? — взвилась Ирина. — Надо было молчать! Ты же обещал! Никому нельзя верить! Я не ожидала от тебя такой подставы!

— Я сам в шоке, — приуныл парень. — Сначала он угрожал мне пистолетом. Я испугался, что он выстрелит. Правда, оказалось, это была моя же зажигалка. Я забыл, что «пистолет» лежит в бардачке. Меня развели, как лоха! Я купился... и все закрутилось. Хахаль у Курбатовой не простой. Больно рьяно копает! У него собственный интерес есть.

— Ты всё ему выболтал?

— Я плохо помню наш разговор...

— Господи! Ты был пьян?

— Я ни пива, ни водки в рот не беру с тех пор, как мы расстались, — обиделся Денис. — Не знаю, что на меня вдруг накатило. Он задавал вопросы, я отвечал... как в тумане.

— Обо мне речь шла?

— Да. Но я не сказал, где ты...

— Ты же толком ничего не помнишь!

— Он хотел поговорить с тобой. Но я перевел на другую тему... кажется.

— *Кажется?* — с досадой повторила она. — Вместо того чтобы следить за ним, ты сам попался!

— Он меня обхитрил. Ушлый, черт.

— А ты простофиля! — вспылила девушка. — Я тут хожу по лезвию бритвы, а ты меня закладываешь! Теперь этот мудак доложит своей бабе, что я... в общем, мы с тобой провалились.

— Бросай всё, Ир! Возвращайся в Москву. Я не могу без тебя! Я...

— Ну уж нет. У меня дело на мази... Я нащупала ниточку. И ни за что не отступлюсь. Даже не уговаривай.

— Тогда я к тебе прилечу. Здесь все равно облом. Только зря время теряю.

— Не вздумай! Ты мне в Москве нужен.

Денис чуть не сболтнул про смерть генеральши, но спохватился. Бабушку уже похоронили, а Ира все равно не приедет. К тому же они постоянно ссорились.

— Еще притащишь за собой этого... как его...

— Рената, — подсказал парень. — Его Ренатом зовут. Крутой перец. Он явно что-то пронюхал. Покупателем прикинулся, мол, хочет вашу дачу приобрести. Мы с ним там случайно столкнулись. Я его по башке огрел, он мне нос разбил.

— Всё, никаких подробностей по телефону! Жди моего звонка. Я скажу, как действовать...

* * *

Придя домой, Ренат обследовал добычу. Ящичек обжигал ему руки. В комнате запахло дымом. Казалось, вокруг мелькают огни, а в ушах звучит степной монгольский напев.

Ренат «увидел» низкорослого человека в военном мундире, который кладет в деревянную коробку кожаный мешочек с неведомым содержимым и захлопывает крышку. Щелкает замок...

Тот самый мешочек, принесенный убитым охотником! Офицер жестоко расправился с преданным ему человеком: отрубил тому голову саблей. Это был Унгерн.

— Позвольте, господин барон?

В шатер заглянул молодой ординарец, и Унгерн поспешно прикрыл ящичек куском атласа, расшитым священными символами. Этот атлас ему подарил лама в знак особого расположения.

— Чего тебе? — недовольно процедил он.

— Депеша от атамана Семенова.

— Давай сюда!

Ординарец протянул барону донесение, и тот отвернулся, углубившись в чтение.

— Ступай! — махнул рукой Унгерн. — Отдохни с дороги. Пусть тебя накормят. Выспись хорошенько. Скоро ты мне понадобишься.

Дочитав депешу, он выругался сквозь зубы. Красные наступают, они бьются, не жалея своих людей. Белое движение захлебывается собственной кровью. Но не это волнует барона. Он приподнимает атлас и склоняется над ящичком. Вот, что ему дороже всего!

— Наконец ты у меня в руках, — шепчет Унгерн, и его глаза становятся узкими, как щелочки. — Теперь я твой властелин. Жаль, что мне нельзя смотреть на тебя!.. Ну ничего, я что-нибудь придумаю...

Свеча догорела, и сцену поглотил мрак. Ренат продолжал ощущать запах дыма и конского пота от попон, сваленных в кучу в углу шатра.

— Что же там, в мешочке, такое? — ломал он голову.

На ум пришел генерал Лукин. Неужели, он вытащил из мешочка то, о чем говорил барон? Бравый вояка не знал, что на эту штуковину нельзя смотреть!

— Нельзя смотреть... — прошептал Ренат, вспоминая черную метку на лице покойного Лукина. — Почему нельзя?

Неудивительно, что генеральша не показывала «музейный экспонат» членам своей семьи и тщательно скрывала эту тайну. Пока муж не добрался до ящичка. Его судьба известна... Но куда «экспонат» подевался после смерти генерала?

Курбатов и Сазонов! Только они могли видеть то, что должно было оставаться скрытым от чужих глаз. Однако брат Онуфрий ничего такого не говорил. *Видел* он или нет?

Лариса звонила из Уссурийска и скупо сообщала, как идут дела. Сазонов скончался до ее приезда, но оставил ей наследство. А в гостинице она встретила ученого, который изучает аномальные явления... Вчера Лариса рассказала, что дважды заблудилась в окрестностях города, и оба раза попадала в дом некого самозванца. На вопрос Рената, кто этот самозванец, она отделалась шуткой и смехом. Хотя ей было совсем не весело...

Мысли о ней сменялись в сознании Рената картинками с ящичком, как слайды в цветном слайд-шоу. Жена Лукина привезла ящичек в Москву в чемодане с личными вещами. Генерал уговаривал ее не тащить с собой старые тряпки, но красавица супруга была непреклонна.

Потом ящичек с ужасным содержимым перекочевал в кладовую. Евгения Павловна прятала его среди домашней рухляди, и если бы не ремонт, генерал, вероятно, прожил бы еще несколько лет. На свою беду он похитил кожаный мешочек в надежде, что жена не скоро обнаружит пропажу. Лукин хотел положить конец неприятностям в семье, но вышло наоборот. Его затея обернулась против него.

— *Выпусти меня!* — произнес кто-то прямо в ухо Ренату. Он вздрогнул и оглянулся. Комната была пуста...

ГЛАВА 41

Уссурийск

Засекин был в легких спортивных брюках и мятой рубашке навыпуск. Небрит, глаза за стеклами очков покраснели от недосыпания.

— Простите за мой вид. Я не успел переодеться.

— Ничего. Я тоже в халате, — улыбнулась Лариса и указала на кресло. — Присаживайтесь.

Она тоже выглядела не лучшим образом: измученная, с влажными после душа волосами, с лихорадочным румянцем на лице.

— Вы плохо себя чувствуете?

— Не обращайте внимания, Аркадий. Нашей беседе это не помешает.

На журнальном столике стояла тарелка с кусочками льда, которые начали таять. Перед приходом Засекина Лариса прикладывала лед к припухлости на голове, полученной в результате падения. Травма казалась пустяковой, но продолжала беспокоить.

— Я чем-то могу помочь? — смущенно заерзал Засекин. — Зачем вы меня вызвали в столь поздний час?

— Скажите правду, вашему прибору можно доверять?

— Разумеется. У меня патент международного образца...

— Я не об этом, — перебила Лариса. — Прибор что-нибудь зарегистрировал в доме Сазонова?

«Профессор» нервно поправил очки и выпалил:

— Не стану лукавить... показания были э-э... мягко говоря...

— Значит, ничего аномального там нет?

— В данный момент, пожалуй... ничего, выходящего за рамки нормы. Однако так было не всегда! В энергетическом поле дома явно прослеживаются... следы аномалии. Об этом свидетельствуют слабые всплески геопатогенной активности... Интересно, Сазонов не жаловался на полтергейст?

— Не жаловался. Я спрашивала у социальной работницы, которая его обслуживала. Он вел обычный образ жизни, замкнутый, в силу состояния здоровья.

— Возможно, он не хотел прослыть сумасшедшим...

— И оказаться в психушке? — подхватила Лариса.

— Ну да. Я бы его на месте помалкивал. Кто такая социальная работница? Посторонний человек, на которого нельзя положиться. Неизвестно, как она истолковала бы жалобы больного?

— Что же получается? После смерти Сазонова... полтергейст исчез вместе с ним?

— По логике вещей, так.

— У вас есть объяснение этому? Что говорит ваша наука?

Засекин смешно скривился и развел руками.

— Моя наука только учится говорить. Иногда мне кажется, что в моих исследованиях больше мистики, чем физики. А язык мистики сложно перевести на человеческий.

— Полтергейст как-то может быть связан с... золотом?

— Почти все здешние легенды связаны с золотом, — торжественно изрек «профессор». — Отсюда и повышенный интерес кладоискателей к нашим местам, и кровь. Много крови, Ларочка. Известно, что великие путешественники Пржевальский и Арсеньев искали тут Золотую Бабу чжурчженей, но не нашли. Кстати, по моей версии Пржевальский умер от отравления. Его кончину списали на простуду или тиф, а я уверен, что... этого человека убили.

— Из-за золота?

— Вероятнее всего, да.

Ученый отвел глаза, но Лариса успела заметить подозрительный блеск в его зрачках.

— У Пржевальского была карта кладов? — усмехнулась она. — И убийца ее похитил?

— Не исключено, — кивнул Засекин, забрасывая ногу на ногу. — Хотя... я бы не сводил всё к банальной меркантильности. Но в общем, скорее всего вы правы. Кстати, домом Сазонова интересуется одна барышня.

— Спорим, я ее знаю? Это социальная работница, которая обслуживала покойного. Ее зовут Ирина. Милейшая девушка.

— Ах, да, вы же знакомы!.. Сначала она попросила меня обследовать участок и все строения на нем, а потом... дала ключи от квартиры, чтобы я проверил зеркала на наличие призраков.

— В зеркалах живут фантомы?

— Это еще предстоит доказать. Пока что я регистрирую энергетические всплески и прочие признаки того, что люди называют полтергейстом.

— Вы обнаружили какие-нибудь подобные «признаки» в квартире Ирины?

— Нет, — признался Засекин. — Только следы.

Он не ожидал от Ларисы таких вопросов и удивлялся тому, что у него развязался язык. Разговор принимал нежелательный оборот, но Аркадий, вместо того чтобы сердиться, проникался необъяснимой симпатией к собеседнице. Его неравнодушие подкреплялось неуместным в данных обстоятельствах... сексуальным влечением. Он не испытывал ничего подобного с тех пор, как расстался со второй женой. Лариса возбуждала его! Он забыл об осторожности.

— Я не успел как следует обследовать квартиру, — добавил ученый. — Мне помешала девушка. Она застукала меня за работой, назвалась хозяйкой и пригрозила вызывать полицию. Я не хотел попасть в кутузку! Я... Бог мой! Я позже догадался. Ирина живет на съемной квартире, и та девушка — ее подруга. Они снимают квартиру на двоих. Почему было не предупредить меня, что...

— Ирина выбрала время, когда они обе на работе. Она не думала, что подруга посреди дня явится домой. Невозможно учесть всё! Идеальные преступления проваливаются из-за досадной мелочи.

— Я не преступник! Я — исследователь, первопроходец... вынужденный рисковать репутацией ради открытия!

— Как вы избежали кутузки, Аркадий? — улыбнулась Лариса. — Чем откупились?

— Девушка спрашивала о золоте... Я отослал ее к дому Шувалова. Унгерн искал золото чжурчженей, Шувалов ему помогал. Возможно, под домом есть тайник. Но туда не добраться.

— Зачем Унгерну понадобилось золото?

— Он мечтал восстановить империю Чингисхана и стать повелителем вселенной. Смешно звучит, да? Если бы не тысячи загубленных жизней, я бы охотно повеселился. А так...

Лариса перестала его слушать и задумалась. В разговоре опять всплыл пресловутый «дом Шувалова»! Опять... Неужели, нет никакого самозванца, а есть настоящий граф Илья Шувалов? Помощник черного барона, жених мертвой девушки, которую она видела в зеркале психомантеума?..

* * *

Ирина не поверила Кате. Та врет, что забыла дома телефон и вернулась. Катя следит за ней. Это она пряталась в кустах, когда Ирина говорила с Засекиным и передавала ему ключи от квартиры. Катя все продумала заранее. Что она затевает?

То, что ученый со своим прибором не обнаружил в квартире ничего подозрительного, не успокоило Ирину. Она боялась смотреть в зеркала, которые висели на стенах, и обходила их стороной. Катя над ней посмеивалась.

Этим утром подруга вышла из дома первая, а Ирина нарочно задержалась. Едва за Катей закрылась дверь, она принялась методично обыскивать ее вещи. Полки в шкафу, ящики в комоде, тумбочку, спортивную сумку, все укромные уголки.

— Бедная Катя бредит золотом, и уверена, что я выудила у Сазонова его тайну. Как она ошибается!

Ирина в отчаянии уселась на диван и опустила руки. Сазонов оказался крепким орешком. Она очень старалась втереться к нему в доверие, и ей почти удалось. Но капризный старикан совершенно выжил из ума. Городил всякую чепуху, жаловался на свои болячки, хвалился охотничьими трофеями. А о главном — ни звука. Ирина уж было решила, что это «главное» существует лишь в ее фантазиях.

И тут — завещание, наследница, скоропостижная смерть Сазонова. И какая смерть!..

Ирина с дрожью вспоминала жуткую картину, которую она застала на кухне. Ей пришлось призвать на помощь всю свою выдержку, чтобы не убежать, куда глаза глядят. Кончина Сазонова усложнила ее задачу. Теперь она могла полагаться только на себя.

Наследницей стала Лариса Курбатова, и это укрепило ее уверенность в том, что она на правильном пути. Знать бы, куда этот путь выведет.

Ирина долго сидела в оцепенении, блуждая взглядом по комнате. Призрак Сазонова, если в зеркале отражался именно он, пока не показывался. При жизни Виктор Петрович иногда сам шарахался от зеркал, но она объясняла это болезнью старика. У него были проблемы с головой. Об этом она прочла в его медицинской карточке с кучей диагнозов.

Ирина не знала в точности, как умер ее дед, генерал Лукин: у них в семье было не принято обсуждать трагические подробности. Но некоторые детали со слов матери все же запали ей в память: оплывшая свеча на столе, ожог на лице покойника и черные знаки, въевшиеся в стену. Когда она впервые приехала на дачу в Песчаном, никаких следов загадочной смерти деда не осталось, кроме пятна на стене. Мать обмолвилась, что из-за этого пятна дача не продается. Каждый год местный священник заново замазывал его краской, но странные загогулины каким-то образом проступали сквозь свежий слой.

Второй раз Ирина побывала на даче уже с Денисом. Тот долго рассматривал пятно, качал головой и отпускал шуточки. Хорохорился, пока она не призналась, что всех мужчин в их семье, начиная с деда, постигает безвременная смерть...

ГЛАВА 42

Москва

Ренат засел за игру. «Золотая Баба» ничем не отличалась от множества подобных игр на тему кладов, нечистой силы, таежных приключений и военных действий. Ему пришлось попотеть, чтобы добраться до предпоследнего уровня.

Дом генерала Лукина на Оке был включен в игровую матрицу. Игрок должен был войти внутрь, обнаружить кожаный мешочек, забрать его и выскользнуть незамеченным. Если он попадался на глаза своим конкурентам, то вступал с ними в схватку. Основными его противниками были солдаты, которые строили своему начальнику дом. Солдаты тоже охотились за мешочком.

Ренат чувствовал в деталях какой-то подвох. Насколько сюжет игры соответствует подлинной истории? Неужели, генерал умер из-за сокровищ? Что же тогда хранилось в ящичке и было похищено Лукиным?

— Черт вас возьми, Вернер! — выругался он. — Вы водите меня за нос! Впрочем, как и программиста с его девушкой. Вас не интересует золото, хотя вы прикидываетесь завзятым кладоискателем. Если бы рядовые

Курбатов и Сазонов убили генерала из-за карты, то... Нет! Они его не убивали!.. Его убило что-то другое...

Ренат остановил игру и позвонил Ларисе в Уссурийск. Ящичек стоял рядом, источая слабый запах кедра, из которого был сделан.

— Лара! Это ты?

— Мы же условились, что я сама позвоню, — недовольно буркнула она.

— Я кое-что понял. Внучка генерала в Уссурийске! Она где-то около тебя.

Запах кедра навел Рената на эту мысль. Ящичек говорил с людьми только в том случае, когда те были способны его услышать. Для всех остальных он был глух и нем. То, что хранилось у него внутри, сделало его более живым, чем просто кусок древесины.

— Я догадалась, — прозвучал в трубке голос Ларисы.

Сердце Рената тоскливо сжалось. Без нее он уже не представлял себя. Это даже не любовь в обычном смысле, это стало способом существования. Вдвоем! Какие бы расстояния их не разделяли.

— Девушку зовут Ирина. Она не просто сбежала из дома, а поехала к Сазонову. Может, тот умер по ее вине?

— Не думаю.

— Будь осторожна. Она пойдет на все. Ее парню угрожает опасность, — Ренат был взволнован и торопился высказать все, что пришло ему в голову. — Лукин хотел перевоспитать жену; двое мужей Софьи Лукиной — жертвы обстоятельств. Это дань, которую собирает содержимое ящичка... На очереди — жених Ирины! Она хочет спасти его любой ценой!

— А Сазонов?

Лариса воздержалась от выводов, слушая Рената. Пусть он выскажет свое мнение.

— Сазонов... вероятно, пострадал из-за собственного любопытства. Или же... он пошел по стопам покойного генерала. Присвоил себе то, что ему не принадлежало.

— Ты говорил с парнем?

— Его зовут Денис, — пояснил Ренат. — Он... в общем, я не знаю, что он собирается делать. Бежать от смерти! Она совсем близко...

— Я в курсе, — раздраженно отозвалась Лариса.

Мертвое тело Ильи возникло перед ее глазами. Он тоже — жертва обстоятельств? Но ведь граф не имел отношения к семье Лукиных. Их в то время еще в помине не было. Кто же погиб? Настоящий Илья Шувалов... или все-таки самозванец? А гибель Унгерна — в одном ряду с перечисленными фигурантами?

— Со мной происходят странные вещи, — призналась она. — Я пока не могу их объяснить. Мне надо кое-что проверить.

— Что?

Она нажала на кнопку отбоя, а Ренат продолжал прижимать трубку к уху. Словно ждал ответа из пустоты...

* * *

Денис Ченцов взял отпуск и вылетел во Владивосток.

Они с Ирой мечтали провести медовый месяц на озере лотосов. Возможно, так и случится. Ничего, что она запретила ему появляться в Уссурийске. Он поселится на тихой окраине и будет наблюдать за ней. Незаметно. Они будут так же созваниваться, словно он продолжает жить в Москве. Пора брать инициативу в свои руки. Нельзя полагаться на судьбу.

Тем более что судьба не щадит «черных вдов». Бабушка и мама Иры похоронили своих мужчин. Где гарантия, что этого не произойдет и с ней? Она — третья. Если что-то приключилось однажды — можно считать это случайностью. Если то же самое повторяется второй раз, это уже тенденция. Третий раз не за горами!

Денис не верил, что его девушка — потомственная ведьма, которая скармливает своим прирученным демонам мужей и любовников. Но семейное проклятие Лукиных пугало его. Как ни крути, а все их мужики мрут как мухи.

Может, все дело в золоте? Нет никакой мистики, а есть привезенная из Приморья карта, где клады лежат. Сначала генерал Лукин стащил карту у своей жены... потом оба его зятя пытались завладеть картой. Теперь они на кладбище. Кто-то убивает людей, чтобы те не покушались на святыню чжурчженей. Золотая Баба — самая кровожадная «черная вдова» всех времен и народов! Увы, никого никогда не останавливал риск на пути к сокровищам. Не остановило это и бывших армейцев Курбатова с Сазоновым. Теперь первый прячется от греха в монастыре, а второй укатил на край света, но это его не спасло.

Такие рассуждения крутились в уме Дениса, привыкшем к четко заданным параметрам, а не к размытым абстракциям. Новая реальность не укладывалась в рамки его логики, и парень кидался из крайности в крайность. Он пообещал Ире выполнять ее указания, но сейчас это казалось ему ошибкой.

Лысый человек с четками, передавший ему сюжет «Золотой Бабы», преследует какую-то цель. Ясно, что его интересует золото! Избитую тему нет смысла эксплуатировать без веских причин.

Ира считает, что весь прикол в какой-то оккультной штуковине. Возможно, это легенда, придуманная ее бабкой для отвода глаз. Если «штуковина» пропала после смерти генерала, то почему погибли его зятья? «И за что умирать мне? — ломал голову Денис. — «Штуковины» я в глаза не видел, и карты, где клады лежат, в руках не держал!»

Сидя в салоне бизнес-класса, он смотрел в иллюминатор на белые клочья облаков, и события последних дней казались ему горячечным сном. Страх скорой смерти подтачивал его изнутри, словно зловредный червячок. Вроде бы видимой опасности нет, а жуть берет.

Денис взглянул на часы. Лететь еще долго. Он опустил кресло и попытался уснуть. Возбужденный ум клокотал, как жерло вулкана. В голову лезли всякие ужасы: падение лайнера, пожар на борту, паника среди пассажиров...

Денис открывал глаза, разминал затекшую шею, невольно прислушиваясь к работе двигателей, принюхиваясь к воздуху в салоне. Ровный гул моторов и отсутствие дыма не успокаивали его. Он подозвал стюардессу и попросил воды.

— Вам нехорошо? — спросила она, блеснув ровным рядом зубов. — Укачало?

— Нет... просто пить хочется.

Минералка показалась отвратительной на вкус, и молодой человек с трудом сделал несколько глотков. Его соседка, пожилая блондинка, громко посапывала. Денис одновременно и раздражался и завидовал ей.

Наконец ему удалось задремать. Сквозь сон он услышал женский крик и какие-то хлопки. Террорист-смертник с поясом шахида под курткой угрожал пассажирам расправой. Он приказал стюардессе отвести его в кабину пилотов. Дамы испуганно скулили, мужчины стыдливо отводили глаза. Террорист размахивал пистолетом и кричал, что выстрелит.

«Как он пронес оружие в салон? — подумал Денис, притворяясь спящим. — Этого не может быть! В аэропорту был строгий контроль...»

Террорист выстрелил, и пассажир, осмелившийся встать со своего места, упал на пол в проходе.

— Убили!.. Убили! — истерически завопила блондинка рядом с Денисом. — Кровь!.. Он истекает кровью!

— Спасите!.. Помогите!.. — раздавалось со всех сторон.

Стюардесса кинулась убегать, но террорист догнал ее и схватил за волосы. Дениса бросило в пот, он задыхался, боясь выдать себя. Как будто если он будет спать, его не тронут. Странно, что с закрытыми глазами он все видел. Террорист распахнул куртку и показал пассажирам взрывчатку.

— Отправляйтесь в ад! — злобно прокричал он.

Пожилая блондинка потеряла сознание и завалилась на бок. В салоне что-то вспыхнуло и загрохотало. Денис открыл глаза, и...

Никакого террориста не было. Пассажиры сидели на своих местах и пристегивались по просьбе стюардессы. Денис не верил себе. Неужели, ему всего-навсего приснился кошмар?

— Мы попали в грозу, — взволнованно сообщила соседка. — Молния ударила в кабину пилотов! Мы падаем...

— Что за черт? — возмутился он и... проснулся уже окончательно.

Полет продолжался, большинство пассажиров дремали. Блондинка рядом с Денисом так же беззаботно посапывала. В иллюминаторе виднелось чистое небо. Никакой грозы, никаких молний.

Денис глубоко вздохнул, вытер ладонью взмокший лоб и допил невкусную воду. Если так пойдет дальше, он свихнется от страха. Сколько существует способов отправить человека в мир иной?! Десятки. От транспортной аварии до взрыва бомбы каким-нибудь сумасшедшим фанатиком. Если к этим рискам присовокупить некие скрытые влияния, наподобие колдовства, становится совсем не по себе. Где же искать защиту? Как уберечься?

Денис не смог расслабиться даже после пробуждения. Он вдруг явственно ощутил, что за ним наблюдают. Кто-то, сидящий сзади, не сводит с него глаз. «За мной следят! — запаниковал парень. — Я забыл об осторожности, потерял бдительность, слишком спешил уехать из Москвы. Не обращал внимания на других пассажиров, каждый из которых может быть моим смертельным врагом...»

ГЛАВА 43

Уссурийск

Засекин ушел, оставив после себя запах туалетной воды, которой он наспех побрызгался перед поздним визитом.

Лариса выпила таблетку и прилегла. Голова гудела. Боль сосредоточилась в месте ушиба, все тело ломило и выкручивало. Образ Ильи Шувалова, — живого и мертвого, — приковал к себе ее внимание. Для чего тот соорудил психомантеум? Не для того же, чтобы вызывать духов из любопытства? Не таким человеком был Илья, чтобы бесцельно заниматься оккультными опытами. Что связывало его с бароном Унгерном?

— Золото? — прошептала она, прислушиваясь к внутренним ощущениям. — Или любовь? Может, в психомантеуме Илья общался с покойной невестой? Но тогда... при чем тут безумный «потомок Чингисхана»?

В номере горел торшер. С улицы доносились звуки ливня. Лето выдалось теплое, в меру дождливое. После недавнего потопа[1] горожане наслаждались сухой солнечной погодой. Но к вечеру иногда собирались тучи,

[1] Здесь имеется в виду наводнение в Приморье 2016 года.

гремел гром, и с неба обрушивалась стена воды. Это прекращалось так же внезапно, как и начиналось.

Уссурийск стоял на руинах загадочной цивилизации, что накладывало отпечаток на все сферы здешней жизни. Это особый край с особой энергетикой, аномальными зонами и сверхъестественными явлениями. Неудивительно, что сюда слетаются охотники за сенсациями, псевдоученые, сталкеры и прочие любители паранормального.

Засекин — один из них. Он ничего нового не сообщил Ларисе. Она и без его признаний подозревала, что Ирина обращалась к «профессору» с щекотливой просьбой. Не зря эта девушка устроилась в социальную службу, не зря опекала инвалида Сазонова. Семейная драма не оставила ей выбора. Очевидно, Ирине не удалось осуществить то, за чем она приехала. Пенсионер так и не открыл ей свою тайну...

Лариса приехала сюда с той же целью и пока преуспела не больше внучки генерала. Сазонов не выходил на телепатический контакт. Он был одиноким молчуном, и смерть еще сильнее отдалила его от людей.

«Почему он назначил своей наследницей именно меня? — размышляла Лариса. — Это какой-то намек. Что я должна сделать?»

Она перебирала в уме образы, среди которых особняком стояла тоненькая девушка с пышной прической и печальными глазами: невеста графа Шувалова, умершая молодой. Чем-то они с ней похожи.

— Ты мне подскажешь, как действовать? — спрашивала Лариса, но в ответ не получала обнадеживающего знака.

Только в психомантеуме они смогут поговорить. Невеста графа уже появлялась там и может прийти вновь. Главное — не струсить и не убежать, как в предыдущие разы. Лариса представила себе знакомую гостиную, накрытый к завтраку стол, фотографию Унгерна на стене, сидящее на диване тело... Бр-р-ррр! Странный мертвец не поддавался тлению. Все в его доме оставалось нетронутым.

— Зачем приходил убийца? Чтобы заставить Илью замолчать?

Кажется, негодяй что-то унес с собой. Какую-то ценную вещь! Лариса «увидела» кожаный мешочек в его руках. В мешочке хранилась любимая вещица... невесты графа! Но что это?

Лариса поморщилась от головной боли. Действие таблетки прекращалось слишком быстро. Она наполовину опустошила упаковку лекарств, а толку мало.

Ее мысли опять вернулись в дом Ильи, где колыхались драпировки в психомантеуме, а в тусклых зеркалах отражались духи умерших. Сможет ли она опять попасть туда?

«Третий раз будет последним, — отчетливо произнес кто-то в тишине комнаты. — Ты готова уйти в небытие вместе с Ильей? Он ждет тебя!»

— Я не знаю...

Лариса вспомнила последний разговор с отцом. Тот клялся и божился, что ни золота, ни денег рядом с трупом Лукина не было.

«По крайней мере, я не видел, — уверял брат Онуфрий. — Может, Сазонов тебе больше расскажет? Мы оба были тогда не в себе! Испугались до смерти! С тех пор в мои сны начал приходить призрак... У него были разные лица, но одна и та же одежда: длинная меховая накидка, странный головной убор, бусы. Он нашептывал мне слова, смысл которых я понял гораздо позже».

«Что это были за слова, папа?»

«Мне нужна твоя дочь! — твердил призрак. — У нас с ней свои счеты!»

«Но ведь в то время ты еще не женился на маме, а я родилась гораздо позже?»

«Поэтому я и решил, что меня преследуют кошмары после той ночи в Песчаном. Я ничего не сказал Виктору, он тоже помалкивал. Может, призрак и к нему приходил, но мне об этом ничего не известно. Потом жуткие сны прекратились, и я о них забыл. А когда на свет появилась ты...»

«Призрак опять посетил тебя?» — догадалась Лариса.

«Не сразу. Он явился на твое совершеннолетие, заявил, что хочет встретиться с тобой, и я... обязан свести вас. Представь мой ужас! Я умолял его оставить тебя в покое и забрать мою душу вместо твоей. Но призрак был непреклонен. А причиной всему — мое любопытство! Я виноват, что послушал Сазонова и подглядывал за генералом. Огненные следы на стене были проклятием дьявола!»

«Из-за этого ты ушел в монастырь?»

«Я буду молиться, чтобы призрак не навредил тебе. Как иначе я могу исправить свою ошибку? Несправедливо, если расплачиваться за мой грех придется невинному ребенку».

«Я давно не ребенок, папа!»

Лариса услышала тихий щелчок замка. Кто-то без ее ведома пробирается в номер. Неужели, проводив Засекина, она не закрылась изнутри?..

* * *

Ренат с Денисом поменялись местами. Теперь первый следил за вторым. Ренат сидел в салоне самолета позади программиста, который то спал, то нервно озирался по сторонам. Полет был долгий и утомительный. В аэропорту Владивостока толпа измученных пассажиров ожидала багаж.

Ренат надел темные очки, чтобы его раньше времени не расшифровали. Дениса, как и предполагалось, никто не встречал. Тот вышел на улицу, залитую летним солнцем, направился к стоянке такси и взял машину до Уссурийска.

Рената тоже никто не встречал. Он хотел сделать Ларисе сюрприз, и не предупредил о своем приезде. Впрочем, ее врасплох не застанешь, в отличие от генеральской внучки.

Длинноволосый водитель синего «опеля» любезно открыл перед ним дверцу:

— В Уссурийск?

— Сколько? — спросил Ренат.

Названная сумма ошеломила его, но он согласно кивнул и уселся рядом с шофером. По дороге они разговорились.

— У нас сейчас наплыв туристов, — болтал парень. — И все в Дубовый Ключ рвутся. Скоро там яблоку будет негде упасть. Лотосы расцветают!

— Лотосы? Я думал, такое только в Египте можно увидеть, в дельте Нила... или в Индии.

Водитель добродушно рассмеялся. Волосы до плеч, усы и бородка делали его похожим на артиста.

— Вы по делу приехали или отдыхать?

— В командировку, — соврал Ренат.

— Почему бы вам не совместить приятное с полезным? Хотите, я помогу вам снять комнату в Дубовом Ключе?

— Ты получаешь откат за клиентов?

— От клиентов и без меня отбоя нет.

— За что же мне особая преференция?

— Вы мне симпатичны, — с улыбкой заявил таксист. — Недавно я женщину вез из Владивостока в Уссурийск, как вас, и мы по дороге заблудились. Прикиньте! Свернули на проселок и застряли до утра. Хорошо, что мне удалось пассажирку на ночлег пристроить. А сам в машине спал. Такого со мной еще не бывало!

«Женщину, случайно, не Ларисой зовут?» — подумал Ренат, но промолчал.

— Тут прямая трасса. Какого лешего я свернул, не знаю. Хоть убейте! У нас вообще сплошная мистика происходит. Город кишит призраками и прочей чертовщиной. Я решил специальный маршрут разработать, по таким местам. Предлагаю вам первому.

— А что? Я, пожалуй, не откажусь.

— Любите нервишки пощекотать? — оживился водитель.

— Адреналин мужчинам на пользу. Держит в тонусе.

— И я так считаю.

За окнами мелькал хвойный лес, окрашенный в цвета заката. Лента шоссе потемнела, на небе проступили редкие звезды. Ренат не сводил глаз с машины впереди, которая везла Ченцова. Хоть бы не потерять.

— Вы про Золотую Бабу слышали? Говорят, она в здешних подземельях спрятана. Где-то в заброшенных штольнях или древних туннелях.

— Серьезно? — усмехнулся Ренат. — Отличная приманка для туристов! Бывшие каменоломни, угольные выработки... чем не места для клада? Небось, черные копатели не переводятся?

— Точно. То один, то другой в штольнях сгинет, а все равно лезут.

Когда впереди показались огни, водитель радостно объявил:

— Добро пожаловать в наш город! Вы где решили остановиться?

— В частном секторе. Не люблю шума и суеты.

— Тогда вам на окраине надо жилье искать.

В данном случае интересы объекта и преследователя совпали. Денис, видимо, тоже решил поселиться в тихом месте подальше от центра.

— Останови на этой улочке, — попросил Ренат водителя. — Я пройдусь, воздухом подышу.

— Хозяин — барин. Если понадоблюсь, звоните. Вот моя визитка. Я всегда на связи. Круглосуточно! Волка ноги кормят, а меня — колеса.

Ренат расплатился за поездку, сунул визитку в карман, взвалил сумку на плечо и зашагал по узкому тротуару. Он не хотел, чтобы таксист знал его адрес. В том, что они скоро встретятся, не было сомнений...

ГЛАВА 44

Лариса выключила свет и спряталась в ванной. Неужели Засекин вернулся? Но почему крадучись?..

Визитер прикрыл за собой дверь номера и остановился, его глаза привыкали к темноте. Лариса ощущала его растерянность и вместе с тем решимость. Впрочем, это не «он», а «она» — женщина!

— Лариса, вы здесь? — донесся до нее взволнованный женский голос. — Дверь была открыта, и я вошла.

Она не ответила, ожидая продолжения. В номере раздались осторожные шаги. Гостья, не зажигая света, двинулась вперед. Лариса не могла ее видеть, но отчетливо представляла, что происходит.

— Тут есть кто-нибудь? — гостья осветила фонариком комнату. На столике — чашка с чаем, печенье, лекарства и компресс, который Лариса прикладывала к ушибу на голове. Подушка на диване примята, на спинке кресла висит шерстяная кофта.

Гостья заглянула в спальню и убедилась, что там тоже пусто. Лариса ощутила ее страх, смятение и отчаянную надежду. Убедившись, что в номере никого нет, она примется за обыск.

— Лариса... — тихо произнес женский голос. — Вы меня слышите? Я чувствую ваше присутствие...

Она вовсе не глупа, эта социальная работница. Лариса узнала ее, но не откликнулась. Пусть займется тем, за чем пришла.

Девушка почему-то не догадалась проверить ванную. Было слышно, как скрипнула дверца шкафа, что-то упало на пол. Интересно, как она проникла в гостиницу? Через черный ход?

Лариса бесшумно выскользнула в коридор и увидела в гостиной бегающий по углам луч фонаря. Она подкралась к выключателю и... Щелк! Люстра вспыхнула всеми пятью рожками.

Посреди комнаты застыла женская фигура в спортивных брюках и легкой куртке с капюшоном, закрывающим лицо. Фонарик вывалился из ее руки, она ойкнула и попятилась.

— Я вызову охрану! — пригрозила Лариса. — Ты воровка!

— Не надо... умоляю тебя! Я все объясню...

— Ирина? Я знала, что рано или поздно ты придешь. Вот и дождалась. Сними капюшон, в этом больше нет надобности.

— Мы ведь друзья? — натянуто улыбнулась девушка. Без капюшона она выглядела растрепанной и жалкой. В раскрытом шкафу на полках вещи были перевернуты, полупустые ящики выдвинуты.

— Друзья ходят друг к другу без приглашения, — кивнула Лариса. — Поэтому ты не позвонила, прежде чем нанести дружеский визит?

— Я... я...

— Это сюрприз! Верно? Как ты сюда попала?

— Дверь была не заперта, — повторила Ирина.

— Ладно, не важно. Садись.

У Ларисы болела голова, ее подташнивало. На ногах долго не простоишь, а разговор предстоит серьезный.

Гостья послушно опустилась в кресло; ее щеки горели, руки, сложенные на коленях, мелко дрожали. Как она будет оправдываться, что говорить?

Лариса устроилась на диване и накинула на плечи кофту. Ее знобило. Хотелось послать все к черту и лечь.

— Ну, давай знакомиться по-настоящему, — сказала она, глядя на упаковку таблеток. Выпить еще одну или потерпеть? Пожалуй, потом, когда Ирина уйдет. — Ты внучка генерала Лукина, а я — дочь солдата Курбатова. Это свело нас вместе. Покойный Сазонов был армейским товарищем моего отца, что тебе отлично известно. Ты нарочно устроилась ухаживать за ним, чтобы...

Лариса сделала эффектную паузу, наслаждаясь замешательством собеседницы. Та не ожидала таких слов: она приготовилась к упрекам, обвинениям, скандалу, тем более что сама дала повод для этого.

— Откуда... Как ты догадалась?

— Секрет. А ведь ты с самого начала знала, кто я. Ты прочитала завещание Сазонова еще при его жизни, верно?

— Ну... не будут отрицать, — нехотя признала Ирина. — Любопытство не порок. Чем ты заслужила наследство, кстати?

— Понятия не имею.

Лариса лукавила. На самом деле она предвидела нечто подобное. Отец столько лет молчал и вдруг отправил ее в Уссурийск, чтобы она передала Сазонову привет от старого друга? Она по-своему поняла его невысказанную просьбу: «Поезжай и разберись с тем, что не дает мне покоя долгие годы. Это каким-то образом касается тебя. Я не смог поставить точку в темной истории из моего прошлого. Видит Бог, я старался никого не впутывать!.. Мои надежды замолить грех не оправдались. Не знаю, где я оступился и совершил роковую ошибку. Быть может, Господь не отвернется от меня, подскажет! Кабы поздно не было... Боюсь я за тебя, дочка! Сердце каждый день болит...»

«А если ты ни в чем не виноват? — подумала Лариса. — Если грех вовсе не твой, а мой? Пришло время платить по счету...»

— Скажешь, что приехала на край света просто повидаться с бывшим сослуживцем своего папаши? — вклинилась в ее размышления Ирина.

— Мой отец стал монахом, как тебе известно. К нему труднее подобраться, а бедняга Сазонов старел в одиночестве. Поэтому ты выбрала его?

— Допустим.

Разговор пошел начистоту. Отпираться Ирине не было смысла. Она пробралась ночью в номер Ларисы не для того, чтобы лгать и выкручиваться.

— Виктор Петрович умер почти как генерал Лукин, твой дед.

— Очень похоже, — кивнула девушка. — Только это наше семейное дело.

— Зачем ты здесь?

— Я не собиралась причинять тебе вред... просто решила поговорить.

— Почему же не позвонила? Не предупредила о визите?

— За мной следят, — смутилась Ирина. — Я вынуждена так поступить, чтобы о нашей встрече никто не знал. Лишние глаза и уши — лишние проблемы.

— От кого же ты прячешься? От своей подружки Кати?

— А что мне остается? Катя втемяшила себе в голову, что у Сазонова было золото, которое он отыскал в тайге, будучи охотником. И будто бы я в курсе, где клад! Это полная чушь. Но Катю не переубедишь. Она наблюдает за мной, контролирует каждый мой шаг. Мне приходится... О, черт! Как меня все это достало!..

В комнате было тепло, но девушка дрожала. Ее лицо исказила гримаса негодования.

— Под каким предлогом ты вышла из дома так поздно? — сухо осведомилась Лариса.

— У меня бывают ночные дежурства. Иногда я подменяю кого-нибудь из коллег. Ночные оплачиваются по двойному тарифу. Я вынуждена выкручиваться, лгать...

— Значит, ты сказала Кате, что остаешься на ночь у больной старушки?

— Это не вызовет подозрений. Хотя... я уже ни в чем не уверена. Катя подвергает сомнению любое мое слово. Она помешалась на золоте!

— Что тебе нужно от меня?

— Генерал Лукин стащил у своей жены, то есть у моей бабки, одну вещь. Из благих побуждений, разумеется. С той самой минуты наша жизнь пошла под откос...

* * *

Ренат снял комнату в деревянном доме на краю улицы, которая упиралась в лесопосадку. Хозяин, седой сгорбленный старик, выдал ему электрочайник, нехитрый набор посуды и попросил не пьянствовать, никого к себе не водить и не шуметь после полуночи.

— Я трезвенник, — заверил его Ренат. — Буду тише воды, не волнуйтесь.

Старик был туговат на ухо, но переспрашивать не стал.

— Деньги вперед, — заявил он.

Постоялец заплатил ему за неделю, и едва хозяин вышел, с наслаждением улегся на железную кровать с горой подушек. Сквозь полосатые занавески в комнату заглядывала луна. Желтый абажур свисал с потолка на длинном шнуре, в углу блестели искусственной позолотой иконы. Дверцы шкафа рассохлись от времени и покосились. Жилище постарело вместе с хозяином, но еще хранило своеобразный провинциальный уют. Запах воска и гераней действовал успокоительно и усыпляюще.

Ренат устал и не строил планов на завтра. Вместе с рассветом придут и верные мысли. Едва он погрузился в дрему, персонажи онлайн-игры «Золотая Баба» смешались с реальными людьми и завладели его вниманием...

Денис Ченцов не спал. Он поселился на той же улице, где и Ренат, только на противоположной стороне. Несколько домов отделяли их друг от друга. Программист боялся за свою жизнь, его рациональный ум взбесился от количества неизвестных, которые делали задачу невыполнимой.

Связной барона Унгерна тенью скользил по темному городку, пряча в охотничьей сумке свою добычу. Из-за этой вещицы он останется без головы, в прямом смысле слова. Вместо благодарности барон прикончит его на глазах у подчиненных. «А чего ты ждал, дружище? — подумал сквозь сон Ренат. — Тебе ведь тоже пришлось убить графа Шувалова, чтобы избавиться от свидетеля. За «штуковиной», которую ты доставил Унгерну, неизбежно потянется шлейф смертей».

Вещица, уже дважды окропленная кровью, поселилась в шатре командира Азиатской дивизии. Куда она подевалась после того, как барона расстреляли чекисты? Вероятно, Унгерн позаботился о надежном тайнике. Держать в полевых условиях то, что представляет большую ценность, опасно.

Должно быть, барон и поместил свою добычу в деревянный ящичек, обнаруженный в чужом подвале обычным водопроводчиком. Неисповедимые пути привели его в руки молодой музейной работницы...

Японские разведчики, монгольские шаманы, генеральша Лукина, пьяные белогвардейцы, таежные бандиты, монах Онуфрий, тибетские ламы, плачущая Софья, покойный Виктор Сазонов, красные комиссары, программист Ченцов и его невеста, лукавые торговцы, завзятые путешественники, черные археологи, — все смешались в воображении Рената, слились в пестрой круговерти лиц. Его мучил главный вопрос: какое отношение к этому безумию имеет Лариса?

Случилось так, что нынешние участники драмы собрались там, откуда эта темная история брала начало. В Уссурийске! Отсюда жена генерала привезла в столицу ящичек со страшным содержимым...

«Все возвращается на круги своя, — назидательно изрек Вернер, перебирая нефритовые четки. — Сколько веревочке не виться, а кончику быть!»

Гуру был любителем пословиц и часто пользовался ими. Рената это разозлило.

— Идите к дьяволу! — бросил он в самодовольную физиономию бывшего наставника. — Ваши прописные истины навязли в зубах!

Громкий стук в окно разбудил его.

— Вернер? — приподнялся он.

В комнату через стекло заглядывала Золотая Баба с круглым, как луна, лицом. Она грозила пальцем и приговаривала:

— Отпустите моего стража, не то не сносить вам головы...

— Вы о чем? — похолодел Ренат.

Во рту у Бабы блестели золотые зубы, золотые локоны короной собраны на голове. Золотая шея обвита жемчугами и самоцветами.

— Он вам ничего не сказал и не скажет, — с этими словами она взмахнула рукой и разбила стекло. — А мне его не хватает! Кто-то должен за это ответить.

Осколки со звоном посыпались на пол. Ренат вскочил с кровати, словно ужаленный, а Баба злобно расхохоталась и... пропала.

Он почувствовал резкую боль в ступне, наклонился и увидел кровь. Сон оказался не совсем сном. Оконное стекло отсутствовало, в пустую раму лилась теплая летняя ночь. Ренат неосторожно наступил на острый осколок, который впился ему в ногу.

— Ну вот, — опешил он. — А обещал дедушке не дебоширить...

ГЛАВА 45

Золотое лицо луны маячило за окном гостиничного номера, где две женщины пытались обхитрить друг друга.

— Что это за вещь? — допытывалась Лариса.

— Если бы я знала! — увиливала Ирина.

— Неужели, твоя бабка ни разу не обмолвилась, что было украдено?

— Она боялась...

— А генерал?

— Он не признался в краже до самой смерти. Дед все отрицал!

— Кто вам сообщил о том, что случилось на даче?

— Меня тогда и в проекте не было, — вздохнула девушка. — Я родилась позже. Со слов мамы, им позвонили из милиции... следователь, которого вызвали на дачу. Бабушка сразу же выехала в Песчаное, а мама осталась дома.

— Значит, генеральша не нашла на даче пропажу?

— Там провели обыск... еще до ее приезда. Может, кто-то из ментов присвоил ту штуку себе. На стене комнаты остались знаки, которые подтверждают, что...

— ...«штука» была, да сплыла? — подсказала Лариса.

— Типа того, — кивнула гостья. — Эти знаки есть до сих пор. Как их не замазывай, они опять проступают.

— В кухне Сазонова похожие знаки?

Ирина помолчала, кусая губу. По взгляду Ларисы она поняла, что лучше говорить правду.

— Точно такие же.

— Выходит, не менты оказались нечисты на руку.

— Выходит, нет, — признала девушка. — Кроме ментов, на даче был прораб, который руководил строительством. Он спал в мансарде пьяный. К сожалению, он прожил потом недолго, допился до белочки и умер.

— Вам удалось выяснить, что двое солдат срочной службы могли бы пролить свет на ту трагедию. Это Сазонов и Курбатов. И вы взялись за поиски.

Лариса намеренно не уточняла, что имеет в виду Ирину и ее парня-айтишника. Пусть та сама кумекает.

Поняла ли внучка генерала намек? Она побледнела, подбородок дрогнул. Каждое слово давалось ей с трудом. Будто полная луна, глядящая в комнату, навевала на нее безотчетный ужас.

— Что нам было делать? — выдавила Ирина. — Ждать, пока Денис умрет? Бабушка предупредила меня, чтобы я не связывалась с мужчинами...

— Поскольку солдат было двое, вы решили разделиться. Денис останется в Москве, а ты отправишься в Уссурийск.

Отпираться было бессмысленно. Ирина кивнула, поглядывая в окно. Луна пугала ее, и она подошла закрыть шторы.

— Когда Денис рассказал мне, что Курбатов ушел в монастырь, я догадалась, из-за чего он попал туда. Он был свидетелем смерти моего деда!.. Это разрушало его душу, и он подался к Богу. Мои сомнения окончательно рассеялись...

— И вы с Денисом договорились, что он будет следить за монахом, а ты едешь к Сазонову?

— Да. Уже тут, на месте я сообразила, как мне подобраться к этому человеку. Я устроилась в социальную службу. Сазонов слыл вредным, вздорным старикашкой. Все разбегались от него, а я согласилась заменить сотрудницу, которую он допек своими капризами и жалобами. Он всех допекал! Никто не хотел иметь с ним дело.

— Ты готова была терпеть его несносный характер, лишь бы находиться рядом? — усмехнулась Лариса.

— Как иначе я могла выведать его тайну?

— Ты искала у него то, что генерал Лукин когда-то похитил у твоей бабки?

— Не надо быть провидцем, чтобы понять это, — нахмурилась Ирина. — Когда старик написал завещание, я обрадовалась. Фамилия наследницы сказала мне, что я не ошиблась, приехав сюда. Я подумала, что Сазонов с Курбатовым договорились: когда один из них умрет, «штуковина» из ящичка должна перейти к оставшемуся в живых.

— И ты решила перехватить ее?

Ирина бросила на собеседницу взгляд исподлобья, кивнула и опустила голову. Она боролась за свое счастье и считала, что в данном случае все средства хороши.

— Ты не задавала себе вопрос, почему завещание оформлено не на самого Курбатова, а на его дочь?

— Так он же монах... Может, монахам запрещено наследовать имущество.

Если бы все объяснялось этим, Ларисе было бы легче.

— Тебе нужен старый дом на краю земли? — спросила внучка генерала. И поскольку ответа не последовало, сама же заключила: — Не нужен! Выходит, вместе с имуществом Сазонов хотел передать тебе то, что по праву принадлежит нашей семье.

— По праву? Кто дал вам это право?

— Темные силы, дьявол... назови как угодно. Тебе меня не понять. От чертовой «штуковины» зависит жизнь моего жениха! Я обязана его спасти. Любой ценой.

— Так уж и *любой?*

Ирина смешалась и отвела глаза. Приезжая оказалась не из робких и себе на уме, придется повозиться с ней. Иного пути, кроме как во что бы то ни стало вернуть похищенный колдовской атрибут, не существует. Добровольно Курбатова вещицу не отдаст. Значит, надо выманить ее хитростью.

— Смерть подопечного застала тебя врасплох? — между тем спросила Лариса.

— Смерть всегда приходит неожиданно...

— Сазонов практически повторил кончину твоего деда. Он умер почти в той же позе, при похожих обстоятельствах. Свеча на столе, огненные знаки на стене кухни...

— Это первое, что бросилось мне в глаза, — кивнула Ирина. — Я пришла в ужас, потом кинулась обыскивать дом.

— Что ты искала?

— Не знаю. Что-то необычное!..

— Но ничего подобного в доме не оказалось?

— В том-то и фокус, что нет! — в отчаянии воскликнула девушка. — Ничего такого, чего бы я не видела раньше! Сазонов либо надежно спрятал украденное, либо... оно было у меня перед глазами, а я... просто тупица! Безмозглая курица!

— Ты видела в зеркалах чужие лица?

— Редко... А что, ты тоже? В доме Сазонова?

— Туда приходил Засекин с его прибором, чтобы проверить энергетику. Мне там не очень уютно. Поэтому я вернулась в отель. Хорошо, что номер не сдала.

Ирина с опаской покосилась на встроенное в шкаф зеркало и зябко повела плечами.

— У Сазонова я принимала это за собственные глюки. Но когда чужое лицо появилось в квартире, которую мы снимаем с Катей, я испугалась. Решила, что спятила!

— До смерти старика ты видела «лица» только в зеркалах у него в доме?

Девушка наморщила лоб, вспоминая.

— Кажется, да... Но я не уверена. У меня нервы на взводе! С тех пор как я познакомилась с Денисом, моя жизнь превратилась в ад. Ни минуты покоя, ни ночи без кошмара. В голову лезут мысли одна хуже другой! Мне может всякое померещиться...

* * *

Денис вычислил адрес Ирины по ее мобильнику: пригодились хакерские навыки. Он не знал, как девушка воспримет его самовольный приезд. Раскричится и прикажет возвращаться в Москву? Или обрадуется?

Настроение у парня было прескверное. Утомительный перелет вымотал его; условия в частном домике, где он снял комнату, оставляли желать лучшего. Утром он позавтракал в ближайшем кафе и прогулялся по городу. Уссурийск произвел на него гнетущее впечатление. Казалось, за каждым углом Дениса подстерегает неведомая угроза.

Неужели ему суждено умереть здесь? Он шагал, озираясь, по пыльным тротуарам мимо унылых домов, и сердце сжималось от тоски. Освещенные солнцем деревья отбрасывали зловещие темные тени. Сам воздух с привкусом разогретого асфальта дышал опасностью.

Денис уселся на лавочку, обсаженную ползучими туями, и достал телефон. Позвонить Ире, что ли? Вон ее дом, в глубине пустынного двора. Люди все на работе, и она, наверное, тоже. А сотовый дома забыла. Она рассеянная.

Солнце припекало. Денис надвинул на лоб бейсболку и приготовился ждать. Звонить он передумал. Не мешает сначала понаблюдать за происходящим. Его разморило от палящих лучей, но перебираться в тень он не торопился. Отсюда хорошо просматривались дом, двор и подходы к нему.

Денис обратил внимание на худощавого очкарика, который прохаживался мимо. По-видимому, тот тоже поджидал кого-то. Прошло около получаса, когда из дома выпорхнула молодая особа в летних брюках и блузке в горошек. Очкарик спрятался в кусты, чем насторожил Дениса. Барышня направилась к остановке автобуса, а очкарик... двинулся следом.

Парень решил присоединиться к этому подозрительному тандему. Так они и шли на некотором расстоянии друг от друга: барышня, очкарик и, замыкающим, Денис.

Он чудом успел вскочить в автобус и устроился на задней площадке, держа в поле зрения барышню с очкариком. Этот интеллигент с бородкой походил на профессора, а девушка — на озабоченную проблемами служащую. Она была погружена в свои мысли и не замечала слежки.

На третьей остановке девушка вышла, за ней поспешил очкарик. Денис немного выждал и в последний момент покинул автобус. Закрывающиеся двери чуть не прищемили его. Чертыхаясь, он высматривал впереди «профессора» и блузку в горошек...

ГЛАВА 46

Лариса проговорила с генеральской внучкой до рассвета. Каждая вела свою игру, стараясь, чтобы другая не догадалась об этом. Но обе, безусловно, догадывались.

Утром они напились чаю, как добрые подруги, и Лариса проводила Ирину через черный ход на улицу. Лучше, чтобы дежурный ее не видел.

— Ладно, я побежала. Катюха, наверное, телефон оборвала: типа волнуется, куда я подевалась. Могу же я переночевать у любовника? Подружка засохнет от зависти!

Ирина нарочно поставила мобильник на беззвучный режим и сунула его дома в шкаф, чтобы Катя не обнаружила. Нечего трезвонить без толку!

После ее ухода Лариса вернулась в номер, заперла дверь, легла и закрыла глаза. Вместо сна на нее посыпались видения. Призрак молодой женщины в зеркале психомантеума звал ее за собой...

— Мне туда нельзя, — отнекивалась она. — Там только мертвые.

Призрак улыбался и поправлял волосы знакомым жестом. Примерно таким же, как у Ларисы.

— Ты копируешь меня?! — ужаснулась она. — Не смей так делать!

Темные драпировки тревожно всколыхнулись, сквозняк задул свечу. Лариса стояла в зеркальной комнате, где Илья вызывал духов. Зачем ему понадобился «оракул мертвых»? Чтобы видеться и говорить с покойной невестой?

— Ты его недооцениваешь, — шепотом возразил призрак. — Он не так глуп, чтобы верить в загробную любовь. Что ушло, того не вернуть. Да и к чему? Начинать заново куда интереснее, чем грустить о прошлом.

— Это как кому...

— Идем, я покажу тебе кое-что, — предложил призрак. — Ну же, не бойся!

Зеркала тускло мерцали в сумраке психомантеума, отражая призрак с четырех сторон. Лариса опомниться не успела, как девушки в длинных платьях окружили ее, протягивая со всех сторон тонкие руки.

— Иди за мной... — шептала каждая из них. — Иди за мной...

Могла ли она противиться этому зову? Страх растворился, уступив место любопытству. Этим и заманивают обитатели зазеркалья! Лариса уже не рассуждала, не колебалась. Пространство комнаты было таким же отражением в зеркале, как и она сама. Границы исчезли, «там» и «здесь» смешались, отличия рассеялись...

Лариса больше не видела призрака, только саму себя. Откуда-то сбоку вышел Илья, неся зажженную свечу.

— Хватит сидеть без света, — просто, обыденно промолвил он, словно они расстались минуту назад. — В темноте ничего не произойдет.

— А что должно произойти? — с восторженным ужасом спросила она.

— Я могу лишь догадываться. Мы попытаемся вызвать кое-кого... Надеюсь, у нас получится.

— Ты уверен, что нас услышат?

Он неопределенно повел плечами.

— Ты готова?

Свеча разгорелась, освещая столик с лежащим на нем круглым предметом. Лариса ощутила пульсирующий жар внутри, и ее решимость испарилась. Она протянула к столику руку, но тут же отдернула.

— Ай!

— Обожглась? — испугался за нее Илья. — Осторожнее! Не спеши.

— Может, ты попробуешь?

— Исключено. Эта штука слушается тебя, а не меня.

— Я боюсь!

— Сейчас или никогда, — выдохнул граф. — Я провел астрологические расчеты. Благоприятный момент наступает раз в сто лет. И этот момент — сегодня.

— Мы оба умрем, — покачала головой девушка. — Сначала я, потом ты...

— Все умирают рано или поздно.

Илья был слишком поглощен своей идеей, скорым воплощением ее, и отмахнулся от предупреждения. Ничто не могло остановить его в эту минуту. Лариса смирилась. Какой смысл отговаривать одержимого? Только зря тратить силы. А они ей понадобятся.

— Это все Унгерн, — обронила она. — Он заразил тебя жаждой золота. Если бы не он...

— Плевать на золото! Ты не понимаешь... Меня влечет другое. Я создавал психомантеум не для Унгерна, а для себя. Как еще я могу поговорить с великими мертвыми?

— Барон воспользовался твоей страстью, чтобы...

— Мы теряем время, — отрезал Илья. — Пора приступать к обряду. Ты отказываешься помочь мне?

— Конечно же, нет. Что я здесь делаю, по-твоему?

— Значит, ты готова рискнуть?

— Ради тебя, но не ради Унгерна...

Лариса заплакала. Это были слезы любви и предстоящей разлуки. Илья не разделял ее отчаяния. Азарт будоражил его кровь, застилал разум. Граф был не прочь поставить на кон даже собственную судьбу.

Психомантеум освещала единственная восковая свеча. Если ее язычок погаснет, мрак поглотит всё и всех.

Понимает ли это Илья? Лариса понимала. Они стоят на грани, которую легко перейти.

— Уходи, — приказала она Илье. — Это слишком опасно.

— Я останусь с тобой.

— Нет!

Молодой человек был вынужден подчиниться. Свеча ярко вспыхнула, в воздухе запахло топленым воском и гарью. Лариса шептала слова, написанные Ильей на листке бумаги. Зеркала внезапно потемнели, их бездонная гладь словно клубилась черным дымом. Из этих клубов проступила фигура в пестром одеянии и странном головном уборе...

* * *

Девушка в блузке в горошек скрылась в доме за деревянным забором. Очкарик околачивался неподалеку, дожидаясь, когда она выйдет.

В тени молодой елки прятался Денис Ченцов. Он продолжал следить за нелепой парочкой. Отчего-то ему показалось, что эти двое каким-то образом связаны с Ириной. Интуитивная догадка оправдалась. Парочка привела его на Никольскую улицу, к дому, где проживал покойный Сазонов. Денису был известен этот адрес, ведь это он отыскал место жительства бывшего стройбатовца.

Улица была пустынна. Видавшие виды дома давно нуждались в ремонте, дворы заросли бузиной, рябинами и корявыми яблонями. Очкарик, похожий на профессора, все чаще поглядывал на часы, изнывая от скуки. Денис подкрался к нему и тихо спросил:

— Закурить не найдется?

Тот вздрогнул от неожиданности и жутко смутился.

— Я не курю...

— Кто ты такой? — Парень окинул его сердитым взглядом и смачно плюнул в дорожную пыль. Это покоробило очкарика, но он смолчал. — Что ты здесь высматриваешь?

— Ничего... я... просто гуляю...

— Ха! Как бы не так! Гуляет он! Я тебя уж полчаса, как приметил. Торчишь на одном месте, в чужой двор заглядываешь. Домушник, что ли? Грабежом промышляешь?

«Профессор» опешил от такой наглости и растерялся. Денис не преминул этим воспользоваться.

— Я тебя сейчас скручу — и в отделение! Там разберутся.

— Что вы на людей бросаетесь?.. — отпрянул очкарик. — Идите своей дорогой, куда шли. Хулиган!..

В ответ на это Денис, изображая грубияна, кивком указал на дом, в котором скрылась барышня.

— За бабой следишь? Может, ты маньяк?

— Что вы... себе позволяете? — задохнулся от возмущения «профессор». — Как вы смеете?!.. Ну и молодежь пошла...

Он побагровел и схватился за сердце. Дениса не проняло.

Парень упрямо гнул свою линию, не обращая внимания на приемчики очкарика. Тот хоть и в летах, но вполне может оказаться злодеем.

— Кто она тебе? — Денис опять кивнул в сторону дома. — Жена?.. Любовница?..

— Не в ваше дело, — выдавил «профессор», покрываясь потом.

— Ты зачем за ней сюда притащился? Я с вами в одном автобусе ехал, все видел. Дай, думаю, проверю, чего старикан за телкой увязался? Уж нет ли у него худого на уме?

Очкарик не сразу нашелся, что сказать. Он открыл рот, взмахнул руками и оглянулся по сторонам. Не подоспеет ли случайный прохожий ему на помощь? Но жители Никольской улицы будто вымерли.

— Да вы... псих! Вам лечиться надо...

Денис не повелся на его провокацию. Он не ударил «профессора», как тот наверняка рассчитывал, чтобы поднять крик и обвинить его в нападении.

— По ходу, ты эту телку обхаживаешь? — ухмыльнулся парень, все больше входя в роль уличного хулигана. — А она ничего... Только не в коня корм, папаша!

— Я вам не «папаша», — вяло огрызнулся очкарик, теряя боевой дух.

Между тем Денис соображал, что понадобилось девушке в доме Сазонова. Хороший способ выяснить это — попасть внутрь. Но как? Ворваться без всяких объяснений, и будь что будет?

— Кто здесь живет? — спросил он, проверяя реакцию собеседника. Тот был частично деморализован, но не сломлен.

— Н-не знаю...

— Врешь! — рассвирепел парень.

— Хозяин дома умер, — испуганно пробормотал «профессор». — Недавно. Скончался...

— Значит, телка к покойнику в гости пришла?

Губы очкарика скривились в робкой улыбке. Он мечтал поскорее отделаться от хулигана, а вокруг как назло не было ни души. Вместе с тем «профессор» мог бы поклясться, что за ними кто-то наблюдает. Он чувствовал чей-то пристальный взгляд.

— Это вы у нее спросите, молодой человек, — брякнул очкарик. — Пойдите и... спросите... Она вам скажет!..

— Отличная идея! — с этими словами Денис фамильярно хлопнул его по плечу и двинулся к калитке.

— Эй, вы куда?.. — опешил очкарик и поспешил следом...

ГЛАВА 47

Катя стояла посреди кухни и рассматривала выжженные на стене закорючки. Словно огненная рука начертала на деревянной обивке зловещие знаки. Неужели это сделал перед смертью Сазонов? Но зачем?

Ей было не по себе. Она проникла в чужой дом, воспользовавшись ключами Ирины. Та прихватила у старикана запасной набор и спрятала в ящике с обувью. Катя случайно наткнулась на эту связку, когда убирала на антресоли. Вот оно как! Ирка водит ее за нос! Смеется, подтрунивает, падает в обмороки, пугает. А сама давно мечтает стырить Сазоновское золотишко. За ним-то она сюда и прикатила! Москвичка!.. Все в столицу рвутся, а Ирка решила в Приморье махнуть. Типа на экзотику ее потянуло! Катя и раньше подозревала, что подруга темнит. И не в семейных разборках дело!

— Так не честно, Ир, — процедила она, глядя на испорченную стену. — Для тебя одной это слишком большой кусок. Не проглотишь, подавишься.

Обыскивать дом второй раз бесполезно, бессмысленно. Все, что можно было найти, Ирка уже прикарманила. Привлечение к поискам сокровищ Засекина отчасти запутало Катю. Если подруга прибрала золото к рукам, то какого рожна ей обращаться к ученому?

— Чтобы пустить мне пыль в глаза? А ведь я купилась. Пошла на поводу как дура.

Катя переживала тяжелые дни. Ирина оплела ее ложью, заманила на скользкую дорожку. Как теперь выбраться из этого болота?

Черные следы на стене завораживали Катю. Она решила во что бы то ни стало разгадать их предназначение. Вдруг, умирая, Сазонов таким образом оставил свое последнее послание?.. Кому и что он хотел донести? Может, эти огненные знаки — указание на клад?

— *Где-то я их видела...*

У Кати закружилась голова и подогнулись колени. Чтобы не упасть, она села на стул. Стоило ей подумать о знаках, как в доме что-то скрипнуло. Неужели, дверь? Катя попыталась вскочить со стула, но тело не слушалось. Спина и шея окаменели, зато сердце забилось часто и сильно. Кто-то шагал по коридору, а Катя не смогла даже повернуть голову. Она услышала мужской голос, но не увидела говорящего.

— И что ты здесь забыла, дорогуша? — грозно молвил баритон. — Я вызываю полицию!

— Не надо полицию, — взмолился хрипловатый басок. — Давайте разберемся...

— Что это за хрень на стене? — воскликнул баритон.

— Это?.. Это... покойный, очевидно, был со странностями... Разрисовал стену, вернее... выжег какие-то значки. Я их исследовал, — оправдывался басок. — Я ученый! Вы все неправильно поняли...

— Ну-ка, ну-ка...

Обладатель баритона подошел ближе к стене, и Катя увидела молодого человека в джинсах, и рубашке с короткими рукавами. Он снял бейсболку и покосился на девушку. В ту же секунду к ней вернулась подвижность, и она пошевелилась.

— Что с тобой? — обратился к ней парень. — Оцепенела от страха?

Катя испуганно молчала.

— Кто тебе разрешил сюда врываться? Кто ты такая?

— Я... социальная работница... пришла... навести порядок после... похорон, — еле ворочая языком, выкручивалась она.

— Я ее знаю! — раздался сзади басок. — Ее зовут Катя. Она правду говорит!

Девушка узнала голос Засекина и обернулась. Его-то каким ветром принесло?

— А-аркадий?

— Да вы одна шайка-лейка! — воскликнул Денис. — Сообщники! Человек умер, а вы решили его дом ограбить?

Катя с Засекиным переглянулись. Они, не сговариваясь, объединились против незнакомца, который представлял угрозу. Сковавшее девушку оцепенение окончательно рассеялось.

— Мы не воры, — оскорбился «профессор». — Катя действительно работает в социальной службе, а я... занимаюсь исследованиями паранормальных явлений. В доме Сазонова поселился полтергейст, и эти черные иероглифы — его проделки. Они производят впечатление, верно? Не каждый день такое увидишь.

Очкарик осмелел и с интересом наблюдал за Катей, вспоминая, как та застукала его в своей квартире и закатила скандал. Теперь они поменялись ролями. Жизнь — игра в перевертыши. Нынче от него зависит репутация этой юной особы. Что ж, он готов ее выручить в обмен на информацию.

— Странная у тебя наука, за бабами шпионить, — заметил Денис.

— Может, вы тоже представитесь?

— Я агент по недвижимости, — соврал парень. — Дом выставлен на продажу. Пока будет оформляться наследство, я подыщу покупателя.

— Маклер? С такими дурными манерами? — недоверчиво покачал головой Засекин. — Вас Лариса Курбатова наняла? Боюсь, она ошиблась в выборе. Вы... грубиян и невежда.

«Курбатова!» — вспыхнуло в уме Дениса. Девица и очкарик не зря привели его на Никольскую улицу. А черные загогулины на стене этой затрапезной кухни смахивают на те, что он видел в Песчаном. Игра «Золотая Баба» выходит на финальный уровень. Главное, не промахнуться и сделать правильный шаг.

— Давайте поговорим спокойно, — примирительно улыбнулся он, стараясь не смотреть на стену. — Присаживайся, ученый. Составишь нам с Катей компанию.

— Может, чайку поставить? — робко предложила она.

— Я бы от чая не отказался.

Засекин опустился на стул и поправил очки. Парень — явно не тот, за кого себя выдает. Что он замыслил? Чаепитие в чужом доме, куда все трое незаконно проникли — это забавно. «Ладно, поглядим, что будет дальше», — подумал он.

Катя привстала, чтобы включить чайник, но Денис жестом приказал ей оставаться на месте.

— Я сам. Где тут заварка и чашки? Ты в курсе, социальная работница?

— Надо поискать в шкафчике.

«Профессор» саркастически усмехнулся. Здесь кое-что затевается, и он не прочь понять, что именно.

Между тем «маклер» взялся готовить чай. Все это выглядело фальшиво и глупо, словно плохая пьеса, разыгрываемая тремя актерами друг для друга. Катя и Засекин молча наблюдали, как Денис неторопливо наливает воду в старый электрочайник и включает его в розетку.

— Не работает, — с этими словами парень вытащил вилку и осмотрел провод. — Перегорел, что ли? Этому чайнику пора на свалку. Другого нет?

— Не знаю, — сказала Катя. — Нет, наверное. Покойный жил скромно, от пенсии до пенсии.

— Дайте, я взгляну, — вызвался Засекин.

— Я сам! — раздраженно повторил Денис, повторно включая чайник. Он заметил поврежденную изоляцию, и в следующее мгновение пальцы скользнули вперед, а мощный удар током свалил его на пол...

* * *

Жуткая фигура появилась сразу в четырех зеркалах психомантеума. Илья отрегулировал их так, чтобы Лариса была точно посередине. Все четыре лица уставились на нее немигающим взглядом.

— Ой...

Она с трудом взяла себя в руки и продолжила читать заклинания. Вызванный ею дух угрожающе качнулся вперед. Она подняла свое зеркальце и медленно повернулась на все четыре стороны...

Золотая навивка на ручке зеркальца откликнулась на ее вибрации и вошла с ними в резонанс. По спине Ларисы прокатилась волна жара, кровь чуть не вскипела. В комнате запахло гарью. Драпировки дымились, но она не отступала. Один... два... три... четыре... Ослепительная вспышка заставила ее дрогнуть и зажмуриться. Она едва устояла на ногах, а четыре зеркала заволокла искрящаяся тьма...

В психомантеуме возник ледяной вихрь, который вопреки законам физики погасил пламя, и готовые заняться занавеси чудом уцелели. Ладонь Ларисы нестерпимо жгло, но она терпела. Время замерло, вихрь утихомирился, покрытая золотой навивкой ручка зеркальца остыла, ладонь перестала болеть. Как будто ничего и не было.

— Готово... — прошептала она.

Секунды ли растянулись в часы, часы ли сузились в секунды, Лариса не знала, сколько она находится посреди задымленного психомантеума, не ощущая ничего, кроме звенящей пустоты вокруг.

Кто-то приоткрыл дверь и тихим голосом спросил:

— Получилось?

— Кажется, да...

— Он явился?

— Я его видела, в четырех лицах. А потом что-то вспыхнуло, и он исчез.

— Так и должно быть!

Лариса чувствовала себя вернувшейся из иного мира, как долго пробывший на необитаемом острове человек чувствует себя среди людей. Все казалось непривычным и тревожным — собственный голос, платье до пят, запах дыма и красивый мужчина в военных брюках и белой рубашке.

— Илья? — вырвалось у нее, словно она не узнавала его. — Это ты?

— Все хорошо, — улыбнулся он. — Ты справилась. Я был уверен, что ты сможешь. Это под силу только тебе.

— Теперь я умру, Илья...

— Не говори так! Мы что-нибудь придумаем. Я же с тобой...

— Ты тоже умрешь. Скоро. После того, как передашь Унгерну то, что обещал. Зачем, Илья? Зачем тебе...

— Тсс!.. Молчи! — Он коснулся своими губами ее губ и помешал договорить. Их чувства сильнее смерти!

— Мы все преодолеем?

— И выйдем невредимыми из любой авантюры...

Лариса положила голову на плечо Ильи, он обнял ее и крепко прижал к себе. Она слышала, как он дышит, как бьется его сердце. Отражение влюбленной пары тонуло в бездонной черноте зеркал. Пальцы женщины разжались, и зеркальце с золотой ручкой выпало бы на ковер, если бы молодой человек не подхватил его...

ГЛАВА 48

Засекин не умел оказывать первую помощь.

— Пустите, — Катя отстранила его и опустилась на колени перед лежащим навзничь Денисом, проверила пульс на шее. — Слава богу, жив! Обошлось! Дайте воды...

Ученый суетливо нашел стакан, плеснул туда минералки из стоящей на кухонном столе початой бутылки. К злополучному чайнику он прикасаться не рискнул. Катя заметила это и криво усмехнулась.

— Надо вытащить вилку из розетки.

Засекин вытер о штаны мокрые от волнения ладони и осторожно выключил чайник. Как парня ударило током? Он что, не видел оголенного провода?

— Уф-фф!..

— Не мешало бы вызвать «скорую», — заметила Катя, вливая воду в рот пострадавшему. Тот закашлялся и открыл глаза.

— Какую «скорую»? — прошептал ученый. — Вы с ума сошли? Мы в чужом доме, между прочим! Нас сдадут в полицию!

На бледное лицо Дениса возвращались краски, он задышал ровнее и пошевелился.

— Ему нужна врачебная помощь, — сказала Катя.

— Так окажите ее! Вас же учили в этой... социальной службе.

— Искусственное дыхание и массаж сердца тут ни к чему. А что еще делать, я не знаю.

— Может, он сам оклемается? — с надеждой в голосе молвил Засекин. Перспектива отвечать за незаконное проникновение в жилище его не прельщала. Катя не могла этого не понимать.

— Опасно оставить его без помощи, — возразила она. — Вдруг, ему станет хуже?

— Его сюда никто не звал! А если бы нас не было?

— Но мы же есть...

— Его никто не просил врываться в чужой дом.

— Нас тоже, — огрызнулась Катя. Засекин ее раздражал, как и сложившаяся ситуация. Она только хотела рассмотреть загогулины на стене, а вляпалась в неприятности.

— Что... со мной? — выдавил Денис.

— Током стукнуло. От чайника.

— Изоляция на проводе повреждена, — хмуро добавил «профессор». — Вас и шарахнуло. Вам еще повезло, молодой человек! Кажется, вы в порядке?

Катя поднялась на ноги и налила себе воды. Как здесь оказались Засекин и этот мнимый маклер? То, что парень лжет, не вызывало у нее сомнений.

— Вы следите за мной? — повернулась она к ученому. — Не могу поверить! А прикидывались приличным человеком, интеллигентом.

— Тише, тише... — забормотал тот, покосившись на Дениса. — При нем лучше помалкивать.

— Это вы притащили его за собой, — разозлилась Катя. — Теперь расхлебывайте.

— При чем тут я? Вы слышали? Его Курбатова наняла! Она дом продает.

— Враки всё!

— Как — враки?.. — опешил Засекин.

— Надо уматывать отсюда. Не нравится мне этот тип.

— Мне тоже...

— И вообще, вдруг, наследница нагрянет? Ирка сегодня не ночевала в нашей квартире. Когда я уходила, ее еще не было. И на звонки не отвечает. Вы, случайно, не в курсе, где она?

— Я?.. Нет...

Появление нового персонажа в лице незнакомца не на шутку встревожило Катю. Она хотела как можно быстрее отделаться от пострадавшего.

— Может, обыскать его? — робко предложил ученый. — Документы проверить?

— Эй! Эй! — возмутился Денис. — Отвали!

Шок от удара током прошел, и он начал соображать, что происходит: вспомнил, как пытался включать чайник, и вдруг... вырубился.

— Я вижу, тебе полегчало, — обрадовалась Катя. — Встать сможешь? Помогите ему, Аркадий.

Засекин протянул парню руку и помог сесть, а потом подняться на ноги. Денис, пошатываясь, сделал пару шагов и плюхнулся на стул. Тело сотрясала мелкая дрожь, горло перехватила судорога. До него внезапно дошла простая и жуткая мысль: *началось! Какой-то старый чайник едва не отправил его на тот свет! К генералу Лукину и его зятьям!*

— Вот оно... колдовство...

— Что-что? — переспросил ученый.

Катя переводила взгляд с молодого мужчины на пожилого, ломая голову, как от них избавиться.

— Это я так, — махнул рукой Денис. — Башка гудит... мысли дурные лезут...

— Мы уходим, — решительно заявила Катя. — Ты остаешься?

— Я с вами...

— Кто ты такой? — запоздало спохватился Засекин. — Бандит, который охотится за...

Он осекся и замолчал под колючим взглядом девушки. Денис пропустил мимо ушей его реплику, прислушиваясь к своему состоянию. Сможет ли он самостоятельно идти? Судя по тому, что он жив, чайник не справился со своей задачей. *Значит, будет повторение!* Все вокруг теперь таит для него угрозу. От обычного электроприбора до проезжающих по улице машин. Любой объект представляет собой повышенную опасность.

Денис впервые ощутил полную беспомощность перед лицом фатума. Его судьба зависит не от него, а от какого-то неведомого условия, поставленного неведомо, кем! Было невыносимо осознавать себя полностью во власти чужой воли.

«Надо было отказаться от Ирины, — в отчаянии подумал он. — Плюнуть на предложение лысого незнакомца, выбросить флэшку, не ввязываться в сомнительную игру. Но поздно. Поздно! Все необходимо делать вовремя. Я сам загнал себя в угол! Заигрался в поиски клада! Притворялся, что не верю в проклятие семьи Лукиных... А капкан — захлопнулся! Я оказался самоуверенным болваном, который решил разбогатеть и стать знаменитым. Мне было мало денег, и я покусился на славу!.. Возомнил себя Индианой Джонсом! Но жизнь отличается от онлайн-игры тем, что по *эту сторону* экрана умирают по-настоящему. Я получил последнее предупреждение! Последнее...»

* * *

Ренат приехал к дому Сазонова, когда драма была в разгаре. Он предполагал, что застанет айтишника на Никольской улице. Куда еще в первую очередь подастся жених генеральской внучки?

В Уссурийске намерение Рената странным образом изменилось. Он не спешил звонить Ларисе, как будто оттягивая встречу и неизбежный разговор. Что-то сдерживало его. Он испытывал необъяснимые ощущения. Неужели, это ревность? Но к кому? Не к Шувалову же? Давно покойный граф ему не соперник.

«А если все-таки он? — напевал ему в уши Вернер. — Ты самоуверенный ловелас, которому пора наставить рога!»

— Идите к черту, — отмахивался Ренат.

Однако слова гуру заставили его задуматься. Лариса, безусловно, догадывается, что он нарушил свое обещание и прилетел. Но она тоже не спешит выходить на связь. Почему?

Как бы там ни было, а в доме Сазонова происходило нечто важное. Ренат чувствовал, что внутри находятся трое людей, каждый из которых не доверяет другим двум. Это женщина... и двое мужчин. Ларисы среди них нет.

Ренат перемахнул через забор со стороны сада и быстро прошел по траве к окну. Двор выглядел запущенным, сарай покосился. Хозяин был не в силах поддерживать здесь порядок.

Ренат настроился на «волну» Дениса и увидел внутреннюю картину его глазами. Кухня деревянного дома. Программист почему-то опирается на субтильного очкарика с бородой. Симпатичная барышня раздраженно наблюдает, как эти двое ковыляют к двери. Больше всего Рената поразили черные иероглифы на стене. *Точно такие же, как на даче в Песчаном!* Правда, те были замазаны зеленой краской, но все равно проступали сквозь нее. Ошибка исключена.

Ренат заметил еще кое-что, туман в его сознании рассеивался. Предметы и люди казались более отчетливыми, яркими. Словно прежняя «дымовая завеса» перестала застилать взор. То, чего он не видел раньше, открывалось кадр за кадром. Кого ему благодарить за прозрение?

«Неужто деревянный ящичек послужил связующим звеном между мной и таинственным содержимым? — осенило его. — Еще немного и я получу доступ к искомой информации!»

— Слава богу, ты жив дружище, — пробормотал Ренат, имея в виду программиста. — Зря ты опередил меня и отправился на Никольскую улицу. Это заключительный уровень игры «Золотая Баба». На сей раз смерть едва коснулась тебя своим крылом... зато в следующий раз тебе будет несдобровать. Берегись! Не стоит недооценивать силу колдовского атрибута, который ищет твоя девушка. Если это произойдет раньше, чем ты испустишь дух, у тебя появится шанс на спасение.

Тем временем Денис с помощью Засекина вышли на крыльцо. Катя, напряженно озираясь, закрывала дверь крадеными ключами.

— За нами кто-то следит, — бросила она «профессору». — Мы тут не одни.

— Чепуха...

— Соседи у Сазонова любопытные?

— Как всякие соседи, вероятно.

— Они в полицию не доложат?

— Поторопитесь, Катя. Надо быстрее уносить ноги.

— Замок заело, — тихо пожаловалась она. — Не могу ключ повернуть. Как назло...

Мнимый маклер всей своей тяжестью повис на очкарике, который не давал ему упасть. Они с трудом спустились по ступенькам, пока Катя возилась с дверью.

— Ключ не вынимается, — обернулась к ним девушка. — Что делать?

— Бросьте всё и уходим!

Катя лихорадочно пыталась отсоединить застрявший ключ от брелока. У нее дрожали руки. Чей-то пристальный взгляд действовал ей на нервы. Вдруг, это Ирина?

— Черт бы тебя побрал, Ирка...

С этими словами она справилась наконец с брелоком, сунула ключи в сумочку и догнала у калитки маклера с Засекиным.

— Куда теперь? — спросил у нее «профессор», словно не мог сам принять решение. — Куда его вести?

— Вызовите мне такси, — тяжело дыша, попросил Денис. — Я на ногах не стою.

— Оклемаешься, — отрезала Катя. — Нечего ныть. Всё, уходим отсюда!

Все трое вышли на улицу. Ренат наблюдал из-за сарая, как пожилой бородач с молодым человеком поковыляли вперед, подальше от злополучного дома. Катя на ходу достала из сумочки телефон, но не торопилась вызывать такси. Выжидала.

Когда они скрылись из виду, Ренат быстро поднялся на крыльцо. Ключ, который подвел Катю, остался торчать в замке. Ренат медленно поворачивал его туда и сюда, пока не раздался характерный щелчок. Дверь открылась, и незваный гость скользнул внутрь. Первым делом он отправился в кухню и застыл на пороге, созерцая «огненные знаки».

То, что произошло здесь и вызвало смерть хозяина, почти не отличалось от того, что случилось на генеральской даче в Песчаном...

ГЛАВА 49

Из гостиницы Ирина сразу направилась в круглосуточное интернет-кафе «Пиксель». Она редко заглядывала в заведения, где собиралась стремная публика. «Пиксель» имел плохую репутацию, но утром в городе было сложно найти другое заведение, где можно было за небольшие деньги выйти в Интернет.

В этом кафе встречались геймеры, любители курнуть для драйва, безбашенная молодежь, выбравшая гаджеты вместо реальной жизни. Ирина не вписывалась в их разношерстную компанию, ну да ладно. Сегодня особый случай.

Ночной разговор с Ларисой разбередил ей душу, посеял сомнения в благополучном исходе дела. Если Денис умрет, она себе этого не простит. То, что ему угрожает опасность, это факт.

Ирина составила в уме примерную картину смерти своего деда, и та почти повторилась с Сазоновым. Значит... они оба поступили одинаково! Присвоили то, что им не принадлежало. Сначала дед стащил «это» у бабушки, потом глупый солдатик соблазнился и обокрал мертвого командира. Даже труп не отпугнул его! Искушение оказалось сильнее рассудка. Рядовой Сазонов небось думал, что завладел сокровищем, а то была —

смерть. Любопытство наказуемо. Жадность же наказуема вдвойне!

В «Пикселе» было несколько свободных мест. Ирина уселась в углу, так, чтобы видеть входную дверь. Она давно не чувствовала себя беззаботной и завидовала завсегдатаям кафе, которые не обременяли свой мозг ничем, кроме развлечений. Денис запретил ей онлайн-игру «Золотая Баба», и до сих пор Ирина его слушалась. Теперь все изменилось. На кону стоит не какое-то мифическое золото. Чужие лица появляются в зеркалах не ради забавы, чтобы попугать невежественных обывателей. Нет! За этим кроется нечто неумолимое и жуткое.

Бабушке Жене не надо было приносить домой деревянный ящичек с ужасным содержимым. Любопытство или жадность заставили ее поставить под удар всю семью? Неужели до седьмого колена?

С этими мыслями Ирина проходила уровень за уровнем, ловко орудуя мышью и щелкая клавишами. Игровые персонажи казались ей живыми людьми. Виртуальная дача в Песчаном наводила на нее тот же страх, что и в действительности. Ирина уже не отделяла одно от другого: она пыталась отыскать в игре то, что искала наяву. Кожаный мешочек, который там переходил из рук в руки, оставался только мешочком. Что внутри, было скрыто от игроков. И ведь не заглянешь туда, как в жизни!

В «Пикселе» было шумно и накурено. Хотя на стене висела табличка, запрещающая курить в зале, на нее никто не обращал внимания. Ирина надела наушники, но заткнуть нос не представлялось возможным. Она дышала табачным дымом, уставившись на экран и судорожно вцепившись в мышку. Вероятно, завсегдатаи кафе курили не один табак. Сознание Ирины заволакивал наркотический дурман, мешая сосредоточиться.

Тем временем в игре предсказатель из глухой тайги тоже курил трубку. В медитативном трансе он упомянул дом Шувалова.

— Шувалов, — прошептала Ирина, проваливаясь в мутное забытье. — Но ведь он мертв...

* * *

Черные загогулины на стене кухни заворожили Рената. Сазонов успел заметить, как они появились? Или он умер раньше?.. А может, в тот же миг?

Этот свежий «автограф» неуловимого убийцы еще хранил информацию о нем. Но яркая вспышка, которая ослепила Сазонова перед смертью, мешала Ренату понять, что же произошло с бывшим армейцем. Он пытался вызвать на связь покойного хозяина. Тот был вне досягаемости.

И Ренат решил впервые установить *телепатический контакт* с братом Онуфрием. Лариса была категорически против того, чтобы беспокоить ее отца. Ренат нарушил ее запрет. Рядовой Курбатов — единственный живой свидетель смерти генерала. Только он мог видеть убийцу.

Онуфрий спал. В монастыре еще была ночь, когда в Уссурийске наступило утро. Монаху казалось, что во сне к нему явился приятель дочери — самоуверенный нагловатый мужчина, — и устроил ему допрос. Будь это наяву, Онуфрий отправил бы его куда подальше. Но сон — другое дело. Во сне действуют иные законы.

— Видели вы какой-нибудь предмет на столе перед покойным, кроме черепков? — допытывался Ренат. — Брал кто-то из вас с Сазоновым какую-либо вещь из комнаты, где умер Лукин? Или хотя бы дотрагивался до чего-то необычного?

Всё в таком духе. На эти вопросы монах отвечал «нет». Ренат продолжал спрашивать, руководствуясь своей логикой:

— Кто из вас первым залез в окно дома? Сазонов?

— Да...

— Когда вы последовали его примеру, что бросилось вам в глаза?

— Мертвое тело...

— А знаки на стене? Откуда они взялись?

— То была рука дьявола...

Ренат саркастически усмехнулся, а монах мысленно перекрестился.

— Зачем вы второй раз вернулись на дачу в Песчаном?

— Сазонов меня упросил, перед отъездом...

— Вы опять лазали в ту самую комнату?

— Витек думал, на даче спрятано золото... Его одолела алчность...

— При Сазонове был вещмешок?

— Кажется, да... Я же говорю, он надеялся найти золото...

— Нашел?

— Нет. Я отказался ему помогать. Мне было очень страшно!.. Витек совсем спятил, помешался на кладе... Он все твердил, что надо хватать судьбу за жабры...

— За жабры! — кивнул Ренат. — И что он делал?.. Рылся в доме? В сарае? На участке?

— Он хотел, но потом передумал...

— Что ему помешало?

— Наверное, он тоже побаивался, несмотря на браваду... Те знаки на стене наводили на нас ужас...

— Значит, вы приехали, прогулялись и назад?

— Витек крутился возле дома... делал вид, что ищет золото...

— Где именно он искал?

— Во дворе...

— Где именно? — повторил Ренат, представляя себе двух перепуганных дембелей, которые бродят по генеральской даче, шарахаясь от каждой тени и вздрагивая от любого звука.

— Кажется, Витек заглядывал в сарай... потом осматривал поленницу... Я подгонял его! Не хватало, чтобы нас там застукали...

— Кто мог вас застукать?

— Не знаю... Кто угодно!.. Соседи... родственники хозяина...

— Родственники? Вы были знакомы с ними?

— Откуда?.. Нет. Генерал бывал на стройке один. Я ни разу не видел его жену или дочь... Он говорил, что женщинам там не место. Вот когда все будет готово, он их привезет и устроит сюрприз...

— Похоже, сюрприз удался! — не удержался от колкости Ренат.

Монах молча кивнул головой, покрытой круглой черной шапочкой.

— После того как вы напоследок побывали с Сазоновым в Песчаном, больше туда не ездили?

— Боже упаси... С какой стати?..

— За золотом, например?

Брат Онуфрий состроил такую оскорбленную мину, что Ренат рассмеялся. На кладоискателя отец Ларисы совсем не тянет.

— Где Сазонов провел время до своего отъезда в Приморье?

— У меня дома. Где же еще?.. Ему в Москву надо было, на поезд. А я сам из Подмосковья...

— Сколько Сазонов прожил у вас?

— Пару дней, не больше... Он очень торопился уехать, ему на билет не хватало, я у своих одолжил. Витек потом отдал, через полгода выслал деньги телеграфом...

Онуфрий обрывал фразы, словно спотыкаясь, и виновато отводил глаза.

— Вы ничего странного не заметили в его поведении за эти два дня?

— Вроде бы нет... Только он жутко нервничал!.. Ночами не спал, кошмары ему снились...

— А вам?

— Мне тоже, — угрюмо подтвердил монах. — Я ведь не железный... У меня даже глюки начались... Я никому не признался, носил все в себе...

— Потом Сазонов уехал, и вам полегчало?

— Да-а, — удивленно протянул Онуфрий. — Я его проводил, и все как рукой сняло... Но с тех пор спокойствия на душе, как прежде, уже не было... Что-то во мне надломилось!.. Женился, семью завел... а бесы нет-нет, да и напомнят о себе...

— Каким образом? Вы их видели?

Монах надолго задумался.

— Первый раз я беса в зеркале узрел...

— Это еще при Сазонове случилось?

Онуфрий наморщил лоб, припоминая. Годы прошли, много воды утекло. Он старался забыть те тревожные и больные дни, выбросить их из жизни.

— При Витьке!.. Точно!..

— Значит, вы в зеркало взглянули, а там — бес?

— Ага... так и было... Я обомлел, отпрянул и едва не упал с перепугу... Когда опомнился, заставил себя еще раз посмотреть...

— И что вы увидели?

— Ничего... Померещилось мне!..

ГЛАВА 50

— Привет!

Ренат вздрогнул и обернулся. В дверях кухни стояла Лариса.

Она была в светлом платье без рукавов и босоножках на низком ходу. Волосы растрепаны ветром, на щеках — румянец от быстрой ходьбы. Она пришла сюда пешком, чтобы не привлекать лишнего внимания. Хотела вызвать Мушкетера, но передумала.

— Не ждал?

Он возвращался из монастырской кельи, где оставил брата Онуфрия. Сон монаха продолжится, но уже без него.

— Дверь была открыта, — сказала Лариса, догадываясь о причине его молчания. — Это опрометчиво. Нельзя *уходить,* не позаботившись о собственной безопасности. Где ты был?

— Говорил с твоим отцом.

Ее было трудно обмануть, поэтому Ренат и не пытался. Лариса перевела взгляд с него на стену, покрытую странными иероглифами.

— Что тебе это напоминает?

Она не уточнила, о чем был разговор с Онуфрием, поскольку и так все поняла. Она не спросила, зачем он приехал. Мысленно искала в нем сходство с Ильей. В чем-то они были похожи, в чем-то — совершенно разные.

— Такие же знаки я видел на стене генеральской дачи, — ответил Ренат. — Здесь произошло то же самое, что и там. Только вместо Лукина умер другой человек.

— Виктор Сазонов, — кивнула она. — Бывший армеец. Их с Лукиным убило одно и то же. Практически в тех же обстоятельствах.

— Солдат привез чертову «штуковину» с собой в Уссурийск. Но до поры, до времени он был жив. Прихватил опасный предмет тайком от товарища, то бишь твоего отца, и спрятал. Знаешь, куда?.. За пазуху! Выбравшись из комнаты, где находился мертвый Лукин, он незаметно сунул украденное... в поленницу. Там прямо под окнами была поленница. После Сазонов неотступно думал о том, как бы кто-то ненароком не наткнулся на спрятанную вещицу. И он уговорил сослуживца в последний раз посетить злополучную дачу...

— Чтобы незаметно забрать «штуковину»?

— Ну да.

В воображении Рената разрозненные пазлы наконец-то складывались в стройную картину. Казалось, все было ясно с самого начала! Сазонов не имел отношения к семье Лукиных, и его смерть — результат общения с убийцей. *Но кто он?* Оставленные им следы почти идентичны: ожог на лбу трупа, автограф на стене. Как и генерал, бывший рядовой не умел обращаться с опасным предметом из ящичка и пал его жертвой. Не сразу. Память о гибели Лукина заставляла его быть осторожным. Постепенно чувство самосохранения притуплялось, а любопытство усиливалось. Наступил критический момент, когда Сазонов не смог утерпеть и...

— И — что? — пробормотал Ренат. — Что он сделал?

— Покончил с собой, — усмехнулась Лариса. — Он был тяжело болен. Жизнь его тяготила. Сколько еще мучений отвела ему судьба? Сазонову было нечего терять, и он решил прикоснуться к тайне, которая не давала ему покоя долгие годы. Похищенный предмет сулил быструю смерть и удовлетворение любопытства. Два в одном!

— Кто подсказал Сазонову, что следует предпринять?

— Тот же, кто и Лукину. Едва генерал взглянул на... убийцу, тот проник в его сознание и полностью подчинил себе. С Сазоновым произошло то же самое. Оба воспользовались свечой не случайно, а по команде.

— Свеча — часть ритуала?

Лариса задумчиво кивнула.

— Как ты поняла, что я здесь?

— Вернер поднял бы тебя на смех за этот вопрос.

— Игра «Золотая Баба» близится к финалу. Последний уровень — самый сложный. Я прилетел, чтобы помочь тебе.

«Спасибо, у меня уже есть помощник, — чуть не сорвалось у Ларисы с языка. — Это Илья Шувалов. Не важно, что он мертв. Зато он в курсе событий, а главное, ему известен настоящий убийца. Охотник, который ударил его ножом, был всего лишь орудием в руках злодея. И это вовсе не Унгерн! Кровавый барон сам пополнил ряды жертв...»

— Ты меня не слушаешь? — удивился Ренат.

— Извини. Я задумалась...

— Жених Ирины едва не погиб в этой кухне полчаса назад. Его ударило током. Мы летели из Москвы одним рейсом. Он следил за мной, потом мы поменялись ролями. В общем, парень получил предупреждение. Вернее, не он, а его девушка.

— Ее подгоняют, — кивнула Лариса и взглянула на чайник с обугленным проводом. Проклятие семьи Лукиных продолжает действовать.

— Боюсь, бедолага недолго протянет, — добавил Ренат. — Мы можем что-нибудь сделать для него?

— Нам надо первыми добраться до ящичка.

— Ящичек у меня. Он пуст. Мне отдала его дочь генерала, Софья.

— Значит, надо искать содержимое. Это Ирина застала Сазонова мертвым...

— Опасная «штуковина» была здесь! Ирина ее забрала!

— Не факт, — возразила Лариса. — Информационное поле предмета, о котором идет речь, за семью замками. Ясно одно: отсюда «штуковина» перекочевала в квартиру, которую снимают Ирина с подругой. Она видела странное лицо в зеркале. Ирине показалось, что это Сазонов в нелепом головном уборе.

— Бусины, мех и кожаные ленточки? — Ренат вспомнил призрака в Песчаном, который был как две капли воды похож на Игоря, хозяина соседнего дачного дома. — Я видел нечто подобное в комнате, где скончался генерал Лукин.

— Ты *видел?* — заволновалась Лариса. — Там были зеркала?

— Разве что виртуальные. Меня вдруг с четырех сторон обступили прикольные чуваки. Словно мне устроили представление. Оказывается, всё было всерьез? Может, фантом в зеркале принимает обличье первого попавшегося человека, который знаком тому, кто на него смотрит?

Лариса представила себя в психомантеуме, в окружении четырех зеркал, где отражались четверо «прикольных чуваков». Вероятно, Лукин и Сазонов перед смертью видели ту же четверку!

— Тебе известно, что именно убивает людей? — спросил Ренат.

Она отвернулась, подошла к стене и коснулась пальцами черных иероглифов.

— Он оставлял свою «подпись» всего два раза: здесь и в Песчаном.

— Кто? Убийца? Ты что-то знаешь о нем?

— Он не всех убивает одинаково. Некоторым — особая привилегия.

— Ну да... зятья Лукина скончались, не удостоившись ни «автографа», ни «черной метки».

«Илья Шувалов тоже умер без этой мрачной атрибутики, — отметила про себя Лариса. — И его убийца, и тот, кто его послал, потом оба погибли».

— О чем ты думаешь? — рассердился Ренат.

— Об игре. Шувалов, Унгерн... это все персонажи, которые... Впрочем, нет! — по щекам Ларисы потекли слезы. — Я во всем виновата! Я не должна была его слушать...

— Ты?!

* * *

Очнувшись, Ирина вышла из «Пикселя» на свежий воздух. Помутнение рассудка вызвал сигаретный дым, смешанный с травкой, которой баловалась местная молодежь. По крайней мере, она так думала. Бессонная ночь, тяжелый разговор, постоянный стресс не способствуют ясности сознания.

У Ирины опускались руки. Столько усилий, и все напрасно. Неужели, она повторит судьбу бабушки и мамы? Это несправедливо! Не она позарилась на музейную вещь, не она притащила ее в дом...

«Фатум не знает жалости, — подумала она. — *Кто сумеет договориться с главным Оракулом, тому и достанется Золотая Баба*. Плевать на Бабу!.. Где Оракул? Как на него выйти?»

На заключительном уровне онлайн-игры появился Куратор, который поставил ей задание отыскать дом Шувалова. Она устала, выбилась из сил. Где бы ни жил Шувалов, от его дома остались одни воспоминания. Засекин хвастался, что нашел фундамент, но это еще вопрос. В любом случае, фундамент — не дом.

Ирине было так тошно, что она позвонила своему парню.

— Денис?.. Привет... Что с тобой? Ты болен?..

Тот говорил хрипло и слегка раздраженно.

— Ты точно в порядке? — забеспокоилась девушка.

— А ты? — огрызнулся он.

— У меня всё хорошо, Денис. Только за тебя волнуюсь.

Он решил, что дальше скрываться бессмысленно, и признался:

— Я в Уссурийске, поселился в частном секторе. Сегодня утром побывал в доме Сазонова. Чудом выжил. Теперь отлеживаюсь. Мне жутко паршиво, Ир. Наверное, температура подскочила.

У нее пересохло в горле, и земля ушла из-под ног. Чтобы не упасть, она присела на лавочку. Из «Пикселя» вышли двое обкуренных парней и, покачиваясь, проследовали мимо. Они что-то вяло обсуждали. Ирина не слышала ни звука, у нее потемнело в глазах, руки дрожали.

— Ты... здесь? — выдавила она, с трудом удерживая трубку возле уха.

— Да, да. Хотел сделать тебе сюрприз...

— А что... что с тобой случилось?

— Током шарахнуло. Сам не знаю, как... Не заметил оголенного провода.

— Какого черта тебя понесло в дом Сазонова? — испугалась она. — Мы же договорились, что ты не будешь самовольничать!

— Меня Куратор направил, — соврал Денис. — Я добрался до последнего уровня игры. Дальше некуда! Только в гроб. А я, между прочим, еще пожить хочу.

— О, боже... Как ты попал в дом? Вскрыл замок?

— Деваха одна постаралась. Катей зовут.

— Катя? — ахнула Ирина. — Всё ей неймется! Золото ищет, дуреха!

— Ты ее знаешь?

— Мы вместе работаем и снимаем квартиру...

События развивались слишком стремительно, чтобы она могла держать их под контролем. Денис прилетел в город без ее ведома, Катя стащила у нее ключи. Хитрюга! Дался ей сазоновский клад! Знала бы, во что суется, бежала бы прочь, куда глаза глядят.

Ирина чуть не заплакала.

— Я себе этого не прощу...

— Что? — отозвался он на том конце связи.

— Говори свой адрес, я сейчас же приеду...

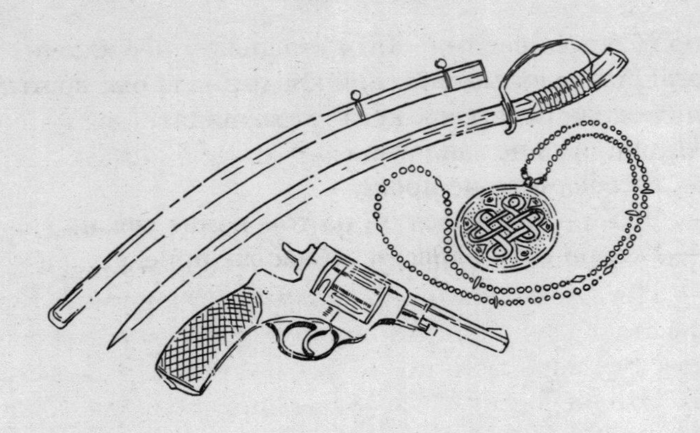

ГЛАВА 51

Засекин привел Катю к себе в номер. Она боялась идти домой, в квартиру, которую делила с Ириной. Подруга не явилась ночевать и не отвечала на звонки.

— Куда она могла подеваться? — сокрушалась девушка. — Это не к добру. Я чувствую, Ирка что-то скрывает.

Ученый с удивлением наблюдал за ней. Поведение Кати резко менялось: страх, растерянность, слезы, злость, наглая самоуверенность, — дикая чехарда эмоций. Пару раз Катя впадала в ступор, но быстро выходила из него. Ее психика казалась крайне неустойчивой. Сейчас она была близка к истерике, в глазах метался ужас.

Засекин подал ей воды и смотрел, как она судорожно глотает. Что с ней? Так сильно переживает за подругу?

— Что вы делали в доме Сазонова? — прямо спросил он. — Я вас выручил, подтвердил вашу ложь перед маклером. Не убирать же вы туда пришли после похорон?

— Я... искала Ирину. Решила, что она там заночевала... Где ей еще быть?..

— Мало ли.

— Она соврала, что идет на ночное дежурство, — выпалила Катя. — А парень, который назвался агентом по недвижимости... не тот, за кого себя выдает.

— Откуда у вас ключи?

— Ирина дала, — без запинки выдала девушка, нервно озираясь по сторонам. — Вы ничего не слышите?

— Нет. Хотя... пожалуй, холодильник шумит. В этом отеле старая техника. Кондиционер тоже гудит, как паровоз. Все пора менять.

— Это не шум! — возбужденно молвила Катя. — Это... голос! Прислушайтесь...

Засекин напряг слух, но, кроме шума работающего холодильника и проезжающего по улице транспорта, ничего не уловил.

— Вам показалось. Если хотите, я закрою окно.

— Не надо... и так дышать нечем, — Катя в изнеможении откинулась на спинку дивана. — Скажите, Аркадий... что за странные знаки начертил на стене покойный? Могут ли они... указывать на клад?

— Для меня это загадка. Иероглифы кое-что напоминают... Где-то я уже видел такое.

— Где? — вскинулась девушка.

— Если бы я знал!

— Это указание на клад, точно. Перед смертью Сазонов оставил послание... тому, кто сумеет его расшифровать.

— Вряд ли, — покачал головой ученый. — Умирающему человеку не до шифровок на стенах. Поверьте.

— Не хитрите со мной! — вспылила Катя. — Признайтесь, вы тоже ищете золото!.. Ваш прибор сконструирован для обнаружения кладов. Верно? Вы нарочно выдаете его за регистратор аномальных явлений. Это маскировка, не более.

Засекин не ожидал от нее такой проницательности и слегка опешил. Катя не производила впечатления умной девушки, ее интеллект был неразвит и зациклен на банальной добыче материальных благ. Из ее уст вылетало нечто чужеродное.

Впрочем, золото — вполне материально. Неуемная жажда наживы может побудить головной мозг задействовать резервы.

Очередная перемена, которая произошла с Катей, поразила «профессора». Растекшаяся по дивану амеба преобразилась в рассудительную особу со стальным блеском в глазах.

— Вы положили меня на лопатки, барышня, — выдохнул он. — Мой прибор в самом деле приспособлен для... поиска кладов. Видите ли, барон Унгерн «запечатывал» золото при помощи оккультных ритуалов, что само по себе... э-э... создает аномальную энергетику. Таким образом, любой подлинный предмет из сокровищницы — *помечен!* Уразумели? Эту энергетическую метку и должен уловить мой прибор. Но он, к сожалению...

— Не улавливает?

— Я не могу точно сказать, — развел руками Засекин. — Показания часто бывают противоречивы, и... я затрудняюсь сделать однозначный вывод...

* * *

Лариса отвела взгляд от «автографа» неизвестного убийцы, и сказала:

— Здесь больше делать нечего. Идем, Ренат.

— Куда?

— Спасать Дениса, — она чуть не обмолвилась «и тебя», но вовремя сдержалась.

— У нас есть шанс?

Ренат на лету поймал ее мысль, которая подтвердила его догадки.

— Едем в гостиницу, — кивнула Лариса. — Там мой ноутбук...

— Онлайн-игра? Думаешь, это поможет?

Она молча вышла за дверь, предоставив ему самому решать, как действовать.

Через сорок минут они расположились в ее номере. Ренат завзято щелкал клавиатурой, Лариса сидела рядом, глотая минералку.

Минуты тянулись, словно часы. И каждая уносила капельку жизни.

На последнем уровне Ренат получил указание от Куратора отыскать дом Шувалова. Лариса мотнула головой.

— Этого дома не существует. Он был... но сейчас от него остался один фундамент, да и тот врос в землю.

— Ты же сама говорила, что побывала там.

— На месте дома — аномальная зона. Сдвиг времени, не знаю, что...

— Выходит, ты побывала в прошлом?

— Как раз в тот самый момент, когда посланец барона Унгерна убил Илью. Я видела его мертвое тело с ножом в груди. Потому труп и не обнаружили! Все это случилось в начале прошлого века. Я напрасно испугалась, что попаду под подозрение в убийстве.

Лариса могла бы добавить, что, встретившись, ни молодой граф, ни она ничего толком не поняли. Он принял ее за странную особу, которая напомнила ему покойную невесту и пробудила в нем былое чувство. А она... почти влюбилась в странного хозяина, которому оставалось жить всего ничего.

«Возможно, *мы узнали друг друга!*» — промелькнуло в ее сознании.

— Связной забрал у Шувалова мешочек с загадочным предметом, который потом попал к жене Лукина. Судьба этой штуки после расстрела барона и до того, как некий водопроводчик принес ее в музей, неизвестна. Вещица, по моему разумению, довольно невзрачная на вид...

— Это и есть убийца, — вырвалось у Ларисы.

— Кто?

— Я знаю, что находилось в мешочке, а позже в ящичке, который дала тебе Софья. Зеркальце чжурчженей! Им могут пользоваться исключительно женщины... Вернее, только та женщина, под которую оно настроено. Магический предмет подчиняется не каждому, — как меч короля Артура! Лишь король Артур мог пользоваться им, и больше никто.

— Предмет *узнает* энергетику человека? И сотрудничает только с ним?

— Вроде того. На ручке зеркальца есть золотая спиральная навивка, заточенная на «биометрию» своего обладателя. Вместо отпечатка пальца или глазной радужки — что-то типа энергетического оттиска. Через эту навивку энергия человека передается зеркальцу, и оно активизируется. Меня недавно осенило, когда я... в общем, не важно. Если такое зеркальце попадает в чужие руки, то приносит беду.

— Думаешь, Унгерн погиб из-за этого?

— И барон, и его связной, и граф Шувалов...

— И генерал Лукин? И его зятья? И Сазонов? — перечислял Ренат. — А скоро придет очередь Дениса?.. И моя?.. Но ведь ни я, ни он, ни мужья Софьи не держали в руках зеркальца?

— Это и сбивает меня с толку. Возможно, мужья и женихи стали заложниками...

— Зеркальце-террорист?! Не смеши меня, Лара. И при чем тут я?

— Когда Денис умрет, ты мне поверишь?

— Нет, я тебе верю... но... какая-то путаница выходит. Почему убийца меняет почерк?

— Я думаю над этим. Дом Шувалова, говоришь? — спохватилась она. — Туда тебя направил Куратор?

— Это всего лишь игра.

— Всё вокруг — игра! Только без правил! Поди, разберись, что к чему...

Ренат вспомнил требование четырехликого фантома, которого видел на даче в Песчаном.

— Выпусти меня!.. — вырвалось у него. — Тот чувак говорил: «Выпусти меня!»

— Он просил, чтобы его *выпустили?*

— Ну да. Я ни черта не понял...

— Нам надо срочно ехать! — всполошилась Лариса. — Вызывай такси... Все должно быть, как в те разы. Синий «опель», Мушкетер, проселок...

Ренату казалось, что она бредит. Мушкетеров еще тут не хватало.

— Королем Артуром не обойдемся? — съязвил он.

Лариса бросила на него сердитый взгляд и протянула визитку Мушкина.

— Вот, звони. Нам нужна именно эта машина и этот водитель!

— А если он будет занят?

— Назови ему мою фамилию и посули двойной тариф...

— Почему не тройной? — фыркнул Ренат. — Нельзя взять авто напрокат, к примеру? Я сам поведу.

— Нельзя! — отрезала Лариса, собирая волосы в пучок. — Давай, поторапливайся. Денису скоро станет совсем плохо, и тогда... Если мы опоздаем, он умрет!

— Все так фатально?

— Послушай, мы теряем время!

— Звоню, звоню...

Ренат вспомнил парня, который подвозил его из аэропорта в Уссурийск и присвистнул. Лариса права: им нужен именно этот водитель.

Мушкин ответил сразу же, словно ждал этого вызова. Он стоял без дела на площади перед железнодорожным вокзалом, изнывая от скуки.

— Я от Ларисы Курбатовой, — сказал Ренат. — Приезжайте по адресу...

— К отелю? — обрадовался парень. — Сию минуту! Лечу!

Ренату не пришлось соблазнять таксиста щедрой оплатой: тот пришел в восторг от возможности услужить Ларисе и готов был возить ее куда угодно бесплатно.

— Чем ты его приворожила?

— Мушкетера? Неземной красотой, — улыбнулась она.

— Значит, это и есть Мушкетер? Куда мы едем, кстати?

— Куратор указал на дом Шувалова.

— Ты же говорила, его не существует.

— Но я уже побывала там два раза!.. Значит, третья попытка обречена на удачу. Другого способа спасти Дениса все равно нет. Извини, долго объяснять...

Она выбежала из номера, схватив на ходу сумочку. Ренат выскочил за ней, забыв запереть дверь. Сейчас решается не только судьба программиста, который имел несчастье закрутить роман с внучкой генерала Лукина.

— Ирину с собой возьмем? — на ходу спросил он.

— Некогда, — не оборачиваясь, бросила Лариса. — Нельзя терять ни минуты. Отдай ключи дежурному и выходи на улицу. Скорее!

Ренат подчинился. В холле через стеклянную входную дверь он увидел синюю легковушку с включенными фарами. Лариса уселась рядом с шофером и помахала Ренату рукой, поторапливая.

— Вы съезжаете? — донеслись ему вдогонку слова дежурного.

— Не знаю!

Дежурный пожал плечами, сел и уткнулся в свой смартфон. Он привык коротать смену за игрой в покер. Иногда ему удавалось выигрывать небольшие суммы, которые он тратил на личные нужды без ведома жены. Игра захватила его, и он тут же забыл о беспокойных постояльцах.

Не прошло и четверти часа, как со второго этажа спустилась еще одна пара: изобретатель Засекин и его пассия — молодая смазливая девчонка, которую тот привел к себе в номер. Нетрудно догадаться, зачем.

— Вы тоже съезжаете? — оторвавшись от покера, спросил дежурный.

— А кто еще съехал? — уточнил Засекин, догадываясь, о ком идет речь.

Катя закатила глаза и пошатнулась...

ГЛАВА 52

Ирине казалось, что она видит страшный сон. Денис метался в бреду, в комнате пахло его туалетной водой и малиновым вареньем.

— У него сильный жар, — взволнованно сообщила хозяйка дома. — А вы ему кто будете?

— Знакомая, — дрожащим голосом ответила девушка. — Он ко мне погостить приехал.

— Что же он у вас не остановился?

— Хотел сюрприз сделать.

— Наверное, ему наш климат не подошел. Горит весь! Ни аспирин не помогает, ни чай с малиной. Может, ему врача надо? Недавно еще в сознании был, вас ждал. А сейчас вроде бы бредит...

Ирина с ужасом наблюдала, как сбываются ее худшие опасения. Денис лежал на кровати с закрытыми глазами и что-то невнятно бормотал.

— Он все кого-то зовет, — сказала хозяйка. — Ириша да Ириша...

— Это я.

— Ну, тогда вы сами решайте, чего делать-то. А я пойду?

Ирина опустилась на стул и нервно вздохнула. Хозяйка вышла и тихо притворила за собой дверь. Она постояла, прислушиваясь к происходящему в комнате, потом махнула рукой и потопала в кухню. Готовить для больного травяной чай. Нынче молодежь хлипкая, чуть что — температура, лихорадка. Хоть бы парень в больницу не загремел. Жалко его. Вежливый молодой человек, по всему видно, не пьющий, и за комнату заплатил наперед, не торгуясь.

С этими мыслями женщина поставила кипятиться воду и насыпала в чашку целебный сбор.

Тем временем Ирина склонилась над изголовьем больного.

— Денис... — шепотом позвала она. — Денис... ты меня слышишь?

Ее присутствие произвело благоприятный эффект: больной очнулся и приоткрыл глаза. Его лицо пылало, волосы прилипли к влажному лбу.

— Ириша... это ты? Я... умираю?

— Нет, нет...

— Я умираю, — повторил он. — Это проклятие... сработало. Меня... ударило током...

— Каким током? Ты простудился, у тебя обычная вирусная инфекция. Ты выздоровеешь.

Ирина сама себе не верила. Фатальная неотвратимость происходящего лишала ее воли к сопротивлению. Что она может сделать? Напичкать Дениса лекарствами? Колоть ему антибиотики? Вызвать «неотложку»? Все это бесполезная, бессмысленная возня. По дороге сюда она заскочила в аптеку и набрала полную сумку медикаментов, шприцев, витаминов. Только ничего из этого не поможет Денису выкарабкаться. Как не помогло когда-то ее отцу. Слезы текли по ее щекам, она смахивала их ладонью.

— Я не нашла у Сазонова того, что искала, — разрыдалась Ирина. — Он умер, а я так и не смогла заставить его проговориться. Теперь поздно! Все пропало, Денис...

— Оголенный провод... Я не заметил, что изоляция повреждена...

— О чем ты?

— Электрический ток...

Он опять начал бредить, а Ирина плакала, не в силах остановиться. Игра «Золотая Баба» заканчивалась для них трагически. Они недооценили зло, которые преследовали. Сазонов унес тайну в могилу, и не осталось никого, кто мог бы спасти Дениса.

— Я не хочу... не хочу... — заливалась слезами Ирина. — Так не должно быть...

К кому были обращены эти слова?

— Унгерн... — воспаленными губами бормотал больной. — Шувалов...

— Кто сумеет договориться с главным Оракулом, тому и достанется Золотая Баба, — прошептала девушка. — Где ты, Оракул?..

По стенам комнаты скользили солнечные зайчики. Ирина не замечала, что за окном — сумерки, а значит, солнце село. Она видела только Дениса.

Тень женщины промелькнула над кроватью и растворилась под потолком. Онлайн-игра перешла из виртуального пространства в реальное, и ставкой в ней стало не золото, а человеческая жизнь.

«Верни мне его, — раздалось в ушах Ирины. — Верни, или я заберу у тебя твоего парня...»

* * *

Засекин опасался за Катин рассудок. Она вела себя неадекватно, подчинялась командам, которые звучали у нее в голове. В холле гостиницы она чуть не упала в обморок. Ученый не мог бросить ее одну в таком состоянии. Любопытство и какой-то болезненный задор овладели им.

— Куда вы меня ведете? — недоумевал он, едва поспевая за девушкой. — Опять в дом Сазонова?

— Нет.

— Но мы — на Никольской улице!

Катя отлично ориентировалась во мраке, будто у нее открылось кошачье зрение. Пара уличных фонарей были разбиты, а дальнего света не хватало. Но ее это не смущало. Перед выходом из гостиницы она попросила у Засекина сумку-рюкзачок, который надела на плечи. «Что вы собираетесь туда класть, милая барышня? — осведомился он. — Золото?» Девушка ответила кривой улыбочкой.

— Погодите... — взмолился «профессор», пробираясь за ней через дырку в заборе на заброшенный участок. — Я ничего не вижу...

Он задыхался от быстрой ходьбы и чуть не подвернул ногу, споткнувшись о корень старого дерева. Катя не обращала внимания на его нытье.

— Тут где-то спрятан металлоискатель, — бросила она. — Ищите.

«Металлоискатель?! Что она задумала? — гадал Засекин. — Она слишком хорошо знает окрестности, словно провела здесь много времени». Глаза ученого медленно привыкали к темноте. Он вспомнил о мобильнике, достал его из кармана и включил функцию «фонарик». С помощью слабенького белесого луча он обнаружил в кустах длинную железную палку с прибором на конце. Катя не обманула. Это был металлоискатель.

Она возилась где-то рядом. Засекин не видел ее в густых зарослях, но слышал хруст веток под ее ногами и шорох травы. Когда она затихла, ученый насторожился. Неужели, Катя скрылась? Он молча стоял, обдумывая свое положение. Что делать дальше?

— Эй! — раздался тихий женский голос. — Аркадий, вы где?

Катя словно из-под земли выросла, и ученый испуганно направил на нее «фонарик». Она так же криво улыбалась, как на вопрос о золоте. Засекин протянул ей находку со словами:

— Вот. Он работает?

— Не знаю. Работал... но пролежал несколько дней здесь, поэтому...

— Зачем мы здесь? — перебил «профессор». — Объясните!

— Понесете металлоискатель, Аркадий? Он тяжелый и неудобный. В рюкзак не поместится.

— Куда нести?

Катя задумалась, глядя на прибор. Спутник раздражал ее своей непонятливостью и бестолковыми вопросами. Как от него отделаться?

— Возвращайтесь в гостиницу, — сказала она ученому. — Вы мне больше не нужны.

— Мавр сделал свое дело?

Катя не уловила его иронии, кивнула и махнула рукой в сторону дороги.

— Отнесите металлоискатель к себе в номер. Он денег стоит.

— Тащиться с ним через весь город?

— Не мне же его тащить?

Засекин топтался на месте, ему не хотелось уходить. Катя не имеет права так беспардонно им помыкать.

— Я не носильщик, — огрызнулся он.

— Вы можете быть свободны! — разозлилась девушка. — Теперь я сама справлюсь.

От нее веяло холодной решимостью. Ученый старался не подавать виду, что он струхнул. Обида боролась в нем с азартом авантюриста.

— Вы знаете, где клад? — вырвалось у него.

— Допустим, и что? Я не намерена ни с кем делиться. Особенно с вами. Ступайте в гостиницу, Аркадий, и никому ни слова. Так будет лучше для всех.

— Ну уж нет!

Телефон садился, и свет «фонарика» потускнел. Еще мгновение, и они окажутся в полной тьме.

— Ах, нет? — ухмыльнулась Катя. — Тогда прощайте...

ГЛАВА 53

Мушкетер доставил пассажиров к проселку, где обнаружились остатки фундамента так называемого дома Шувалова. За всю дорогу Лариса и ее спутник не проронили ни слова. Атмосфера в салоне накалялась по мере того, как они приближались к «чертову месту».

— Кажется, это здесь, — обернулся к ним таксист. — Только не поздновато ли для экскурсии? Стемнело уже.

— У тебя есть фонарь? — спросила Лариса, словно проснувшись.

Ренат молча покачал головой. Он не совсем понимал смысл этой поездки. Почему Лариса не торопится посвящать его в свой план? Что все это значит?.. В его уме бродили мрачные мысли.

Таксист подал пассажирке фонарь и сказал:

— Мне пойти с вами?

— Со мной пойдет Ренат, — без всякого выражения ответила она. — А ты не вздумай следить за нами. Понял?

— Я и не собирался...

Ренат первым вышел из машины и осмотрелся. Вокруг быстро сгущался мрак. Фары «опеля» освещали заросшие кустарником обочины. С обеих сторон проселок обступили деревья. Ни огонька, ни души, ни звука, ни ветерка. Даже луна спряталась за тучу.

Мушкетер, которому было не по себе, бодрился. Он уселся поудобнее и приготовился ждать.

— Телефон не забудьте, — сказал он Ларисе. — А то, как в прошлый раз, аукать придется.

— Никаких телефонов!

Она оставила сумку на сиденье и заставила Рената выложить из кармана его сотовый.

— Я бы так не рисковал, — обронил таксист.

— Он ждет меня! — вырвалось у Ларисы. — Идем!.. У нас всего одна попытка.

— Может, я все-таки возьму телефон? — засомневался Ренат. — Вдруг, заблудимся? Темень, хоть глаз коли. Ты знаешь, куда идти?

Вместо ответа Лариса включила фонарь и зашагала вперед. Она легко нашла тропинку между деревьев. Ренат шел сзади и оглядывался, запоминая дорогу.

Мушкетер погасил фары, чтобы не сел аккумулятор, и всё погрузилось в кромешную тьму. Лишь луч света в руке Ларисы указывал путь.

— Куда мы идем? К Шувалову? Это он тебя ждет?

Лариса, поглощенная своими мыслями, пробормотала:

— Боюсь не справиться...

— Неужели, всему виной какое-то несчастное зеркальце? — не выдержал Ренат, глядя ей в спину. — Ты уверена, что оно убило Лукина и всех прочих мужчин?

— Не оно, а он...

— Прекрати говорить загадками! Я должен знать, с чем мы столкнемся. Иначе как я тебе помогу?

— Он очень опасен, — не оборачиваясь, сказала Лариса. — У нас мало времени. Не отставай!

Фонарь погас. Лариса напрасно нажимала на кнопку, лампочка не зажигалась.

— Батарейки сдохли, — хмуро предположил Ренат. — Надо было подготовиться как следует, а не рассчитывать на таксиста.

— Он жутко злой. На Унгерна, на Илью, на меня...

— Кто?

Ренат нашарил в кармане зажигалку, достал и щелкнул. Крохотный синеватый язычок на миг осветил лицо Ларисы. Она была не похожа на себя. Щеки ввалились, глаза лихорадочно горят. Встреть он ее случайно на этой тропинке, не узнал бы.

— Ты можешь объяснить, в чем дело?

— Тс-сс! Тихо! — Лариса прижала палец к губам. — Она рядом!..

— То «он», то «она»... Тебя не поймешь!

Внезапно Ренат вспомнил разбитое стекло в комнате, которую он снял, и круглое золотое лицо в ночи.

— Тебе известно, где зеркальце? — прошептал он, щелкая зажигалкой.

— Я догадываюсь...

— Оно в доме Шувалова?

— Надеюсь, мои догадки подтвердятся. А если нет...

Она не договорила. Язычок пламени мигнул и погас. Напрасно Ренат встряхивал зажигалку и щелкал.

— Черт! Не работает.

— Кажется, мы пришли.

Он поднял голову и не поверил своим глазам. В темноте ночи светился желтый огонек. Это было окно дома...

* * *

Катя поймала легковушку и молча уселась рядом с водителем. Мужчина ехал из гостей и был слегка под хмельком. Ему приглянулась эта стройная девушка с рюкзачком на спине.

— Не боишься меня, ночная фея? — улыбнулся он. — Куда везти?

— Я покажу.

— Это далеко?

— Не очень. Сейчас поверните налево, потом на трассу.

От водителя пахло коньяком, а от пассажирки — духами и травой. Ее блузка в горошек была не первой свежести, к рукаву прилип зеленый лист, ноги мокрые от росы.

— Ты что, по лесу бродила? Одна?

— Ага, — кивнула она.

— Смело, — одобрил водитель, прибавляя газу. — Айкидо занимаешься? Или женским боксом?

— Не пропустите поворот!

— Может, заедем в бар, выпьем по рюмочке?.. Я угощаю.

— На кой ты мне сдался? — неожиданно вызверилась девушка. — Старый хрыч!

— Эй, эй, полегче... не то высажу, — оскорбился мужчина. — Ишь, молодуха выискалась. Я, между прочим, нимфеток предпочитаю. Ты для меня — переросток!

— Заглохни, дядя.

Катя произнесла это таким тоном, что у водителя мурашки пошли по телу. Он зазевался, угодил колесом в яму и выругался. Пассажирка вдруг вызвала у него страх. От нее веяло холодом и жутью. Он, конечно, перебрал лишнего в гостях, но... Неужели, к нему в машину подсел призрак, о которых так много говорили сегодня за столом?

— Ты живая? — он протянул руку и осторожно коснулся ее плеча.

— Отвали! Козел...

Мужчина хотел затормозить и высадить странную девицу, однако вместо этого увеличил скорость, обгоняя другие машины. Мысль о том, что его остановят гаишники, мелькнула и пропала.

— Давай, жми! — хохотнула Катя. — Люблю прокатиться с ветерком!

— Да ты...

Слова возмущения застряли у водителя в горле, он закашлялся и резко крутанул руль. Из-под резины полетели искры. Скорость увеличивалась против его воли, он едва успевал следить за дорожными знаками.

— Разобьемся же... — выдавил мужчина, трезвея. — Ты че творишь, дура?

Пассажирка каким-то образом влияла на него, заставляя мчаться на всех парах к выезду из города. Он потерял контроль над собой и над своим авто.

— Не дрейфь, дядя, — посмеивалась Катя. — Сегодня все закончится.

Она не ощущала опасности, не чувствовала ничего, кроме стремления вперед. Опоздание было смерти подобно. Это были не ее мысли, не ее слова. Но девушка не понимала, что с ней происходит.

Ночная трасса стелилась под колеса, словно взлетная полоса. Казалось, машина вот-вот оторвется от земли и взмоет в тревожную черноту ночи.

— Бог мой... — прохрипел водитель, судорожно вцепившись в руль. — Я не Шумахер, подруга...

Он боялся не справиться с управлением. Боялся сидящей рядом девицы с бледным лицом. Боялся того, что от нее исходило.

Катей овладел безумный кураж. Рассудок молчал, а все ее существо подчинялось странному голосу. Кто-то говорил с ней... или вместо нее. Она перестала оглядываться по сторонам и спрашивать себя, кто это. Дурнота, накатившая на нее при выходе с Засекиным из отеля, не прошла, а видоизменилась. Ее сознание окутал туман, и в этом тумане появился провожатый, который точно знал, чего хочет, командовал и требовал. Он указывал путь, регулировал скорость движения, сделав Катю орудием в своих руках. Ее ослепило золото, и он этим воспользовался...

ГЛАВА 54

Внутри дома стояла тишина. Лариса шагала вперед, Ренат — за ней. Казалось, кто-то шепчется в темноте коридора за их спинами.

— Не оборачивайся, — предупредила она. — Иди за мной!..

Эта знакомая фраза резанула ему слух. Слова, которые ведут в иную реальность, в один из бесчисленных вариантов развития событий. Что предопределяет исход? Чужая воля? Подсознательные желания? Долги из прошлого, которые рано или поздно настигают каждого?

Ренат старался не потерять Ларису из виду. Легко соскользнуть в иллюзию и погрузиться в бредовый сон. Дом казался мертвым, полным незримых теней: он словно всплыл из забвения, чтобы как только незваные гости его покинут, погрузиться в небытие вновь.

Лариса привела Рената в гостиную, где горели свечи в шандалах и был накрыт стол. Огоньки всколыхнулись и замерли. Кто зажег эти свечи? Тот, кто сидел на диване, одетый в военные брюки, рубашку и сапоги? Ренат не сразу заметил рукоятку ножа и темное пятно на его груди.

— Это хозяин дома, — сказала Лариса, представляя их друг другу. — Илья Шувалов. К сожалению, он не сможет принять нас должным образом.

— Вижу.

Если бы не запах крови, Ренат бы счел Шувалова персонажем компьютерной игры. Тот весьма походил на своего тезку из «Золотой Бабы».

— Я надеялась застать его живым, — вздохнула Лариса. — Как в ту первую ночь, когда мы с Мушкетером заблудились на проселке.

— Чуда не произошло?

— Не ерничай. Илья погиб из-за меня. Надо же было случиться, что я чуть не столкнулась с его убийцей!.. Я могла помешать ему, но... ход вещей был предопределен.

Ренат не понимал, о чем речь, но промолчал. Мертвый Шувалов хорошо сохранился. Тление почти не коснулось его.

Лариса обратилась к трупу, словно к живому человеку:

— А мы с тобой все-таки встретились...

— По-моему, пора приступать к делу, — заявил Ренат. — Этому парню уже не поможешь. Зато Денис еще борется со смертью! И обо мне стоит подумать. Я ведь тоже кандидат на выбывание?

Лариса не сразу оторвалась от Ильи, будто прощаясь с ним, на сей раз навсегда.

— Ты прав. Идем, я покажу тебе психомантеум. Возьми шандал.

Она опять повела Рената коридором к двери за портьерой, где среди зеркал и бархата вершилось таинство вызова духов. Он нес тяжелый подсвечник с наполовину оплывшими свечами, и чувствовал себя обманутым мужем.

— Мы с тобой не женаты, — усмехнулась Лариса, отодвигая портьеру и указывая на дверь. — Это и есть «оракул мертвых».

— Кто сумеет договориться с главным Оракулом, тому и достанется Золотая Баба... — прошептал он.

— Барона Унгерна погубила алчность, а Илью — оккультный авантюризм. Он возомнил, что сумеет поладить с Оракулом!..

— И что, не сумел?

Они топтались перед дверью в психомантеум, как перед воротами в ад. У Рената пересохло в горле, а в груди образовалась пустота.

— Чего стоим? — шепотом осведомился он.

— Еще рано...

— Мы кого-то ждем?

— Не хватает важного атрибута. Зеркальца, которым пользовалась невеста Ильи.

— Без него никак не обойтись?

— Никак!

— Я думал, ты знаешь, где оно...

* * *

Мушкетер заметил мелькающий за деревьями свет и подскочил, как ужаленный. Кого еще сюда принесло?

Ответ на этот вопрос он получил очень быстро. На проселке остановилась легковушка, из нее вышла женщина. Машина, которая ее привезла, рванула с места и в мгновение ока умчалась прочь.

Мушкетер затаился. Было темно, «опель» с потушенными фарами стоял на обочине, так что приезжая барышня не могла его заметить. Она прошла мимо, словно призрак, не пользуясь фонарем, и тем не менее уверенно двигаясь вперед. Из-за облаков, словно по заказу, выкатилась яркая луна.

Таксист заставил себя оставаться на месте. Он обещал Ларисе и ее спутнику, что будет ждать здесь. Очень хотелось проследить за барышней, но он сдержал свой порыв. Мрачный свет луны обливал девичью фигуру, пока она не скрылась из глаз.

Мушкетер опять улегся в кресло, но задремать не смог. Куда направилась девушка-призрак? — гадал он. — Не на базу отдыха «Семеновка», случайно? Почему ее не подвезли ближе, а бросили на пустынном проселке?

Парень крутился, поглядывал по сторонам и прислушивался к тишине. Ночь наступила раньше времени, как ему казалось. Солнце село, и сумерки моментально превратились в густой мрак. Если бы не луна, видимость была бы нулевая.

Между тем барышня, о которой думал Мушкетер, свернула на тропинку и ускорила шаг. Это была Катя. Она двигалась, словно заведенная, не обращая внимания ни на что, кроме голоса, звучащего в ее ушах. Когда деревья расступились, перед ней возник деревянный дом. Одно окошко тускло светилось. Катя рассмотрела крыльцо под навесом, дверь и бревенчатые стены.

— Иди за мной! — приказал ей голос.

Она послушно поднялась по ступеням и постучала. Никто не подошел к двери, не открыл. Катя постучала громче.

— Заходи! — раздалось у нее в ушах.

Катя отворила дверь и нерешительно замерла на пороге...

* * *

Зеркала в психомантеуме оставались в том же положении, как их настроил перед смертью Илья. Лариса села в кресло так, чтобы не видеть своего отражения.

— Это «оракул мертвых», — повторила она.

Ренат удивленно хмыкнул и покачал головой:

— Похоже на комнату ужасов. Тук-тук! Кто в зеркале живет?

— Кого позовешь, тот и явится.

— Так давай, зови...

— Еще не время.

Ренат пожал плечами и поставил тяжелый шандал на столик. Язычки свечей, четырехкратно умноженные, разбежались по зеркалам.

— Чего ждем? Этот виртуальный дом Шувалова может внезапно исчезнуть, и мы вместо свидания с Оракулом окажемся ночью посреди леса. Ау-у! Ты меня слушаешь?

— В начале прошлого века мы с Ильей совершили роковую ошибку, — заявила Лариса. — Я была его невестой... той самой, которая засмотрелась в зеркало и умерла.

— Засмотрелась в зеркало? В одно из этих?

— Илья подбил меня на опасный эксперимент, — игнорируя вопросы, продолжала она. — Попросил вызвать дух Оракула, который служил Золотой Бабе. Это произошло здесь, в психомантеуме. Оракул явился на мой зов... но наш опыт очень плохо закончился. И для меня, и для Ильи. Мы оба вскоре расстались с жизнью. Оракул предсказал, что я своими глазами увижу труп возлюбленного. Так и произошло. Илью убили практически в моем присутствии! Только сто лет спустя...

— Ты ничего не путаешь?

— Тогда я не могла предположить нынешние события. Умирая первой, я радовалась, что страшное пророчество не сбылось. Но Оракул знал, что говорил.

В ее истории, прочно забытой до недавнего времени, была определенная логика. Теперь почти все упущенные детали собрались воедино.

Ренат кивнул головой в сторону двери.

— Это Илья сидит там, в гостиной? Твой... — ему не хватило воздуху, чтобы закончить фразу.

— Зачем ты спрашиваешь? Ты ведь догадался!

— Не могу поверить...

— В этом нет нужды. Какая разница, веришь ты во что-либо или нет? Мы с Ильей потревожили дух Оракула и поплатились за это.

— Ради чего вы так поступили?

— Можешь смеяться, — Лариса опустила глаза. —

Мы замахнулись не просто на сокровища Золотой Бабы, а... главным образом на ее покровительство. Унгерн помешался на идее стать повелителем мира, возомнил себя потомком Чингисхана! И заразил своим безумием Илью. Я не исключаю, что барон в самом деле был носителем генов жестокого завоевателя. И эти гены сыграли с ним злую шутку.

— Неужели, твой Илья не понимал, чем рискует? К чему может привести его афера?!

— Он не хотел понимать. Унгерн сумел возбудить в нем интерес к оккультным практикам, увлек своей одержимостью. Барон обладал гипнотическим влиянием на Илью. Он навязал ему свою волю.

— И подставил под удар! — возмутился Ренат. — Нормальный ход для наследника крестоносцев. Благородство так и прет!

— Какое благородство? Унгерн шел к своей цели по трупам. Ему недоставало просто денег и золота. Он добивался содействия Золотой Бабы.

— Оракул должен был открыть вам доступ к ней, стать связующим звеном?

— Да, — кивнула Лариса. — При жизни он был пророком в ее храме, а после смерти стал хранителем золота и знал, как подобраться к любому кладу.

По ее лицу пробегали багровые отблески свеч, отраженные в зеркалах. Словно эти немые свидетели так выражали свое одобрение или негодование.

— Оракул отказался?

— Наотрез. Мне пришлось прибегнуть к специальному обряду... — Она замолчала на полуслове и насторожилась. — Тихо!.. За дверью кто-то есть...

ГЛАВА 55

Засекин очнулся, лежа на земле. Вокруг было темно, в траве что-то ползало, шуршало и стрекотало. Рядом валялся металлоискатель. Ученый нащупал железную палку и… вспомнил, что с ним произошло.

Девушка Катя будто сошла с ума. Она не могла усидеть в гостиничном номере, куда он ее привел: начала слышать голоса и рваться куда-то. Ему пришлось отправиться с ней. Не мог же он бросить ее одну в приступе безумия? Вдруг, бедняжка попала бы под машину или в руки хулиганов, которые шатаются ночью по подворотням?

Кажется, Катя привела его на Никольскую улицу, где он, вероятно, и находится. Но почему он лежит? Что случилось?

— Катя! — хрипло позвал он. — Катя!.. Вы где?.. Катя!

В голове пульсировала боль. Ученый с трудом поднялся на ноги, хватаясь за ствол молодого деревца.

— Катя!.. Вы в порядке?.. Эй!..

Ответа не последовало. Засекин нащупал шишку на затылке и удивился. Он что, споткнулся в темноте, упал и ударился головой?

— Катя! — крикнул он, понимая, что девушка не придет ему на помощь. Более того, именно она ударила его палкой, когда он совершенно не ожидал этого. Ее злобное «Прощайте!» — смутно всплыло в его памяти.

— Она хотела убить меня... — пробормотал ученый, продолжая держаться за ствол деревца. — Она... помешалась на золоте... О чем мы говорили?.. Ах, да... О кладе!.. Катя сказала, что не намерена ни с кем делиться... особенно со мной...

За неимением другого собеседника, «профессор» говорил сам с собой. Он пытался унять головокружение и устоять на ногах. Ай, да Катя!.. Они с Ириной — два сапога пара. Нынешним барышням палец в рот не клади. Откусят, прожуют и не подавятся...

Засекин побрел наугад, хватаясь за ветки, и скоро заметил вдали свет. Это оказался уличный фонарь. Мысли о женском коварстве, собственной глупой доверчивости и вожделенном золоте мешались в его уме с образом богини чжурчженей. Он полагал, что Баба досталась им от еще более древнего народа Шуби, который скрылся в подземных туннелях и навсегда покинул поверхность земли.

Ученый не сомневался: связь между загадочными подземными жителями и людьми существует... для избранных. Они общаются посредством зеркал. Недаром цивилизацию Шуби называли Страной Волшебных Зеркал. Их изготавливали из особого сплава. Отражающая сторона отлита из полированной бронзы и покрыта ртутной амальгамой. Если держать такое зеркальце в руках при дневном освещении, оно ничем не отличается от обычного. Однако при направленном свете массивная бронза таинственным образом становится прозрачной. И тогда сквозь амальгаму можно увидеть иероглифы, не поддающиеся расшифровке...

Похоже, удар по голове заставил ум Засекина работать с удвоенной силой. Он столько времени охотился за волшебным зеркальцем, что перестал верить в чудо. Лишь сейчас до него дошло, какие *знаки* он видел на стене в кухне Сазонова! Нечто подобное ему попадалось в архивах, на рисунках археологов и путешественников по Дальнему Востоку.

— Боже мой... — простонал «профессор». — Боже!.. Это же они!.. Иероглифы, проступившие на стене!..

* * *

Денис больше не приходил в себя. Ирина сидела над ним и рыдала. Она была бессильна ему помочь.

В комнату заглянула хозяйка.

— Ну, как он?

— Плохо, — сквозь слезы выдавила Ирина. — Это я погубила его...

— Ты то тут при чем? У него сильный жар, надо отвар выпить.

Пожилая женщина приблизилась к изголовью больного и попыталась влить ему в рот немного теплой зеленоватой жидкости. Девушка безучастно наблюдала за ее действиями.

— Ты бы врача вызвала. Сами мы не справимся. У тебя телефон есть? Звони.

— Без толку это все, — всхлипнула Ирина. — Ему сейчас только Всевышний может помочь. Молитесь, если умеете!

— Да ты что, девка? Спятила? Парня спасать надо, а она молиться собралась... Я сама позвоню!..

Хозяйка вышла, сердито шаркая ногами. Дверь осталась открытой, и было слышно, как она в соседней комнате названивает в «неотложку», объясняет, что постоялец с гриппом свалился:

— Молодой, лет двадцати пяти... Нет, таблетки не помогают... температура не падает... Когда?.. Через час приедете?.. А раньше никак?..

Ирина была словно в трансе. Все равно это ни к чему не приведет. Денис умирает! Они проиграли. Последний уровень пройти не удалось.

Хозяйка сунулась в дверь и доложила, что медики приедут через час. В лучшем случае.

— У них много вызовов, — пояснила она. — Не успевают. Нам надо продержаться. Я лед принесу из холодильника. Положим ему на голову... и уксусом оботрем.

Ирина молча кивала, вытирая слезы марлевой салфеткой. На столе лежали вываленные из ее сумки препараты и шприцы.

— Ты уколы умеешь ставить? — обрадовалась женщина. — Давай, уколи ему что-нибудь от температуры. Или антибиотик покрепче!.. Делай что-то, не сиди!

Ирина так же молча разорвала упаковку со шприцем, надломила ампулу и набрала лекарство. У нее не было надежды, но она выполняла свой долг. Иначе хозяйка обвинит ее в преступном равнодушии.

Девушка с трудом перевернула Дениса на бок, добралась до его ягодицы и ввела жаропонижающее. Его тело было горячим и влажным на ощупь. Он, похоже, ничего не почувствовал.

Ирина отложила шприц и накрыла больного одеялом. Его глаза были закрыты, лицо горело, губы пересохли. В комнате стояла духота, но открывать окно она не решилась.

— Вот и все, Денис... — прошептала она, глядя, как он тяжело, с хрипом дышит. — Простуда, вирусная инфекция или удар током... это не имеет значения. Я не выполнила условия, и приговор приведен в исполнение. А ты не верил, что это серьезно... Смеялся!.. Подшучивал надо мной. Золотая Баба не прощает легкомыслия! Я думаю, это она убивает тебя... Тот колдовской атрибут из ящичка чего-то требует от нас. Будь моя бабушка ведьмой, то знала бы, как поступить. Она перечитала кучу «черных» книг, но так и не смогла применить магию по назначению... Все ее попытки с треском провалились!.. Даже когда ящичек опустел, проклятие никуда не делось. Оно преследует нас!.. Я думала, что мне удастся избавиться от дамоклового меча смерти, занесенного над тобой. Увы!.. Прости, Денис... Видимо, я переоценила свои способности. Я была очень близка к предмету наших с тобой поисков... но удача ускользнула от меня. Сазонов умер, а я осталась с носом!.. То, что я искала, исчезло, оставив на стене свою «подпись», словно издевку. Я ничего не понимаю, милый!.. Я застала Сазонова мертвым, но при нем не было того, что его убило... Как это возможно? Нет же у этой штуковины ног, чтобы убежать и скрыться?!

Ирина говорила и говорила в надежде, что парень ее слышит. В забытьи, без сознания, даже в коме люди иногда воспринимают обращенные к ним слова.

— Я сделала все, что было в моих силах!.. Мне не повезло. А тебе не следовало приезжать сюда и подвергать свою жизнь опасности!.. Почему ты нарушил наш уговор?.. Почему?!

Хозяйка вернулась в комнату с уксусом и кусочками льда, завернутыми в тонкое полотенце.

— С кем ты тут болтаешь? — подозрительно покосилась она на Ирину.

— Я... молюсь.

Женщина перевела взгляд на Дениса и покачала головой:

— Ой, горе горькое! Совсем плох парнишка. Прикладывай ему лед ко лбу, потом сделаем обтирание. Хоть бы врачи поскорее приехали...

* * *

Ренат ощущал внутреннюю связь с Денисом и почувствовал, что тот умирает. Это не придало ему бодрости. Его ум напряженно решал проблему отсутствия зеркальца. Он смутно догадывался, что должно произойти, но не до конца.

Шаги за дверью помешали Ренату размышлять и раздосадовали его. Он метнулся к входу в психомантеум, раздвинул драпировки и... очутился лицом к лицу с девицей, которую сегодня утром видел с Денисом и очкариком у дома Сазонова.

— А вот и она, — шепотом заметила Лариса, не поворачиваясь в их сторону.

— Катя? — опешил Ренат.

Он ожидал появления кого угодно, кроме Кати. Призрак барона Унгерна, мертвый Шувалов, сама Золотая Баба удивили бы его меньше.

Девушка уставилась на него стеклянными глазами и молча двинулась вперед. Ее блузка в горошек и светлые брючки были испачканы и местами порваны, в волосах застряла хвоя.

— Где я? — нервно осведомилась она.

— Как вы сюда попали?

— Пропусти ее, — приказала Лариса, продолжая сидеть в кресле.

На спине у Кати висел матерчатый рюкзачок, который она порывалась снять. Шлейка выскальзывала из ее пальцев, губы злобно кривились. Ренат хотел ей помочь, но получил жесткий отпор.

— Не прикасайся ко мне! — окрысилась девушка и ударила его по руке. — Отвали!

Он схватил ее за плечо, но Катя вывернулась, отскочила и юркнула за драпировки. Движение воздуха чуть не погасило свечи в шандале.

— Что с ней делать? — растерялся Ренат. — Как она здесь оказалась?

— Я ждала ее, — спокойно отозвалась Лариса. — Оракул указал ей дорогу. Он уже тут. Теперь... все в сборе.

— Оракул?!

Рената пробрал озноб, он вздрогнул и оглянулся. С четырех сторон на него наступало странное существо в пестрой хламиде и головном уборе из меха, кожаных ленточек и блестящих бусин. У существа было лицо... Ильи Шувалова!

Катя за драпировками вскрикнула и осела на пол, ее ноги в грязных истоптанных балетках высунулись наружу. Рюкзачок, который она все-таки успела снять, с мягким стуком вывалился из ее рук.

— Это Шувалов? — поразился Ренат, вглядываясь в четырехликую фигуру. — Он и есть... Оракул?

— Нет, конечно, — ответила Лариса.

— Но у него лицо Шувалова! Видишь?

— У Оракула нет собственного лица. Он принимает облик того, кто тебе известен. Вернее, нам. В данном случае мы оба знаем Илью. Я — давненько, а ты только что с ним познакомился.

— Посмертно, — кивнул Ренат, наблюдая за Оракулом, который перестал приближаться и замер. — Чего он хочет?

— Подай-ка мне Катин рюкзачок...

ГЛАВА 56

Лариса вытащила из рюкзака кожаный мешочек и показала Ренату.

— Есть! Она вовремя доставила его сюда!

— Что это?

Он мог бы не спрашивать. Такой же мешочек фигурировал в его видениях и в онлайн-игре, навязанной Вернером.

— Зеркальце чжурчженей. Илья подарил мне его в тот день, когда...

— ...признался в любви?

— Мы стали женихом и невестой, — печально подтвердила Лариса. — Илья нашел зеркальце в тайге, на заброшенной охотничьей стоянке. Бог знает, как оно туда попало!.. Я взяла его в руку и сразу ощутила тепло... Как будто оно было сделано для меня!..

Оракул с лицом Шувалова недовольно зашевелился, и от зеркал, которые отражали его фантом, повеяло холодом. Свечи в шандале оплыли сильнее и начали чадить.

— Он нас торопит, — догадался Ренат. — *Время истекает!* Я чувствую, едва догорит последняя свеча, этот дом исчезнет! В лучшем случае мы окажемся в ночном лесу, в худшем... исчезнем вместе с домом.

Я даже не хочу думать, куда нас занесет. В ставку Унтерна или в один из подземных туннелей?..

Лариса, словно глухая, молча любовалась зеркальцем. Она подняла его к свету, и на драпировках проступили огненные знаки, нанесенные на обратной стороне отражающей поверхности. Запахло дымом.

— Так ты пожар устроишь!

Лариса опустила зеркальце и что-то невнятно забормотала. Оракул взмахнул руками, и в сумраке психомантеума прозвучало:

— Выпустите меня!..

— Он чего-то ждет от нас, — сказал Ренат. — От тебя, Лара!

— Я должна его выпустить. Разве не ясно?

— Откуда? Что ты можешь сделать?

Ренатом овладевала паника. Свечи догорали, Оракул потемнел лицом, а его глаза ярко засветились.

— Я вызвала его дух по просьбе Ильи... а потом с помощью заклинаний заключила сюда. Вот, смотри, — она повернула зеркальце к Ренату, и тот увидел в глубине амальгамы крохотную фигурку Оракула. — С тех пор он пойман в зеркальце и не может выйти.

— А это что? — Ренат оглянулся на зеркала психомантеума, где с четырех сторон наступали Оракулы с лицом мертвого графа. — Иллюзия?

— Фантом прикован к этому миру, он может отразиться в любом зеркале, но не в состоянии вернуться к своей повелительнице, Золотой Бабе. Та гневается и зовет его к себе! Оракул будет убивать, пока не окажется на свободе.

На теле Рената выступил холодный пот, он явственно ощущал, как от ужаса покрывается испариной.

— Надо его *выпустить*, — добавила Лариса. — Он может обрести свободу в том же самом месте, где попал в ловушку. То есть... в этом психомантеуме! Где вход, там и выход. Оракул не зря привел Катю сюда.

Одна из свеч в шандале погасла, подтверждая опасения Рената.

— Пусть твой Оракул валит на все четыре стороны, — процедил он. — Иначе я умру! Я правильно мыслю? Денис уже при смерти, следующим буду я.

— Денис еще жив, надеюсь...

— Делай что-нибудь! Шевелись!.. Разбей это чертово зеркальце!

— Оно из бронзы, между прочим. Его не так просто разбить. И это ничего не даст. Оракул застрянет в каждом из осколков, и тогда... не хочу даже думать, что будет.

Катя, вероятно, лишилась чувств от напряжения и страха. Ее не было видно за драпировками, только неподвижные ноги торчали наружу, напоминая об ее присутствии. Ренат мельком взглянул в ее сторону и повернулся к Ларисе со словами:

— Значит, это Оракул привел Катю? Я-то думаю, как она нас нашла?.. Ладно, спроси у него, что дальше? Он знает, как выйти?

— Это зеркальце слушается только меня. Поэтому любой, кто им владел, обрекал себя на беду. Оракул ставил условие, которое никто не мог выполнить. Он обещал указать место клада в обмен на свободу. Сначала свобода, потом золото. А если его не выпускали, он убивал человека, которого сам выбирал.

— Но ты же выполнишь его условие?

Вторая свеча в шандале погасла. В психомантеуме потемнело, и Ренат занервничал.

— Тебе нужны сокровища Золотой Бабы? — усмехнулась Лариса.

— К черту сокровища! К черту Бабу! Мне бы выжить. Уже две свечи догорели. Осталось три! Что ты предлагаешь?

— Я должна провести обратный обряд...

— А если он не сработает? Чует мое сердце, больше мы в этот дом не попадем! Это последний шанс, который надо использовать.

— Я постараюсь.

— Старайся! — Ренат стоял перед ней, размахивая руками. — Включи мозги, Лара!

Фантом угрожающе всколыхнулся со всех четырех сторон, его глаза вспыхивали злым огнем. Он тоже поторапливал Ларису. Третья свеча в шандале зачадила и потухла.

— Их всего две! — побледнел Ренат.

Заклинания были написаны Ильей на листке бумаги, который не сохранился. Лариса прочитала их, потом...

— Кажется, мы сожгли листок сразу после обряда.

— Преступное легкомыслие!

— Меня и тогда звали Лариса... Лара. Илья называл меня так. Мы оба увлекались спиритизмом и оккультными практиками и однажды... перешли черту.

— Я рад за вас. Вернее, теперь это не важно...

Ренат еще что-то говорил, но она перестала слушать его возмущенную тираду. Перед ее внутренним взором возникли, всплыли из прошлого написанные знакомым почерком Ильи строчки. Она подняла зеркальце на уровень груди и повернула его амальгамой к зеркалам психомантеума. Отражающая поверхность бронзы потемнела, фантом утонул в золотом тумане, а драпировки задымились. Огненные иероглифы прожгли их насквозь.

«Произноси те же фразы справа налево, — подсказал ей голос Ильи. — Задом наперед, Лара! У тебя мало времени... совсем мало...»

* * *

Засекин, пошатываясь как пьяный, шагал по Никольской улице. Его память внезапно помутилась. Он потерял очки, забыл, как и зачем оказался здесь. Люди в домах спали, прохожих не было. Машины, которые он пытался остановить, проезжали мимо. Фонари казались ему одноглазыми монстрами, а кусты у заборов — призраками самураев, которые поджидали его, чтобы убить.

Ученый припустил бегом, но быстро выбился из сил. Он добрался до ближайшей лавочки, улегся на нее и... уснул. Его можно было принять за алкоголика. Во сне он видел Золотую Бабу. Та сердито грозила ему пальцем. Мол, будешь разевать рот на мои сокровища, погибнешь!

— Я что?.. Я ничего... — оправдывался Засекин, пряча глаза.

Баба склонилась над ним, окутала огненным покрывалом и скрылась. «Профессор» вскочил и с ужасом обнаружил на себе горящую одежду. Он начал кататься по траве, чтобы сбить пламя, и звать на помощь.

— Эй, ты че орешь?

Засекин очнулся и понял, что ему приснился кошмар. Рядом сидел грязный и вонючий бомж, собиравший бутылки по урнам.

— Хочешь выпить? — предложил он, протягивая ученому немного спиртного на дне залапанной чекушки.

Тот сел, содрогаясь от отвращения, глотнул из горлышка водки и тяжело вздохнул.

— Тебе ночевать негде? — улыбнулся гнилыми зубами бомж. — Айда ко мне в подвал. Там тихо, и крыс нет. Я гляжу, ты с виду приличный чел. Жена из дому выгнала?

— Ага... жена...

Засекин вспомнил Золотую Бабу и затрясся от ужаса. Лучше выбросить из головы все, что с ней связано. Не надо ему никаких сокровищ!.. Он застонал от острой боли в затылке и глотнул еще водки.

— Худо тебе? — посочувствовал бомж. — Это только сначала. Скоро привыкнешь. Бабы, они такие... без них спокойнее...

* * *

Денис приоткрыл глаза и подумал, что бредит. Откуда здесь Ириша? У нее заплаканное лицо, измученный вид.

— Где... я? — спросил он, еле ворочая языком.

В глазах девушки загорелась надежда. Неужели уколы подействовали? «Неотложка» еще не доехала, а Денис уже пришел в себя.

— Тебе лучше?

— Не знаю...

Денису казалось, что он неотвратимо погружался в глухую черноту, где на самом дне каменного колодца сидела на троне Золотая Баба и страшно усмехалась. Дна он достичь не успел, какая-то сила вдруг толкнула его вверх, и он, отчаянно размахивая руками и ногами начал подниматься из бездны к свету.

— Я... чуть не утонул, — пробормотал он онемевшими губами. — Я куда-то падал... падал... в темный колодец... Я видел ее!..

— Кого? — боясь поверить в чудо, склонилась над ним Ириша. — Кого ты видел?

— Ее... Золотую Бабу...

— Забудь о ней!

— Что со мной... было?

— Ты заболел. Лихорадка, температура... — Ирина коснулась ладонью его мокрого лба и убедилась, что жар спадает. — Но теперь все будет хорошо. Ты идешь на поправку.

— Я вспомнил... Меня ударило током...

— Ты бредил, и тебе померещилось.

— Бредил? — Он обвел взглядом комнату с деревянными стенами, занавешенным окном и свисающей с потолка старомодной люстрой.

— Ты простудился и заболел, — объясняла Ириша, опасаясь за его рассудок. — Обычное дело. Мы с хозяйкой отпаивали тебя травами... Поспи, тебе надо набраться сил.

Денис закрыл глаза и снова впал в забытье. Но это уже не было беспамятство умирающего. К молодому человеку возвращалась жизнь, а Ириша не догадывалась, кого должна благодарить за это...

ГЛАВА 57

В зеркалах психомантеума мелькали желтые молнии, которые вдруг потухли. Наступила жуткая гробовая тишина. Четырехликий фантом испарился.

Лариса вскрикнула и выронила бы зеркальце, если бы Ренат не подхватил его на лету. Точно таким же жестом, как почти сто лет назад Илья.

— Ой, горячо!

— Ты обожглась?

— Чуть-чуть...

Лариса дула на свою ладонь, а Ренат озирался по сторонам. В глаза бросились ступни Кати в грязных балетках. Та до сих пор не пришла в себя.

— Дай-ка сюда! — Лариса потребовала зеркальце и бесстрашно заглянула в него. Фигурки Оракула не было. Вместо нее в тусклой амальгаме отражались опаленные колдовским пламенем драпировки.

— Получилось! Получилось! Получилось!

По психомантеуму пронесся золотой вихрь и слабый женский вздох.

На миг Ренату почудилось надменное и прекрасное лицо Золотой Бабы. Ее служитель, хранитель ее золота вернулся к ней. Она была довольна.

— Мы успели вовремя, — заметил Ренат. — Денис остался жив и невредим. И мне теперь тоже ничего не грозит.

В тот же миг последняя свеча в шандале догорела, и комнату поглотил густой мрак. Подуло ветром, раздался странный шум.

— Что это? Я ничего не вижу!

Лариса молча прижимала зеркальце к груди. Золотая навивка на его ручке все еще хранила приятное и привычное тепло.

— Лара, ты здесь?

Ренат в полной темноте обнял ее за плечи, готовый к любому развитию событий. Ветер усилился, в воздухе запахло прелью.

— Прощай, Илья, — прошептала она. — Я все исправила! Оракул свободен... и ты тоже. Его предсказание сбылось: я видела твою смерть, хотя это казалось мне невозможным. И твое желание осуществилось: мы опять встретились, как ты обещал. Только эта встреча не принесла нам счастья!.. Прости, если я тебя огорчила. Теперь каждый из нас пойдет своим путем...

Непроглядную черноту прорезал голубоватый свет. Ренат поднял голову и увидел... полную луну. Вокруг шумел ночной лес. Рядом на траве, прислонившись спиной к стволу дерева и вытянув ноги, сидела Катя.

— Эй, ты жива?

Девушка пошевелилась, но ничего не ответила.

— Да жива она, что с ней станется? — отозвалась Лариса. — Скоро очухается и потопает к проселку. Кстати, нам пора идти. Мушкетер уже заждался.

«Мушкетер!» — опомнился Ренат. У него вылетело из головы всё, что происходило до психомантеума. Дом Сазонова, гостиничный номер, поездка на такси за город, водитель, похожий на киношного гасконца. Всё!

— Мы что, оставим ее здесь одну?

— Катю? Ты ее сюда звал?

— Я нет. Но...

— Это не тайга, Ренат. Неподалеку есть база отдыха, до грунтовки рукой подать. Катя сама выберется.

— Надо хотя бы привести ее в чувство!

— С каких пор ты стал таким сердобольным? Ладно, возьмем ее с собой...

* * *

Мушкетер, не задавая вопросов, вез троих пассажиров в город. Катя всю дорогу молчала. Обморок в психомантеуме разделил ее сознание на «до» и «после». Она не помнила недавних событий: как привела Засекина на Никольскую улицу, ударила его по голове, поймала легковушку и, подчиняясь внутреннему голосу, отправилась туда, куда тот ее вел. Темный лес, тропинка, возникший словно из-под земли дом, лестница, узкий коридор и комната с драпировками — напрочь выпали из ее памяти.

Катя очнулась, сидя под каким-то деревом. Ветер шумел в листьях. Светила луна. Над ней стояли двое: в женщине она узнала Ларису, а мужчина, назвавшийся Ренатом, был ей не знаком. Они довели ее до машины, усадили и...

— Куда вы меня везете? — глухо спросила она.

— Домой.

Катя опять замолчала и уставилась в окно. Встречные машины с зажженными фарами казались ей призрачными чудовищами, готовыми разорвать ее на кусочки. Она забилась в угол на заднем сиденье, подальше от Ларисы.

— Не бойся меня, — сказала та, заметив, как соседка дрожит. — Я не кусаюсь.

Катя еще сильнее сжалась в комок и отвернулась. Лариса, ее спутник и даже водитель были ей неприятны и внушали страх.

— Откуда у тебя зеркальце? — обернувшись, спросил Ренат. — Стащила у Сазонова?

— Вы о чем?

— Оставь ее в покое, — заступилась за девушку Лариса. — Я потом все объясню.

Катя чуть не заплакала. Ее обвиняют в воровстве? Но она никогда не брала чужого! Ее воспитывали в строгости, она росла хорошей девочкой. Разве хорошие девочки не заслуживают награды за свое послушание?

— Я хотела найти клад, — проговорилась она. — Это и весь мой грех.

— Она права, — кивнула Лариса и обратилась к Мушкетеру. — Подвезем сначала Катю, а после в отель.

— Может, не стоит оставлять ее одну?

— Теперь можно.

— Я видел, как она приехала на проселок и зашагала в вашу сторону, — добавил таксист. — Но не мог вас предупредить. Вы ведь не взяли телефоны. Я просто сидел и ждал.

— Правильно, — устало улыбнулась Лариса.

Катя не понимала, что они обсуждают. Словно кто-то стер из ее памяти целый пласт. Это ее раздражало и пугало.

— Куда вы меня везете? — повторила она.

— В квартиру, которую ты снимаешь с подругой.

— А...

— По-моему, Катя забыла адрес, — заметил Ренат.

— Ничего, это пройдет.

Мушкетер молча крутил руль, предпочитая не вмешиваться. Разговор пассажиров казался ему нереальным. Он высадил девушку у ее дома, и Ренат пошел проводить ее.

— Чтобы не заблудилась...

* * *

Уже в номере, за чаем, Лариса объяснила, как зеркальце попало к Кате.

— Ты не ошибся. Она его украла. Социальная работница мечтала разбогатеть... и судьба подбросила ей приманку в виде Ирины Ермаковой.

— Ермаков — фамилия второго мужа Софьи, — кивнул Ренат.

— Девушки познакомились на работе и поселились вместе. Катя начала следить за Ириной и Сазоновым, когда заподозрила, что интерес подруги к подопечному имеет меркантильную подоплеку. Волею случая Катя оказалась на Никольской улице сразу после смерти старика. Она подглядывала в окно дома и заметила, что Сазонов слишком долго лежит лицом на столе. Может, ему плохо? Дверь была не заперта, и Катя...

— Волею случая? — перебил Ренат. — Вряд ли. Почему Оракул выбрал ее?

— Ему виднее.

— Ну да!

Ренат представил, как Катя, замирая от ужаса, пробирается в дом, крадется на кухню... убеждается, что Сазонов мертв... и похищает старинный предмет, который лежит на столе. Бронзовое зеркальце! Оно выпало из руки хозяина, когда тот испустил дух.

— Вероятно, Катя решила, что это и есть ключ к тайне клада...

— Сазонов, будучи солдатом-срочником, так же не удержался от соблазна и присвоил зеркальце, которое лежало рядом с покойным генералом, — подтвердила Лариса. — Он спрятал добычу в поленнице, а потом, выбрав удобный момент, забрал и укатил подальше. Почти на край света! Мой отец ничего не знал. Но Оракул начал являться к нему во сне...

— ...и требовать встречи с тобой! Выходит, будущий брат Онуфрий с товарищем тоже не случайно оказались тогда на даче в Песчаном?

— Как говорил Вернер, закономерность порой выбирает извилистый путь.

— Вернемся к Кате. Она принесла зеркальце домой и... посмотрела в него?

— Оракул ей не показался, и девушка решила, что спрячет краденую вещь до поры, до времени. Вдруг, зеркальце стоит немалых денег и является частью клада, который, якобы, принадлежал Сазонову? Эта мысль засела у Кати в голове... Вожделенное золото стало гораздо ближе. Оставалось найти его! Чтобы зеркальце было всегда под рукой, девушка держала его в арендованной квартире. Когда я узнала, что в обыкновенных домашних зеркалах, которыми пользуются подруги, появляются чужие лица... мне пришла мысль об Оракуле, и я поняла, что искомый предмет находится где-то поблизости. Сазонов тоже мог видеть призрака в своих зеркалах. Наверняка видел!

— Оракул сумел до тебя достучаться?

— Это было легко. Ведь нас с ним связал магический обряд. Потом призрак перестал пугать девушек, и я поняла, что Катя перепрятала свою добычу в другое место. Она сменила тайник после того, как подслушала разговор Ирины с Засекиным в сквере, у киоска.

— Испугалась, что «профессор» обнаружит зеркальце?

— Решила подстраховаться. Не хватало, чтобы полоумный ученый, каковым его считала Катя, с помощью своего прибора добрался до ее сокровища. Она не могла этого допустить.

Лариса с Ренатом сидели у окна, в которое дышала теплая летняя ночь, и делились недостающими подробностями. Теперь, когда чары Оракула рассеялись, мысли всех участников этой драмы стали доступны. Телепатический контакт с Катей удалось наладить без труда.

— Кажется, я понял, где она устроила новый тайник, — заявил Ренат. — В дупле старого дерева... на заброшенном участке возле дома Сазонова.

Он *увидел*, как Катя наклоняется в темноте, достает мешочек с зеркальцем и кладет его в рюкзак.

— Это рюкзак Засекина, — сказала Лариса. — Он брал его с собой на прогулку, когда показывал мне город.

— Какого рожна Катя потащила ученого с собой к тайнику?..

— Наверное, для поддержки. Она плохо соображала, находясь под влиянием Оракула. Потом тот приказал ей избавиться от ненужного свидетеля.

— Катя огрела ученого палкой по голове!.. — воскликнул Ренат. — И отправилась ловить машину. Она выполняла все приказы Оракула, который проник в ее сознание и навязывал свою волю. Почему он не убил Катю?

— Оракул убивает только мужчин. Он — служит Золотой Бабе и не может причинить вреда женщине. Это для него табу. Заметь, ни генеральша Лукина, ни ее дочь, ни внучка не пострадали!

— Я обратил внимание, — кивнул Ренат и предложил ей еще чаю.

— Нет, спасибо...

В номере отеля было тихо, мерно тикали настенные часы. Пахло духами Ларисы и ванильным печеньем. На комоде горела лампа. Ночное небо начинало медленно светлеть над крышами Уссурийска.

— У меня последний вопрос. Отчего рассталась с жизнью невеста Шувалова?.. То есть ты?.. Кстати, жутко было увидеть себя в психомантеуме? Мертвую...

— Жутковато, — призналась Лариса. — После того обряда я слишком часто смотрела в бронзовое зеркальце... Хотела узнать свое будущее! Меня терзали ужасные предчувствия. Оракул показал мне тело убитого Ильи. Я не могла этого вынести... И решила уйти первой. Но пророчество все равно сбылось.

— Не хочешь сходить на свою могилку? — пошутил Ренат. — Прикольно было бы.

— Старый погост сровняли с землей и застроили.

Из глаз Ларисы вытекли две слезинки и покатились по щекам. Она промокнула их салфеткой и через силу улыбнулась.

— Ты очень его любила?

— Илью?.. Это уже в прошлом. Нас разлучила Золотая Баба, за то, что мы посягнули на Оракула и потревожили ее саму. Поделом нам!

Ренат вообразил, как Лариса сидела в кресле психомантеума и *смотрела на себя* — давно покинувшую этот бренный мир. В ее сердце всколыхнулось былое чувство. И былая боль, с которой она жила, навсегда растворилась во времени. Нет худа без добра, как говаривал Вернер.

— Раз зеркальце тебе подошло, значит, ты когда-то уже владела им. Оно сделано под тебя! Гуру не зря обратил на тебя внимание и выделил среди других членов клуба.

— У него нюх на таких, как я.

— Это ты, а не генеральша, настоящая ведьма, — заключил Ренат. — Просто не подозревала об этом. А Вернер разгадал твою истинную суть.

— Тебя он тоже выделил. Гуру — не хилый провидец.

— Да уж...

— Давай завтра махнем в Дубовый Ключ, на озеро лотосов, — попросила Лариса. — Я не уеду отсюда, пока не полюбуюсь на лотосы!

ЗАКЛЮЧЕНИЕ

На блестящей глади озера играли солнечные зайчики. Сотни розовых цветов лотоса и белых водяных лилий раскинулись от берега до берега. На их плоские зеленые листья садились стрекозы.

— Священный цветок буддистов, — произнес кто-то у самого уха Рената. — Символизирует душевную чистоту и непривязанность к жизни с ее проблемами, соблазнами и компромиссами. Взгляните, как они совершенны! Рожденные в болотной мути лотосы тем не менее остались незапятнанными.

— Вернер?

— Я знала, что мы встретимся именно здесь, — сказала Лариса.

Самодовольный мужчина крепкого сложения, одетый в светлые шорты и просторную желтую рубаху навыпуск, улыбался во весь рот. Его лысый череп лоснился, выпуклые каштановые глаза хранили невозмутимое выражение. Словно каждая часть лица гуру существовала в отдельном режиме. Как, впрочем, и каждая часть его непостижимой личности.

Он уставился на рюкзачок, который Лариса повесила на плечо, и плотоядно облизнулся.

— *Оно* там?

— Я не могла оставить его в номере.

— Только ты была способна выпустить Оракула. Наконец он вернулся к своей повелительнице. Золотая Баба выражает тебе респект. Вечная жажда наживы губит людей! Даже таких, как Илья Шувалов. Тебе не следовало поддаваться на его провокацию.

— Илью не интересовало золото, — возразила Лариса. — Оракул понадобился барону Унгерну.

— Вы посадили его дух в клетку? Вернее, заключили в зеркальце. Хитро! Но чертовски опасно. Барон надеялся, что Оракул сведет его с Золотой Бабой? Взамен на свободу? Подлый шантаж, детка!.. Твой бывший возлюбленный возомнил себя великим магом и просчитался. Он наказан по заслугам. Вместе с Унгерном и ему подобными.

— Эй! — вмешался Ренат. — Ничего, что я все это слушаю?

— Неужели, ты ревнуешь? — улыбка сбежала с губ Вернера, взгляд стал колючим. — К покойнику? Фи, приятель! Не ожидал от тебя.

— Лариса теперь со мной...

— Теперь! — подчеркнул гуру. — Так было не всегда. Гарантии на взаимность не существует! Цени свою удачу, дружище. Если ты ее утратишь, пеняй на себя.

Он хотел дать Вернеру достойную отповедь, но тот смешался с толпой туристов на берегу и пропал из виду.

— Где этот наглый тип? — вытягивал шею Ренат. — Я думал, он потребует отдать ему зеркальце. Собиратель раритетов выискался!

— Зеркальце уже у него.

— Ты отдала Вернеру рюкзак?! — возмутился он. — Вместе с мешочком?!!

— Однажды любовь заставила меня совершить жестокую ошибку. Я не хочу, чтобы это повторилось.

— Мы могли бы...

— Нет, Ренат! Нет! Хватит с меня Ильи!

— Может, ты и права, — насупился он.

— Хорошо, что Денис остался жив, — примирительно молвила Лариса. — Они с Ириной уже на пути в аэропорт. Пусть уезжают поскорее. Кстати, игра «Золотая Баба» набирает популярность. Хотя я бы удалила ее из Сети.

— Одной игрой больше, одной меньше... Человек все равно найдет, куда вляпаться.

Лариса оставила реплику Рената без комментария. Она любовалась лотосами, вспоминая слова Вернера о чистоте. Как, живя в этом мире, не привязываться к нему и избегать соблазнов?..

Белоснежные лилии и нежно-розовые лотосы вызывали у собравшихся на озере людей неподдельный восторг. Но мало кто из них понимал немой намек этих дивных созданий природы...

Ответы на викторину, напечатанную в книге «Эффект чужого лица»:

1. Какая книга вышла первой в серии «Артефакт-детектив» в 2007 году?

Ответ: детектив «Третье рождение Феникса».

2. Вопрос для фанатов автора. До 2007 года выходила еще одна серия — «Детектив глазами женщины». В ней вышли 4 книги автора. Как они назывались?

Ответ: «Торнадо нон-стоп», «Свидание в позе лотоса», «Джек-пот», «Убегающая нимфа».

3. Назовите книгу, о которой этот отзыв:

«Есть книги, которые просачиваются в реальность И это начало происходить с книгами моего любимого автора Натальи Солнцевой. Вот, например, во время чтения книги «...», я оказалась в маршрутке рядом с парнем, на руке которого был браслет из множества ниток, завязанных в многочисленные узелки, еще на улице, прям на каждом шагу, как нашествие, начали встречаться кошки».

Ответ: детектив «Прыжок ягуара».

4. Какому известному итальянскому скульптору принадлежит статуэтка «Обнаженная Венера» — главный артефакт романа «Венера и Демон»?

Ответ: Бенвенуто Челлини.

5. Закончите афоризм Натальи Солнцевой: «Вопрос в том, зачем мы здесь? Чтобы любить или чтобы ...?»

Ответ: «Вопрос в том, зачем мы здесь? Чтобы любить или чтобы ненавидеть».

6. В какой книге впервые появилась детектив-медиум Астра Ельцова?

Ответ: Астра появилась в романе «Свидание в Хэллоуин» (переиздание «Магия венецианского стекла»).

7. Одна из самых популярных серий автора называется «Игра с Цветами Смерти». Что это за цвета?

Ответ: Золотой, Красный, Зеленый, Черный.

8. Как зовут шикарного кота известного персонажа-гуру Вернера? Из книги «Иди за мной!»

Ответ: кот Ра.

9. Герой романа «Подручный смерти» в прошлой жизни погиб от выстрела в грудь. А в настоящей жизни его подсознание напомнило об этом болезнью — какой?

Ответ: острый бронхит.

10. В древних мифах — какой предмет для русалки считается самым священным? Подсказкой будет название одной из книг автора.

Ответ: гребень для волос. Детектив «Золотой гребень для русалки».

11. От чего на самом деле погиб лайнер «Титаник»? Если вы читали роман «Пассажирка с “Титаника”», то ответите не задумываясь.

Ответ: проклятие египетской жрицы, ее мумию везли в Америку на лайнере «Титаник».

12. В корзине с какими цветами Сфинкс приносил черную метку своим жертвам? В романе «Последняя трапеза блудницы». По легенде, эти цветы проросли в раю из слез Евы.

Ответ: белые лилии.

13. Царь Иван Грозный охотился за священным артефактом — Кольцом Мироздания. В каком романе Натальи Солнцевой описан этот исторический факт?

Ответ: «Портрет кавалера в голубом камзоле».

14. Сколько книг входит в серию «Золото»?

Ответ: 4 романа.

15. Закончите цитату автора: «Все когда-нибудь кончается. Все тленно, кроме вдохновения и ...»

Ответ: «Все когда-нибудь кончается. Все тленно, кроме вдохновения и любви».

16. 1775 год, морские воды к западу от Гренландии. Команда китобойного судна «Харальд» столкнулась с кораблем-призраком... В каком романе разворачиваются эти события?

Ответ: детектив «Убийство в пятом варианте».

17. Его отец был перчаточником, сам он окончил семь классов и караулил лошадей у театра. О каком известном английском драматурге, герое книги Натальи Солнцевой, идет речь?

Ответ: Уильям Шекспир, детектив «Шарада Шекспира».

18. Какой известный чернокнижник участвует в серии книг «Астра Ельцова. Эрос и преступления»?

Ответ: граф Яков Брюс, сподвижник Петра Первого.

19. Назовите серию книг, о которой этот отзыв:

Серия интересная, я прочитала уже 3 книги. Действия романов вертится вокруг талисманов с таинственными знаками и реинкарнации душ. В каждой книге всплывают разные исторические периоды, где жили прототипы современных героев (Древний Египет, Индия, Италия, Древний Рим), на каждом шагу тайны и загадки. Не терпится прочитать последнюю книгу.

Ответ: серия детективов «Игра с Цветами Смерти».

20. Ее настоящее имя — Маргарета Гертруда Зеле. Под каким псевдонимом жила эта известная шпионка начала XX века? Героиня романа «Дневник сорной травы».

Ответ: Мата Хари.

21. В каком итальянском городе происходят события в романе «Три смерти Коломбины»?

Ответ: Венеция.

22. В основу книги «Полуденный демон» лег миф о первой жене Адама. Назовите ее.

Ответ: Лилит.

23. Закончите афоризм писательницы Натальи Солнцевой из романа «Ожидай странника в день бури»: «Нельзя обрести Силу, разрушая и разрушая. Дорога Силы — это дорога...»

Ответ: «Нельзя обрести Силу, разрушая и разрушая. Дорога Силы — это дорога Любви».

24. Что пытался создать герой романа «Камасутра от Шивы», и тем самым стать равным Богу?

Ответ: гомункулуса — существо, подобное человеку.

25. В какой книге впервые появилась детектив-прорицательница Глория Голицына?

Ответ: детектив «Копи царицы Савской».

26. «Ваши пальцы пахнут ладаном...» Кому посвятил свои стихи поэт Александр Вертинский? Она же — главная героиня романа «Селфи с римским фонтаном».

Ответ: актриса Вера Холодная.

27. В книге «Дьявольский поезд» — что это за поезд, и что случилось с его пассажирами?

Ответ: поезд-призрак, который вышел в 1911 году из Рима и исчез навсегда. С тех пор он внезапно появляется и исчезает на железнодорожных станциях в разных странах.

28. Какое заведение послужило названием романа «Иди за мной»?

Ответ: эзотерический клуб с одноименным названием.

29. Художник Валентин Серов написал ее обнаженной в храме. О какой героине романа «Танец семи вуалей» идет речь?

Ответ: актриса и танцовщица Ида Рубинштейн.

30. У Анны, героини романа «Не бойся глубины», есть брошь с надписью «Silentium Amoris». Переведите эту надпись.

Ответ: Молчание любви.

31. Во что превратил оловянную ложку Сергей Горский, герой романа «Опасайся взгляда Царицы Змей», алхимик в прошлой жизни?

Ответ: в золото.

32. «Не книга — сплошное удовольствие! Странная любовь, маньяк, интрижки, убийство, детективы, близнецы, Пиковая дама и красивейшая история поклоне-

ния богине Гекате! Интересно и необычно, думаю, что сюжет не забудется и со временем».

О какой книге этот отзыв?

Ответ: детектив «Не бойся глубины» и «Дневник сорной травы» серии «Сады Кассандры».

33. Какая картина помогла найти бриллианты Марии-Антуанетты в одноименной книге Натальи Солнцевой?

Ответ: картина «Шулер с бубновым тузом» художника Жоржа де Латура.

34. Как зовут напарника экстрасенса-детектива Ларисы Курбатовой, в романе «Дьявольский поезд»?

Ответ: Ренат Михеев.

35. Закончите афоризм автора: «Жизнь — не то, что с нами происходит, а то, что мы ...»

Ответ: «Жизнь — не то, что с нами происходит, а то, что мы создаем».

36. Роман «Французский ангел в кармане». «Французский ангел» в книге — что это за артефакт?

Ответ: монета.

37. За каким женским украшением из красных рубинов охотятся черные археологи в романе «К чему снится кровь»?

Ответ: старинные рубиновые серьги.

38. Сколько предметов должна отдать богиня Иштар, чтобы спуститься в подземное царство? Об этом упоминается в романе «Эффект чужого лица».

Ответ: семь предметов.

39. Всем известен Нострадамус. Но главным астрологом королевы Екатерины Медичи был совсем другой человек. Его секрет раскрыла Наталья Солнцева в книге «Три смерти Коломбины». Назовите имя этого астролога.

Ответ: Козимо Руджиери.

40. Какое последнее дело расследовала детектив-мистик Астра Ельцова?

Ответ: дело о поиске философского камня, в детективе «Красный лев друидов».

41. Какие два главных магических предмета помогали Астре во всех расследованиях?

Ответ: старинное венецианское зеркало Алруна и корень мандрагоры.

42. Закончите фразу из романа «Дьявольский поезд»: «Чтобы видеть по-настоящему, порой надо ...»

Ответ: «Чтобы видеть по-настоящему, порой надо закрыть глаза».

Литературно-художественное издание

МИСТИЧЕСКИЙ ДЕТЕКТИВ

Солнцева Наталья Анатольевна

ДУЭЛЬ С ОРАКУЛОМ

Роман

Редакционно-издательская группа «Жанровая литература»

Зав. группой *М. Сергеева*
Руководитель направления *И. Архарова*
Ответственный редактор *Н. Ткачева*
Технический редактор *О. Серкина*
Компьютерная верстка *Е. Кумшаева*
Корректор *Е. Савинова*

ООО «Издательство АСТ»
129085, г. Москва, Звездный бульвар, д. 21, строение 1, комната 39
Наш электронный адрес: **www.ast.ru**
E-mail: zhanry@ast.ru

«Баспа Аста» деген ООО
129085, г. Мәскеу, жұлдызды гүлзар, д. 21, 1 құрылым, 39 бөлме
Біздің электрондық мекенжайымыз: www.ast.ru
E-mail: zhanry@ast.ru

Қазақстан Республикасында дистрибьютор
және өнім бойынша арыз-талаптарды қабылдаушының
өкілі «РДЦ-Алматы» ЖШС, Алматы қ., Домбровский көш., 3«а», литер Б, офис 1.
Тел.: 8(727) 2 51 59 89,90,91,92
Факс: 8 (727) 251 58 12, вн. 107; E-mail: RDC-Almaty@eksmo.kz
Өнімнің жарамдылық мерзімі шектелмеген.

Өндірген мемлекет: Ресей
Сертификация қарастырылмаған

Подписано в печать 05.10.2017. Формат 84x108 1/32.
Гарнитура «Svetlana». Печать офсетная. Усл. печ. л. 18,48.
Тираж 2000 экз. Заказ № 1718270.

Отпечатано в полном соответствии с качеством
предоставленного электронного оригинал-макета
в ООО «Ярославский полиграфический комбинат»
150049, Ярославль, ул. Свободы, 97

ISBN 978-5-17-983241-6

Редакционно-издательская группа «Жанровая литература»

Что такое востребованная книга?
Ошибаются люди, думающие, будто для массового читателя писать легче, чем для «элитарного»; как раз наоборот, сделать то, что будет интересно сотне, гораздо проще, чем сочинить историю, которая будет интересна ста тысячам. Мало кто из современных писателей может похвастаться такой аудиторией, но все к этому стремятся; наша задача как сотрудников издательства — обеспечивать автору встречу с «его» читателем.

Наша специализация — «истории».
Увлекательные, хорошо сочиненные и хорошо написанные: на любой вкус и на каждый день!

Основные направления нашей редакции:
фантастика; остросюжетная проза; современная сюжетная проза, «мейнстрим»; сентиментальная литература.
Мы издаем бестселлеры и делаем все, чтобы каждый наш автор нашел своего читателя.

В числе наших авторов —
Борис Акунин, Пауло Коэльо, Анна Гавальда, Януш Леон Вишневский, Павел Санаев, Полина Дашкова, Сергей Минаев, Дмитрий Глуховский, Екатерина Вильмонт, Наталья Нестерова, Юрий Поляков, Юрий Вяземский, Эдуард Тополь, Данил Корецкий, Елена Михалкова, Сергей Тармашев, Роман Злотников, Елена Колина, Виктория Платова, Анна Малышева, Наталия Левитина, Юлия Шилова, Наталья Андреева, Наталья Солнцева, Татьяна Луганцева, Слава Сэ, Марта Кетро, Анатолий Тосс, Анна Старобинец, Татьяна Соломатина и многие другие российские и мировые знаменитости. Мы издаем наследие Аркадия и Георгия Вайнеров, Аркадия и Бориса Стругацких, Иоанны Хмелевской и Владимира Орлова.

Издательство АСТ
и редакционно-издательская группа

«Жанровая литература»
представляют
новые книги талантливого,
загадочного автора
серии «Мистический детектив»

Натальи Солнцевой

Ее новые герои, Лариса и Ренат, ищут свои идеалы в онлайн-игре. Они не замечают, как невинное увлечение втягивает их в водоворот опасных событий, где аватары несут реальную угрозу, а над головой свистят настоящие пули!

Виртуальное пространство — это параллельный мир, где преступления более изощренные, а злодеи неуловимы как компьютерный вирус! Убийцу не разоблачить только уликами и дедукцией. Здесь требуются особые способности. Ведь схватка со злыми силами происходит на перекрестке трех миров — реального, мистического, виртуального. Какой из них более опасен?..